# समय और संस्कृति

# समय और संस्कृति

श्यामाचरण दुबे

वाणी
प्रकाशन

प्रकाशन के उत्कृष्टतम 62 वर्ष

सजिल्द द्वितीय संस्करण : 2000
सजिल्द तृतीय संस्करण : 2025

vaniprakashan.com

वाणी प्रकाशन

4695, 21-ए, दरियागंज, नयी दिल्ली-110 002
फ़ोन : + 91 11 23273167, 23275710

शाखाएँ

अशोक राजपथ, पटना-800 004, बिहार
कॉफ़ी हाउस कैम्पस, महात्मा गांधी मार्ग, प्रयागराज-211 001, उत्तर प्रदेश
महात्मा गांधी अन्तरराष्ट्रीय हिन्दी विश्वविद्यालय, वर्धा-442 001, महाराष्ट्र

sales@vaniprakashan.in
vaniprakashan@gmail.com

Samay Aur Sanskriti
*by* Shyamacharan Dubey

ISBN : 978-81-7055-464-6



मूल्य : ₹ 650



*जी.एस. ऑफ़सेट, दिल्ली-110 095 में मुद्रित*

*वाणी प्रकाशन का लोगो मक़बूल फ़िदा हुसैन की कूची से*

*इस पुस्तक की भूमिका प्रो. श्यामाचरण दुबे के*
*आकस्मिक निधन*
*के कारण नहीं जा सकी। हमें खेद है।*

**—प्रकाशक**

# क्रम

# परंपरा

# परंपरा की परिधि

आज के संदर्भ में 'परपरा' एक मोहक शब्द है। साथ ही यह शब्द भ्रामक भी है, क्योंकि इसे मनचाहे अर्थ देकर इसके गलत-सही कितने ही प्रकार के उपयोग किये जा सकते हैं। समसामयिक संवाद में परंपरा की केंद्रीयता असंदिग्ध है। आज के अनेक सामाजिक-राजनीतिक प्रश्न और आंदोलन परंपरा से जुड़े हैं। संस्कृति और जातीय अस्मिता एक तरह से परंपरा के पर्यायवाची बन गये हैं। इनके लिए बड़ी-बड़ी लड़ाइयाँ लड़ी जा रही हैं। पिछले पाँच दशकों में विराट् मानवीय उद्देश्यों की परिभाषाएँ कई बार बदली हैं; राजनीतिक स्वाधीनता, आर्थिक विकास और सामाजिक समता की मंजिलें पार कर अनेक समुदाय अपनी नियति को सांस्कृतिक स्वायत्तता से जोड़ रहे हैं। आज के वैचारिक पर्यावरण में परंपरा (अथवा संस्कृति/जातीय भावना) की अवज्ञा संभव नहीं है।

कल तक स्थिति कुछ और थी। साम्यवादी क्रांति के अनेक पुरोधा एक नये समाज की स्थापना के लिए पुराने समाज की संस्थाओं और मूल्यों का ध्वंस आवश्यक मानते थे। लेनिन ने सांस्कृतिक अस्मिता के महत्त्व को समझा था और संस्कृति-क्षेत्रों को विभिन्न धरातलों पर स्वायत्तता देने का संवैधानिक प्रावधान भी किया था। उनके उत्तराधिकारी क्रांतिकारी अतिवाद से पीड़ित थे, उनकी नीतियों और कार्यक्रमों से इस स्वायत्तता का स्खलन हुआ। सत्ता और शक्ति ने सांस्कृतिक असंतोष को दबाये रखा, किंतु समय-समय पर वह अपने-आपको अभिव्यक्त करता रहा। ऐसी स्थिति भी आयी जब सशक्त विस्फोटों में परंपरा ने अपनी ताकत का अहसास कराया।

चीन में भी कुछ ऐसा ही हुआ। सफल क्रांति के बाद वहाँ 'नया चीन' और 'नया चीनी मानव' बनाने के प्रयत्न आरंभ हुए। इन प्रयोगों ने परंपरा की अवज्ञा ही नहीं की, उस पर सीधा प्रहार भी किया। लाओत्से की आलोचना की गयी, विशेषकर कनफ्यूशियस और चीनी समाज को उनके योगदान का अवमूल्यन किया गया। इसी

प्रक्रिया में बौद्ध धर्म की दार्शनिक और सामाजिक महत्ता को भी नकारा गया। पहली राजनीतिक क्रांति और दूसरी सांस्कृतिक क्रांति के बाद विचार-चक्र पुनः अपने पुराने स्थान पर लौटा। कनफ्यूशियस आज केवल चीन में ही नहीं, पूरे पूर्वी एशिया के भाव-जगत् पर एक बार फिर छा गये हैं।

राजनीतिक क्रांति की बात छोड़कर हम एक नज़र तीसरी दुनिया की वैकासिक क्रांति पर डालें। उद्देश्यों के आधार पर संसार के इस दो-तिहाई भाग ने कम-से-कम चार प्राथमिकताओं का अनुभव किया है। पहला विराट् उद्देश्य था राजनीतिक स्वतंत्रता। इस लक्ष्य की छाया में सांस्कृतिक विभिन्नताएँ दब गयी थीं, उनकी अभिव्यक्ति का तेवर भी उग्र नहीं था। वैसे राजनीतिक आंदोलनों ने परंपरा के प्रतीकों और सांस्कृतिक मुहावरों का उपयोग खुलकर किया था। आज़ादी पाने के बाद जो दूसरा उद्देश्य उभरा, वह था आर्थिक विकास। विकास के जिस स्तर को पाने के लिए पश्चिमी यूरोप और अमेरिका को प्रायः दो सौ वर्ष लगे थे, उसे तीसरी दुनिया के देश बीस वर्षों में ही पा लेना चाहते थे। उनकी इस असंभव महत्वाकांक्षा को बढ़ावा दिया पश्चिम के अनेक विकास-विशेषज्ञों ने। उनकी दृष्टि में परंपरा विकास के मार्ग में अवरोधक थी; उसे बदलना आवश्यक माना गया। सांस्थानिक ढाँचे और जीवन-मूल्य—दोनों में परिवर्तन करने की आवश्यकता को अनिवार्य बताया गया। यह परिवर्तन किस तरह लाया जाये, इस बिंदु पर विशेषज्ञ मौन रहे। परंपरा की तीव्र प्रतिक्रिया ने अनेक स्थितियों में आर्थिक विकास की प्रक्रिया को तेज़ झटके दिये। विकास की विकृतियों ने शांति और सुरक्षा पर अनेक प्रश्नचिह्न लगा दिये। विकास ने निर्णय किया कि उसे परंपरा से टक्कर नहीं लेना है, उससे समझौता करना है और उसकी अंतर्निहित ऊर्जा का उपयोग वैकासिक उद्देश्यों की प्राप्ति के लिए करना है। इस तरह विकास के तीन लक्ष्य—उत्पादन, व्यवस्था और संस्कृति का संरक्षण—समान महत्त्व के माने गये। विकास और परंपरा का शीत-युद्ध समाप्त हुआ और संस्कृति विकास के एक प्रमुख कारक और ध्येय के रूप में पुनः प्रतिष्ठित हुई।

आर्थिक विकास की सीमित उपलब्धियों और विसंगतियों में सामाजिक लक्ष्यों को समता की ओर मोड़ा गया। राजनीतिक स्वतंत्रता और आर्थिक विकास आवश्यक तो थे, किंतु सामाजिक समता के अभाव में वे एकांगी और अधूरे थे। समता के लिए सामाजिक आंदोलन और संघर्ष कई स्थितियों में आवश्यक होते हैं, पर वे भी परंपरा की अवहेलना नहीं कर सकते।

उनके संबंधों का आधार सहयोग का हो या टकराव का—इस प्रश्न का कोई सीधा और सरल उत्तर संभव नहीं था। इसके पहले कि समस्या का कोई संतोषजनक समाधान मिले, लक्ष्य की परिभाषा एक बार फिर बदली।

नया लक्ष्य था सांस्कृतिक स्वायत्तता का। 'जड़ों की तलाश' और 'सांस्कृतिक

पहचान' के प्रश्न ऐतिहासिक जिज्ञासा के रूप में उठे थे, किंतु धीरे-धीरे उनका तेवर उग्र होता गया। एक दशक पहले लगभग चार सौ ऐसे आंदोलनों की सूची बनी थी जो 'जातीय भावना' (एथनिसिटी) पर आधारित थे और जिनसे सांस्कृतिक परंपरा का प्रश्न जुड़ा था। इस सूची में कई और नाम जुड़े हैं और आंदोलनों में नयी आक्रामकता आयी है। भारत के ही उदाहरण लें तो उत्तर-पूर्व के जनजातीय आंदोलन—विशेषकर नगा और मिज़ो क्षेत्रों में—उग्र और हिंसात्मक हो गये थे। स्वतंत्र राज्यों के निर्माण से स्थिति कुछ नियंत्रण में आयी, किंतु आज भी यह नहीं कहा जा सकता कि समस्या का अंतिम हल खोज लिया गया है। तमिलनाडु का द्रविड़ आंदोलन, जो भाषा, संस्कृति और जातीय भावना पर आधारित था, अलगाववाद का रास्ता अपना रहा था। स्थिति तब सँभली जब द्रविड़ आंदोलन के नेताओं के हाथ में राज्य की सत्ता आ गयी। वैसे सांस्कृतिक स्वायत्तता का प्रश्न अभी भी जीवित है, विशेषकर दक्षिण के राज्यों में। अन्य क्षेत्रों में भी इसी प्रकार के आंदोलन उभरे, जिनसे भारत की राष्ट्रीय एकता चिंता का विषय बन गयी। कश्मीर का सांस्कृतिक व्यक्तित्व आरंभ से ही एक संवेदनशील मसला रहा है। सिख धर्म ने धीरे-धीरे एक 'कौम' का रूप लिया और अपनी जातीय अस्मिता की रक्षा के लिए सिखों के एक भाग ने अलगाववाद का रास्ता अपनाया। असम में लंबे समय से बंगलाभाषी लोग बसते रहे हैं। बांग्ला देश और भारत के अन्य प्रदेशों से वहाँ आकर बसनेवाले लोगों के कारण असमिया समाज में चिंता व्याप्त हुई कि कहीं वे कालांतर में अपने ही प्रदेश में अल्पसंख्यक न बन जायें। असम-समस्या का हल खोजे जाने के कुछ समय बाद ही, उसी राज्य में बोडो उग्रवादियों ने जनजातियों की स्वायत्तता का सवाल उठाकर बोडोलैंड राज्य की माँग की। दार्जिलिंग क्षेत्र के गोरखा समुदाय के लोगों को विशेष संवैधानिक स्थिति उग्र हिंसात्मक आंदोलन के बाद ही मिली। छोटा नागपुर क्षेत्र के झारखंड आंदोलन ने अनेक राजनीतिक उतार-चढ़ाव देखे हैं और यह कह सकना कठिन है कि भविष्य में वह कौन-सी दिशा अपनायेगा।

भारत के अलावा अन्यत्र चल रहे इस प्रकार के आंदोलनों की संख्या में भी वृद्धि हुई है। पाकिस्तान के मुहाजिर—भारत से गये मुसलमान—पंजाबी, सिंधी, पख्तून, और बलूची राष्ट्रीयता के अतिरिक्त अपनी राष्ट्रीयता की स्वीकृति की माँग उठा रहे हैं। सोवियत मध्य एशिया में भी अज़रबैजान, तुर्कमेनिया, कजाकिस्तान और उजबेकिस्तान तथा अन्य क्षेत्रों में स्वायत्तता की माँग की गयी है। लिथुआनिया, एस्टोनिया और जार्जिया की समस्याएँ दूसरे धरातल पर उठायी गयी हैं, यद्यपि वहाँ भी जातीय भावना और सांस्कृतिक कारक अनुपस्थित नहीं हैं। इन माँगों और उनसे ज़ुड़े आंदोलनों के कारण स्थापित राज्य-व्यवस्था डगमगा गयी है और भविष्य के संबंध में अनेक नये प्रश्न उठे हैं।

परंपरा, संस्कृति, और जातीय भावना पर्यायवाची नहीं हैं, किंतु राजनीतिकरण की प्रक्रिया ने उनके अंतर को धुँधला कर दिया है। परंपरा संस्कृति का वह भाग है जिसमें भूतकाल से वर्तमान और वर्तमान से भविष्य तक एक निरंतरता बनी रहती है। यह ज़रूरी नहीं है कि परंपरा जीवन के हर क्षेत्र में समान रूप से प्रभावी हो। धार्मिक विश्वासों और रूढ़ियों की परंपराओं में परिवर्तन धीमी गति से होते हैं, सामाजिक संस्थाओं और व्यवहारों की परंपराओं के कुछ पक्षों में, धर्म की तुलना में, बदलाव की गति अधिक तेज हो सकती है, यद्यपि यह भी मंद गति का क्षेत्र है। साहित्य तथा रूपंकर और प्रदर्शनकारी कलाओं के क्षेत्रों में परंपराओं के प्रयोगों और नवाचारों से प्रभावित होने की संभावना अधिक होती है। भाषा की परंपरा तेज़ी से बदलती है। संस्कृति की संज्ञा मानव के सीखे हुए व्यवहार-प्रकारों को दी जाती है। वैसे तो संस्कृति का पूरा स्वरूप ही ऐतिहासिक संदर्भों से निर्मित होता है, किंतु उसके ऐसे मूल्यों और व्यवहार-प्रकारों को, जिनकी जड़ें इतिहास में बहुत गहरी हैं, परंपरा कहा जाता है। जातीय भावना, अपने मूल अर्थ में, विशिष्ट नृवंशीय शाखाओं से जुड़े संवेदनात्मक लगाव को कहा जाता था। आज की बदली हुई स्थिति में क्षेत्रीय, भाषिक, सांस्कृतिक और धार्मिक तत्त्व उसमें इस तरह मिल गये हैं कि जातीय भावना की व्याख्या उलझनभरी और अनिश्चित हो गयी है। इन तीनों अवधारणाओं—परंपरा, संस्कृति और जातीय भावना—के संबंध में यह स्मरण रखना आवश्यक है कि ये आंशिक रूप से तथ्यों पर आधारित, किंतु मुख्यतः मानसिक पुनर्रचनाएँ होती हैं। नये संदर्भ उन्हें नये मोड़ देते हैं, विशेष स्थितियों में उनके अर्थ और प्रकार्य भी बदल जाते हैं। व्याख्या का विभ्रम उस समय अपनी चरम सीमा पर पहुँचाता है, जब पुनर्रचना की प्रक्रिया ज्ञात सामाजिक तथ्यों और ऐतिहासिक यथार्थ से कटकर नये मिथकों और प्रतीकों को अपना लेती है। ऐसे प्रयत्न हास्यास्पद भले ही हों, किंतु उनकी उपेक्षा खतरनाक हो सकती है।

परंपरा की परिधि का निर्धारण उसे देखने और समझने की दृष्टि पर अवलंबित होता है। यह दृष्टि परंपरा के तटस्थ अध्येताओं की हो सकती है और उनकी भी जो सामाजिक क्रियाओं की गति और दिशा निर्धारित करने के लिए उसकी व्याख्या करते हैं। कुछ दार्शनिकों ने मानवीय परंपरा को समग्र और एकीकृत रूप में देखने के प्रयत्न किये हैं, अनेक ने प्रवृत्तियों के आधार पर मुख्य परंपराओं के वृत्त निर्धारित किये हैं। दूसरी श्रेणी के प्रयासों में केंद्रीय परंपरा और उसके प्रभाव-क्षेत्र में उसके विभिन्न स्वरूप—दोनों पर विचार किया है। परंपरा का आधार शास्त्र भी हैं, लोक भी; किंतु कुछ दृष्टियाँ शास्त्र को महत्त्व देती हैं, कुछ लोक को। इन आधारों के अंतरावलंबन को समझने के प्रत्यन भी हुए हैं। ग्रीक, चीनी, भारतीय, और इस्लामी परंपराओं का चित्रण कुछ आधार ग्रंथों के सहारे किया गया है। प्राच्यविद्, भारतविद्, संस्कृतज्ञ और

दार्शनिक भारतीय परंपरा और उसके मूल स्वरों की तलाश शास्त्रों और अन्य धर्म ग्रंथों में करते आये हैं।

ये स्रोत किन प्रतिमानों को प्रस्तुत करते हैं ? वे जो जीवन के आदर्श प्रारूप के लिए आवश्यक हैं अथवा वे जो जिए हुए यथार्थ से उपजे हैं ? परंपरा के ऐसे चित्रण उसके मुख्य लक्षणों और तत्त्वों को ही रेखांकित कर पाते हैं और उनके आधार पर उसकी परिधि निर्धारित करते हैं। इसके विपरीत मानवविज्ञान, समाजविज्ञान और इतिहास अनुभवजन्य तथ्यों के आधार पर परंपरा का सीमांकन करते हैं। वे विराट् अथवा महान् परंपरा के छत्र के नीचे पनपनेवाली लघु (स्थानीय) और माध्यमिक (क्षेत्रीय) परंपराओं के अस्तित्व और अंतःसंबंधों के प्रति भी सजग रहते हैं। समय-समय पर परंपरा की उपधाराएँ जन्म लेती हैं और कुछ समय बाद उसकी मुख्य धारा में मिल जाती हैं। उदाहरण के लिए भारत में राष्ट्रवादी, सुधारवादी, और पश्चिमवादी उपधाराएँ उपजीं और परंपरा की सशक्त धारा से जुड़ गयीं। शास्त्रीय परंपरा को लोक-परंपरा (स्थानीय और क्षेत्रीय) के संदर्भों से जोड़ना आवश्यक है। देखना यह है कि वे एक-दूसरे को किस सीमा तक प्रभावित करती हैं और इस प्रक्रिया में उनके केंद्रीय प्रतीकों और मूल्यों में कौन-से गुणात्मक परिवर्तन आते हैं ? साथ ही क्लासिकी परंपरा, लोक-परंपरा और उभरती जन (मॉस कल्चर के अर्थ में) तथा जनप्रिय (पॉपुलर कल्चर के अर्थ में) परंपराओं के अन्तःसंबंधों और अंतरावलंबन का आकलन और मूल्यांकन भी जरूरी है।

एक और प्रवृत्ति पर भी ध्यान देना जरूरी है। परंपरा की कुछ उपधाराएँ बदलती परिस्थितियों और नये प्रभावों के कारण नया रुख अपनाती हैं। जातीय भावना पर आधारित कुछ अलगाववादी आंदोलन निश्चित रूप से इस प्रवृत्ति के द्योतक हैं। मुसलमान भारत की सामासिक संस्कृति के अंग थे। उनके नेतृत्व के एक भाग ने अपने आपको एक भिन्न राष्ट्र घोषित किया और वे भारत के विभाजन में सफल भी हुए। सिख धर्म ने बहुत कुछ हिंदू परंपरा से लिया, कुछ इस्लाम से। इस समय उनके नेतृत्व का एक भाग अलग कौम होने का दावा कर स्वायत्तशासी तथा प्रभुसत्ता-प्राप्त पृथक् राज्य की माँग कर रहा है। भावना की तीव्रता के कारण वे ऐतिहासिक, सांस्कृतिक और सामाजिक पृष्ठभूमि को भुलाकर वे अपनी परंपरा को भिन्न मान रहे हैं। इस प्रवृत्ति के कारण कभी-कभी बड़ी बिचित्र स्थितियाँ उत्पन्न होती हैं। तकनीकी और विज्ञान के कारण आयी संपन्नता के कारण जापान के प्रबुद्ध वर्ग का एक अंश अपने आपको एशियायी न मानकर उन्नत गोरे देशों की श्रेणी में रखने लगा था। वहाँ के एक शिक्षामंत्री जापानी भाषा छोड़कर अंग्रेजी को अपनाना चाहते थे। उनका यह भी मानना था कि अपनी प्रतिभा से जापानी इस भाषा को अधिक तार्किक और तीक्ष्ण बना लेंगे। यह बात अलग है कि एक महत्त्वपूर्ण सम्मेलन में इस प्रस्ताव की

घोषणा करने के कुछ क्षण पहले उनकी हत्या कर दी गयी। वैसे भी उसकी स्वीकृति की संभावना बहुत कम थी। इंडोनेशिया की स्थिति बिल्कुल दूसरी है। इस देश ने इस्लाम तो कुबूल किया, पर अपनी संस्कृति नहीं छोड़ी। उस समाज में सत्यवती सुलेमान और सरस्वती अदुल्ला जैसे नाम अजीब नहीं लगते। वहाँ के नृत्य-नाट्य, कठपुतलियों और चर्म-पुतलों के नृत्य, और छाया-नाट्य में 'महाभारत' और 'रामकथा' की सशक्त उपस्थिति है। बाली के निवासी अपने-आपको हिंदू मानते हैं और उन्हें 'बाली हिंदू' कहा जाता है। इंडोनेशिया का इस्लाम हिंदुओं को भी एक ईश्वर का पूजक मानता है। उनकी 'भातारा त्रिपुरुषा' की अवधारणा में ब्रह्मा, विष्णु और शिव मिलकर एक ईश्वर हो जाते हैं। इस तरह हिंदू धर्म भी इस्लाम, ईसाई धर्म और बौद्ध धर्म के समकक्ष हो जाता है।

परंपरा की परिधि स्थितियों और संदर्भों के अनुसार फैलती और सिकुड़ती रहती है। बदलते परिवेश और नयी आवश्यकताओं के दबाव के कारण परंपराएँ अपना अनुकूलन करती हैं। छोटी और बड़ी, भिन्न किंतु समानांतर, एक स्रोत से उपजी परंतु अलग-अलग दिशाओं में बहनेवाली भिन्न स्रोतों से उपजी किंतु ऐतिहासिक विकास की प्रक्रिया में एक-दूसरे से जुड़ जानेवाली, सहयोगी और प्रतिस्पर्धी परंपराओं के अंतःसंबंध भी इन्हीं कारणों से प्रभावित होते हैं, बनते और बिगड़ते हैं। परंपरा और राजनीति का संबंध नया नहीं है। कभी परंपरा राजनीति पर हावी होती है, तो कभी राजनीति परंपरा पर। परंपरा के राजनीतिकरण के कारण उसकी स्वायत्तता प्रभावित हुई है। सत्ता को चरम साध्य माननेवाले समूह में परंपरा के नये आश्रयदाता उभरे हैं। मनचाही व्याख्याएँ थोपकर राजनीतिक कौशल से कई छल-योजनाओं द्वारा परंपरा की अभिव्यक्ति में हेर-फेर करते रहते हैं। इस समूह का उदय समसामयिक समाजनीति और राजनीति का कड़वा यथार्थ है। ये बहुरूपिये परंपरा के अंतर्विरोधों को बढ़ाते हैं, समस्याओं के समाधान और परिवेश से अनुकूलन की उनकी क्षमताओं को कुंठित करते हैं, और परंपराओं में पारस्परिक विद्वेष, प्रतिस्पर्धा, और संघर्ष को प्रश्रय देते हैं। इस हस्तक्षेप से परंपरा की परिधि गड़बड़ा जाती है और उसका तेवर आक्रामक हो जाता है।

आज का संसार विपरीत उद्देश्यों से प्रेरित होकर परस्पर विरोधी दिशाओं में जाता हुआ प्रतीत होता है। विज्ञान और प्रविधि की विस्मयकारी प्रगति, देशों का बढ़ता आर्थिक-राजनीतिक अंतरावलंबन, और इलेक्ट्रॉनिकी से उपजी जनसंचार-क्रांति ने देशों

की दूरियाँ कम की हैं और संस्कृति के कुछ पक्षों को एकरूपता दी है। क्या धीरे-धीरे एक विश्वसंस्कृति विकसित हो रही है ? इस प्रश्न का सकारात्मक उत्तर नहीं दिया जा सकता, क्योंकि साथ ही परंपरा का आग्रह भी बढ़ा है। सांस्कृतिक चेतना इतनी सजग शायद पहले कभी नहीं थी।

यह स्थिति तीन महत्त्वपूर्ण प्रश्न उपस्थित करती है :

1. परंपरा के प्रति मोह क्यों बढ़ रहा है ?
2. क्या यह बढ़ता आकर्षण किन्हीं व्यावहारिक समस्याओं और कठिनाइयों को जन्म दे रहा है ?
3. क्या भविष्य के लिए ऐसी व्यवस्था संभव है, जिसमें परंपरा को क्षत-विक्षत किये बिना ही प्रगति संभव हो ?

परंपरा और उससे अनुप्राणित संस्कृति मानव के सामूहिक अस्तित्व का अविभाज्य अंग होती हैं। परंपरा से एकाएक कट जाना धुरीहीनता की भावना को जन्म देता है। व्यक्ति और उसके समुदाय को परंपरा से एक विशेष पहचान मिलती है। परंपरा पुराने जीर्ण-शीर्ण वस्त्र, जिन्हें उतार फेंका जा सकता है, नहीं होती। विचारधारा के प्रभाव या अन्य दबावों के कारण त्यागी हुई परंपराएँ पुनः अपने स्थान पर प्रतिष्ठापित की जाती हैं, ऐसे भी कई उदाहरण देखने में आये हैं।

विकास के संदर्भ में परंपरा के त्याग की आवश्यकता की बात मन में भय उत्पन्न करती है। विकास की प्रक्रिया को जब आवश्यक गति नहीं मिलती तब परंपरा—धर्म, सामाजिक संस्थाओं, मूल्यों—को असफलता के लिए उत्तरदायी माना जाता है और उन्हें बदल डालने के सुझाव दिये जाते हैं। इस तरह थोड़े-से संदिग्ध आर्थिक लाभ के लिए बहुत बड़ी कीमत माँगी जाती है। भविष्यवाणियाँ की गयीं कि जैसे-जैसे विकासशील समाज पश्चिम के वैकासिक प्रतिमानों को अपनायेंगे, उनकी सांस्कृतिक भिन्नताएँ घटती जायेंगी। ऐसी भविष्यवाणियों ने संशय और भय की स्थिति उत्पन्न कर दी। बहुत-से समाज अपनी अस्मिता की रक्षा के लिए अधिक जागरूक हो गये। विकास की प्रक्रिया की हर असफलता ने उन्हें परंपरा की याद दिलायी और उसकी ओर लौटने की प्रेरणा दी। परंपराओं के ह्रास की धमकियाँ विदेशों और देश के आधुनिकतावादियों की ओर से ही नहीं आतीं। समाज की अन्तःप्रक्रियाओं और प्रवृत्तियों में भी कई समूह खतरे के संकेत पाते हैं। क्या देश की सशक्त सांस्कृतिक धारा उन्हें आत्मसात् कर उनकी स्वतंत्र सांस्कृतिक आत्मछवि को विनष्ट कर देगी ? यह भय एकदम निराधार भी नहीं है। सशक्त समूहों की सांस्कृतिक अहम्मन्यता उनमें साम्राज्यवादी मनोवृत्ति जगाती है। रक्षात्मक प्रतिक्रिया में छोटे समूह आक्रामक ढंग से अपनी अस्मिता को बचाने में तत्पर हो जाते हैं। इस

तरह एक सांस्कृतिक संघर्ष जन्म लेता है, जो कभी-कभी विकराल रूप भी धारण कर लेता है। ऐसी स्थिति में सांस्कृतिक स्वायत्तता का प्रश्न हिंसात्मक विद्रोह बन जाता है। परंपरा और संस्कृति की नयी व्याख्याएँ की जाती हैं, जो ऐतिहासिक अनुभव से सर्वथा भिन्न होती हैं। ये नवनिर्मित मिथक सांस्कृतिक असंतुलन के कारण बनते हैं।

परंपरा का राजनीतिकरण अनेक समस्याओं को जन्म देता है। यह प्रक्रिया 'हम' और 'वे' की दूरी बढ़ाती है, सहज सह-अस्तित्व में विसंगतियाँ उत्पन्न करती है, और अपसंस्कृतियों के उदय का कारण बनती है। कई सौ वर्षों के पड़ोसी कुछ ही वर्षों में बेगाने हो जाते हैं; जो कल तक एक-दूसरे के सुख-दुःख में सहभागी थे, वे कुछ ही दिनों में दुश्मन बन जाते हैं। अविवेकी इतिहास-दृष्टि, विकृत जातीय भावना और झूठी धर्मांधता हज़ारों वर्ष पुराने संतुलन को गड़बड़ा देते हैं। कई स्थितियों में सांस्कृतिक स्वायत्तता राजनीतिक स्वाधीनता का रूप नहीं ले सकती। सौ से कम जनसंख्यावाले पश्चिम बंगाल के टोटो या अंडमान के ओंगी सांस्कृतिक स्वायत्तता का उपयोग किस सीमा तक कर सकते हैं ? आठ-दस या बीस-तीस हजार की जनसंख्या भी राजनीतिक स्वायत्तता के लिए काफी नहीं है। मिली-जुली आबादीवाले इलाकों में स्वायत्तता-प्राप्त संस्कृतियों का परिसीमन कठिन है। बहुत छोटे-छोटे राज्यों के कुछ फायदे हैं, कुछ नुकसान। ऐसे राज्य विशेष स्थितियों में ही आर्थिक रूप से स्वावलंबी हो सकते हैं, जैसे खाड़ी के राज्य, जिनकी तेल-संपदा उन्हें आनेवाले कई दशकों तक समृद्धि देती रहेगी। वैसे राज्य अब स्वयं-पूर्ण इकाई के रूप में अपना महत्त्व खोता जा रहा है, वृहत्तर इकाइयों की खोज आरंभ हो गयी है। कुछ ही वर्षों में यूरोप एक नया रूप ले लेगा। इसी तरह के प्रयत्न अन्य क्षेत्रों में भी हो रहे हैं। एसियान (दक्षिण-पूर्व एशिया संगठन) को आंशिक सफलता भी मिली है। अन्यत्र पूर्वाग्रह और दुराग्रह इतने सशक्त हैं कि वे सीमित उद्देश्यों के लिए भी एकीकरण के मार्ग में बाधक हैं।

समसामयिक विश्व की राजनीतिक-आर्थिक-सामाजिक व्यवस्था चरमरा रही है। लक्ष्यों और साधनों संबंधी अनिश्चय भविष्य पर प्रश्नचिह्न लगा रहे हैं। आशा की कुछ किरणें भी दिखायी पड़ रही हैं—वैकल्पिक व्यवस्था पर गंभीर चिंतन के रूप में। विश्व-व्यवस्था की पुनर्रचना आज की अनिवार्यता बन गयी है। सांस्कृतिक स्वायत्तता के क्षेत्रों का निर्धारण आवश्यक है; किंतु उनमें भी आत्मपरीक्षण की प्रवृत्ति जाग्रत करना जरूरी है, जिससे वे बदलते परिवेश में अपना अनुकूलन कर सकें। राष्ट्रीयता के नये स्वरूप को शक्ति मिल सकती है, यदि वह सांस्कृतिक विविधता को स्वीकार करे और विविध इकाइयों के अंतरावलंबन को विकसित करे। राष्ट्र की मूल अवधारणा में परिवर्तन हो रहे हैं; उसकी आंतरिक संरचना में अधिक व्यापक बदलाव जरूरी हैं, साथ ही मानवीय समस्याओं के बदलते आयाम, राष्ट्रों के संबंधों और

अंतरावलंबन के नियमन के लिए एक नये ढाँचे की अपेक्षा करते हैं। परंपराओं का सम्मान आवश्यक है। किंतु क्या उनके पास आज की कई नयी चुनौतियों के उत्तर हैं?

परंपरा से जातीय गरिमा और अस्मिता के प्रश्न जुड़े हैं। भावनात्मक धरातल पर यह इतना संवेदनशील विषय है कि विशेष स्थितियों में ऐतिहासिक लक्ष्यों और तर्कों को भी स्वीकार नहीं करता। सच तो यह है कि संसार में एकदम शुद्ध परंपरा कोई है ही नहीं, प्रत्येक परंपरा पर प्रत्यक्ष और अप्रत्यक्ष रूप से अनेक बाह्य परंपराओं के प्रभाव पड़ते हैं और आत्मसात् किये जाते हैं। परंपरा का स्वतंत्र आकार बनता है आंतरिक और बाह्य तत्त्वों के विशिष्ट संयोजन से। यह संयोजन भी आंतरिक और बाहरी दबावों से बदलता रहता है। मूल प्रश्न है कि परंपरा के वाहकों का बहुसंख्यक या सशक्त अंग उसे किस तरह परिभाषित करता है। इन परिभाषाओं से परंपरा की पुनर्रचना निरंतर होती रहती है और उसकी परिधि घटती-बढ़ती रहती है। कोई भी समाज पूरी तरह अपनी परंपरा को जीता नहीं है, वह उसके तत्त्वों का उपयोग संदर्भ-प्रतिमानों के रूप में करता है।

परंपरा की अवमानना संभव नहीं है, परंतु उसकी अतिरहस्यमयता का परीक्षण भी आवश्यक है—ऐतिहासिक तथ्यों की पृष्ठभूमि में और आज और आनेवाले कल की अनिवार्यता के संदर्भ में। परंपरा का राजनीतिकरण उसकी ऊर्जा का उपयोग निर्माण के लिए नहीं, विनाश के लिए कर रहा है। यह प्रवृत्ति परंपरा की आत्मा के लिए घातक सिद्ध होगी।

[राष्ट्रीय मानव संग्रहालय व्याख्यानमाला,
इंडिया इंटरनेशनल सेंटर, नयी दिल्ली]

# परंपरा : कुछ विचार, कुछ प्रश्न

समाज की जड़ें अतीत में होती हैं, वह वर्तमान में जीता है और भविष्य उसके लिए चिंता और प्रावधान का विषय होता है। परंपराएँ अतीत को वर्तमान और वर्तमान को भविष्य से जोड़ती हैं। उनके माध्यम से सामाजिक जीवन को निरंतरता मिलती है और उसका स्वरूप निर्धारित होता है। परंपराएँ हर समाज और उसके भिन्न समुदायों और समूहों की आत्म-छवि का अविभाज्य अंग होती हैं और जीवन के अनेक क्षेत्रों में उनका दिशा-निर्देश करती हैं। परंपराओं का मूल्य केवल प्रतीकात्मक नहीं होता, उनसे महत्त्वपूर्ण प्रकार्य जुड़े होते हैं—वे समाज के समाकलन में सहायक होती हैं और उसे आस्था का आधार देकर जीवन के लक्ष्य और मूल्य निर्धारित करती हैं। दुनिया में शायद ही कोई ऐसा समाज हो, जो पूरी तरह से अपनी परंपराओं से कटा हो।

परंपराएँ जब तेजी से विशृंखलित होती हैं तब समाज की जातीय अस्मिता का ह्रास होने लगता है और धीरे-धीरे स्थिति इतनी बिगड़ती है कि समाज अपने अस्तित्व की आहटें सुनने में असमर्थ हो जाता है। विज्ञान और प्रविधि की आँधियों ने कई समाजों को नयी गति और दिशा देकर उनके ढाँचे को ही बदल दिया, किंतु विवेक और विचार के क्षणों में ये समाज भी सोचते हैं कि उन्होंने क्या पाया और क्या खोया। जड़ों की तलाश उन्हें एक बार फिर परंपरा की ओर आकर्षित करती है। आधुनिकता का सम्मोहन समाज को पूरी तरह परंपरामुक्त नहीं करता। परंपरा का एक अंश उनमें जीवित रहता है और अपनी सांस्कृतिक अस्मिता को बचाये रखने के लिए वे प्रयत्नपूर्वक अपनी परंपरा के कुछ पक्षों को पुष्ट और सुदृढ़ करते हैं।

क्रांतिकारी समाज भी अपनी सांस्कृतिक धरोहर की रक्षा बड़े सजग भाव से करते हैं। सोवियत क्रांति ने बहुत कुछ बदला, पर लेनिन की सांस्कृतिक नीति ने प्रयत्न किया कि देश की विभिन्न संस्कृतियों की विशेषताएँ विनष्ट न हों। उनकी नीति ने संस्कृतियों के सह-अस्तित्व को संभव बनाया और परंपराओं की नयी मर्यादाएँ निर्धारित कीं। चीन ने अनिर्णय की स्थिति में कुछ वर्ष 'सांस्कृतिक क्रांति'

का खतरनाक खेल अवश्य खेला, पर शीघ्र की इस आंदोलन की शक्ति क्षीण हो गयी और परंपरा के कुछ अंग चीनी समाज में पुनः प्रतिष्ठित हो गये। दूसरे महायुद्ध के बाद विश्व के विकासशील देशों ने नियोजित विकास और आधुनिकीकरण का रास्ता अपनाया, पर दो दशकों के भीतर ही परंपरा ने अपनी निहित शक्ति का प्रदर्शन कर अनेक जातीय (एथनिक) आंदोलनों को जन्म दे दिया। ये आंदोलन जंगल की आग की गति से संसार-भर में फैल गये। उनके वेग और गति ने मानव-समाज के ढाँचे को हिला दिया। जातीय अस्मिता की स्वीकृति आज अस्तित्व की अनिवार्य शर्त बन गयी है। सामाजिक विचारकों और विश्लेषकों ने अब परंपरा और आधुनिकीकरण को दो विपरीत ध्रुवों के रूप में देखना छोड़ दिया है। एक की प्राप्ति के लिए दूसरे को नष्ट करना आवश्यक नहीं है। दोनों में पूरक समीकरण स्थापित किये जा सकते हैं और परंपरा की ऊर्जा नव-निर्माण में सहयोगी हो सकती है। जातीय सृजनात्मकता विकास का शक्तिशाली साधन है और परंपरा के ह्रास को भी क्षीण करता है।

परंपरा के प्रति अनुराग समसामयिक समाज की नयी खोज नहीं है। इतिहास उन अनेक प्रवृत्तियों का साक्षी है जो परंपरा से जुड़ी हैं और जिनका प्रसार-क्षेत्र विश्वव्यापी है।

पहली प्रवृत्ति देशजीकरण की है जिसके अंतर्गत बाह्य सांस्कृतिक तत्त्वों, प्रथाओं और मूल्यों का उन्मूलन किया जाता है। प्रयत्न यह होता है कि इस प्रक्रिया से परंपरा अपने मूल रूप को प्राप्त कर ले। मानव-विज्ञान के विद्यार्थी इस प्रवृत्ति के एक अतिवादी रूप से भली-भाँति परिचित हैं, जिसे अंग्रेजी में 'मिलेनेरिइज़्म' की संज्ञा दी गयी है और जिसे हम नव-भविष्यवाद कह सकते हैं। इस प्रवृत्ति की दो अपेक्षाएँ होती हैं—अदेशज तत्त्वों का विनाश और नये युगपुरुष—एक मसीहा—की प्रतीक्षा। यह युगपुरुष शुद्ध देशज व्यवस्था के अंतर्गत समाज के प्रत्येक सदस्य के लिए सुख और समृद्धि के द्वार खोल देगा। कावा कल्टस या कार्गो कल्टस के नाम से जाने जानेवाले आंदोलनों में, जिनके उदाहरण कई द्वीपों में बसनेवाले समूहों में मिलते हैं, बाह्य तत्त्वों का व्यवस्थित ढंग से उन्मूलन किया गया और नये मसीहा के स्वागत की तैयारियाँ की गयीं। यह अलग बात है कि मसीहा नहीं आया। आंशिक देशजीकरण के प्रयत्न भिन्न युगों और समाजों में होते आये हैं और आज भी हो रहे हैं। पुनरुत्थानवाद की प्रवृत्ति इसी श्रेणी की है। इसमें प्रयत्न यह होता है कि परंपरागत मूल्य, व्यवहार, प्रकार और सामाजिक गठन के रूप पुनः प्रतिष्ठित किये जायें, जिससे समाज अपनी खोई हुई प्राचीन गरिमा फिर पा सके।

दूसरी विपरीत प्रवृत्ति—जीवनीकरण—के भी अनेक उदाहरण संसार के विभिन्न भागों से मिलते हैं। इसके अंतर्गत परंपरा को नयी जीवनी शक्ति देने के लिए बाह्य सांस्कृतिक तत्त्वों का स्वागत किया जाता है। परंपरा इन्हें आत्मसात् कर अपनी ऊर्जा

बढ़ाने का प्रयत्न करती है। वैसे तो संसार के प्रत्येक समाज ने पर-सांस्कृतिक प्रभाव थोड़ी या अधिक मात्रा में ग्रहण किये हैं, किंतु कुछ समाजों ने सजग रूप से प्रयत्नपूर्वक उन्हें अपनाने के प्रयत्न किये हैं। आधुनिक जापान इसका एक अच्छा उदाहरण है। चीन ने जो नया मोड़ पिछले दशक में लिया है, उसमें भी यह प्रवृत्ति लक्षित होती है। इस संदर्भ में यह स्मरण रखना आवश्यक है कि नये तत्त्वों का चुनाव समाज स्वयं करता है और उसकी परंपरा के अनेक पक्ष उस समय तक पूर्ववत् ही बने रहते हैं, जब तक नये तत्त्वों का रंग उन पर नहीं चढ़ता।

तीसरी प्रवृत्ति पुनर्व्याख्या की है। इसमें नये तत्त्वों को पुराने ढाँचे के संदर्भ में देखा जाता है और उन्हें न्यायसंगत ठहराया जाता है। या पुराने तत्त्वों को नये ढाँचे में परखकर उनके न्यायोचित होने का निर्णय किया जाता है। नाभिकीय विस्फोटों को ब्रह्म-अस्त्र अथवा अग्नि-अस्त्र के समकक्ष समझना या गोबर में डी. डी. टी. के गुण देखना इस प्रवृत्ति के उदाहरण हैं। इस प्रवृत्ति का प्रसार भी काफी व्यापक है।

चौथी प्रवृत्ति जातीय भावना के उदय की है। इसकी प्रेरणा प्रजाति, भाषा, धर्म या संस्कृति या उनमें से किन्हीं दो या अधिक तत्त्वों के मिले-जुले योग से होती है। अंतर्निहित रूप में यह प्रवृत्ति आदिम काल से अपनी शक्ति जताती रही है, किंतु पिछले दो दशकों में इसका जबरदस्त राजनीतिकरण हुआ है, जिससे एक विस्फोटक स्थिति निर्मित हो गयी है। जातीय भावना की पृष्ठभूमि में परंपरा की भूमिका महत्त्वपूर्ण होती है।

अंतिम प्रवृत्ति मूल तत्त्वों की ओर वापसी की है। धार्मिक भावना ने इस प्रवृत्ति को बढ़ावा दिया है, पर इसमें भी परंपरा धर्म के साथ कदम मिलाकर चलती है। इस्लाम, ईसाइयत, बौद्ध धर्म और सिख धर्म में यह प्रवृत्ति शक्तिशाली ढंग से लक्षित हुई है। अपने-आपको सहनशील माननवाले हिंदू धर्म में भी इसके लक्षण स्पष्ट दिखायी पड़ते हैं। परिणाम जो भी हो, आज के संदर्भ में इस प्रवृत्ति के नकारात्मक और सकारात्मक पक्षों को अनदेखा नहीं किया जा सकता।

स्पष्ट है कि अनेक समसामयिक विचार-प्रक्रियाएँ और सामाजिक क्रियाएँ परंपरा द्वारा पोषित और प्रभावित हैं। परंपरा को रूढ़ियों का व्यर्थ समुच्चय नहीं माना जा सकता। परंपरा पर पुनर्विचार आज के संदर्भ में आवश्यक हो गया है।

परंपरा की लोकव्यापी स्वीकृति के बाद भी इस अवधारणा की कोई सर्वसम्मत व्याख्या नहीं है। व्याख्या के प्रयत्न हमें अनेक प्रकार की उलझनों में डाल देते हैं।

परंपरा और संस्कृति पर्यायवाची शब्द नहीं हैं, हालाँकि सामान्य व्यवहार में दोनों का प्रयोग एक ही अर्थ को ध्वनित करने के लिए कर लिया जाता है। संस्कृति अधिक व्यापक अवधारणा है, परंपराएँ उसकी अपेक्षाकृत दीर्घजीवी धाराएँ और उपधाराएँ होती हैं। परंपराएँ किसी भी संस्कृति की बुनावट के लिए आवश्यक हैं,

किंतु केवल उनसे ही पूरी संस्कृति को नहीं समझा जा सकता।

परंपराएँ जातीय स्मृति का अंग होती हैं, किंतु उनका चुनाव समाज स्वयं जीवन के बदलते संदर्भों और तात्कालिक आवश्यकताओं को ध्यान में रखकर करता है। नयी व्याख्याएँ उनके आयाम बदल देती हैं। विशेष स्थितियों में जातीय विस्मृति भी आवश्यक हो जाती है। ऐसे भी उदाहरण हैं कि पुरानी परंपराएँ भुला दी गयीं और उनके स्थान पर नयी परंपराएँ गढ़ी गयीं।

एकवचन परंपरा शब्द का प्रयोग भी भ्रामक है। छोटे-छोटे कबीलों में भी स्थान, गोत्र और वंश के आधार पर परंपराओं में अंतर पाया जाता है। संश्लिष्ट और जटिल संरचना की संस्कृतियों में परंपराओं के भेद और भी महत्त्वपूर्ण होते हैं। स्थानीय, क्षेत्रीय और राष्ट्रीय संदर्भों में उनके रूप भिन्न होते हैं। उनमें निश्चित अंतःसंबंध होते हैं, पर प्रत्येक की अलग पहचान भी संभव होती है। जीवन के अनेक पक्षों और सृजनात्मक कलाओं में समानांतर परंपराएँ संभव हैं और बड़े समाजों में उनकी उपस्थिति अनिवार्य होती है। भारत के अधिकांश भाग में पितृ-सत्ता है, किंतु कई समूह ऐसे भी हैं जिनमें मातृ-सत्ता है। विवाह के भी अनेक स्वरूप और प्रकार हैं। थोड़े-से समूहों में बहुपतित्व स्वीकृत हैं, बहुतों में बहुपत्नीत्व। अंतर्विवाही और बहिर्विवाही समूहों के परिसीमन के आधार भी भिन्न हैं। दक्षिण भारत के कुछ समूहों में मामा और भांजी के विवाह का निषेध नहीं है, ऐसे विवाह पूरी तरह से समाज-स्वीकृत होते हैं। शेष भागों में ऐसे विवाह निषिद्ध हैं। साहित्य तथा रूपंकर और प्रदर्शनकारी कलाओं में भी एक से अधिक परंपराएँ होती हैं, जो प्रायः सह-अस्तित्व की आधारभूमि खोज लेती हैं। वैचारिक परंपराएँ जितनी अधिक होंगी, वैचारिक संस्कृति उतनी ही अधिक समृद्ध होगी।

परंपरा के संबंध में सबसे बड़ी भ्रांति उसे जड़ और अपरिवर्तनशील मानना है। परंपराएँ सामाजिक विकास या ह्रास से असंपृक्त नहीं होतीं और इन प्रक्रियाओं से उनके रूप में भी परिर्वतन होते हैं। भिन्न परंपराओं में पारस्परिक आदान-प्रदान होता है। नये संदर्भ उन्हें नये अर्थ देते हैं। परंपराएँ स्वयं ही समय-समय पर अपना मूल्यांकन कर अपनी दिशा बदलती हैं। परंपरा की इस आंतरिक गतिशीलता को स्वीकार किये बिना हम न उसके स्वरूप को समझ सकते हैं, न उसकी भूमिका को।

परंपरा न मिथक होती है, न इतिहास। दोनों के तत्त्व उसमें घुले-मिले होते हैं। अनुभवजन्य तथ्य भी उसके स्वरूप को प्रभावित करते हैं। उसका अति-मिथकीकरण तथा उसमें अति-रहस्यमयता का निवेश उसके रूप को विकृत करता है और उसकी सच्ची समझ में बाधक होता है।

परंपरा निःसंदेह सामाजिक ऊर्जा का एक सशक्त स्रोत है, किंतु व्यक्ति और समूह केवल उसके सहारे नहीं जी सकते। निर्णय की प्रक्रिया में वे अपने आंतरिक

विवेक का सहारा भी लेते हैं और दूसरों के विचार-संप्रेषण से भी प्रभावित होते हैं। इस तरह सामाजिक प्रक्रियाएँ परंपरा-निर्देशित होती हैं, आंतरिक विवेक-निर्देशित और बाह्य-निर्देशित भी। भिन्न-भिन्न समाजों में इन निर्देशनों का अनुपात अलग हो सकता है पर उनमें किसी एक प्रकार के निर्देशन का एकाधिकार नहीं होता। परंपरा के विकल्प थोड़ी या अधिक मात्रा में हर समाज में पाये जाते हैं।

परंपराएँ स्वनिर्णय से बदलती हैं। वे स्थितिजन्य समझौते भी करती हैं। शक्ति प्रयोग भी उन्हें बदल सकता है, किंतु इस स्थिति में उनमें तीव्र विपरीत प्रतिक्रिया भी संभव है। बाह्य दबाव से लाये गये परिवर्तन उन्हें आंतरिक रूप से स्वीकार नहीं होते। ऐसी स्थिति में परंपराएँ जातीय अस्मिता से जुड़ जाती हैं। परंपराओं की रक्षा का प्रश्न जातीय अस्मिता की रक्षा का प्रश्न बन जाता है।

परंपरा के महत्त्व को स्वीकारते हुए भी समय-समय पर, विशेषकर संक्रमण की स्थितियों में, उसका अरहस्यीकरण करना आवश्यक है। यह कोई नया और क्रांतिकारी विचार नहीं है, जाने-अनजाने सभी समाज ऐसा करते आये हैं। रोमिला थापर ने कहा है कि "इतिहासकारों को समय-समय पर रुककर स्थिति का जायजा लेना चाहिए...। उन्हें पूछना चाहिए कि वह, जिसे हम परंपरा के रूप में स्वीकार करते हैं, इस रूप में स्वीकारे जाने योग्य हैं भी या नहीं...। विविधताओंवाला समाज जब अपने-आप के लिए एकरूप सांस्कृतिक परंपरा का निर्माण करता है तब इस प्रक्रिया में ऐतिहासिक तथ्यों की तोड़-मरोड़ हो सकती है। परंपराएँ स्वयं निर्मित नहीं होतीं, सचेत रूप से उनका चुनाव किया जाता है। अतीत के विपुल खजाने से हम वही चुनते हैं जो हमारी वर्तमान आवश्यकताओं के अनुकूल होता है...।" (कुरेशी स्मारक भाषण से वाक्यांश का स्वतंत्र अनुवाद) सहज विवेक और सच्ची इतिहास-दृष्टि का आग्रह है कि सामाजिक मोड़ की स्थितियों में परंपरा का मूल्यांकन किया जाये और समय की माँग के अनुकूल उनमें परिवर्तन की दिशा निर्धारित की जाये। परंपरा की जड़ता उसे अनुपयुक्त बनाती है और समाज की स्वाभाविक गतिशीलता को मंद करती है। उसकी अंध, विवेकहीन भक्ति एक साधन के रूप में उसकी शक्ति को सीमित और क्षीण करती है। जरूरी है कि परंपरा साधन ही बनी रहे, पूजा की वस्तु न बने। मानव समाज अपने आप को परंपरा की रक्षा के लिए समर्पित नहीं कर सकता।

व्याख्या की उलझनों और जीवन की माँगों को ध्यान में रखकर हम भारतीय परंपरा का ऐसा विवेकसम्मत प्रतिरूप कैसे विकसित करें जो इतिहास-दृष्टि को स्वीकृत हो और सामाजिक गतिरोध का कारण न बने ?

भारतीय परंपरा को वेद, पुराण और शास्त्रों से जोड़ने की प्रवृत्ति सशक्त रही है और हम आज भी उसके सम्मोहन से मुक्त नहीं हो सके हैं। इन महान् ग्रंथों को हम

मानव-सभ्यता की उल्लेखनीय उपलब्धियाँ मानते हैं, जो वे निःसंदेह हैं। उनके संबंध में प्रश्न दूसरा है। क्या वे अपने समय का भी सही चित्रण करते हैं ? वे आदर्श समाज को प्रक्षेपित करते हैं या जीवित समाज का वर्णन करते हैं ? क्या पूरा भारतीय समाज उनमें सिमट आया है ? या, उनमें चित्रित परंपरा के अतिरिक्त अन्य स्वतंत्र परंपराएँ भी इस देश में थीं—जनजातीय, व्रात्य और क्षेत्रीय ? धर्म और दर्शन से न जुड़ी हुई धर्मनिरपेक्ष परंपराएँ क्या इस देश में विकसित ही नहीं हुईं ? और अंत में क्या यह परंपरा भारतीय समाज के उद्‍विकास की ऐतिहासिक प्रक्रिया के साथ न्याय करती है ?

ये प्रश्न असुविधाजनक हैं, क्योंकि ये शताब्दियों द्वारा पोषित मान्यताओं का खंडन करते हैं। उन ग्रंथों में अपने समय का भी सही अंकन नहीं है। उनमें आर्य-पूर्व संस्कृतियों की उपलब्धियों का आकलन तो क्या, उल्लेख भी नहीं है। इस देश में जो विराट् परंपरा विकसित हुई, उसने इन संस्कृतियों से भी बहुत कुछ लिया था। जनजातीय और क्षेत्रीय परंपराएँ इस देश में सदा सशक्त रही हैं; उनकी अलग पहचान थी और आज भी है। भारतीय संस्कृति और परंपरा की संरचना में उनका योगदान भी उल्लेखनीय रहा है। व्रात्य संस्कृतियों में अपनी गत्यात्मकता थी और उनका योगदान भारतीय परंपरा के विकास में अत्यंत महत्त्वपूर्ण रहा है। उन धर्मग्रंथों में आदर्श समाज का प्रतिरूप था, पर उनमें समकालीन परिदृश्य और देश की सांस्कृतिक विविधता नहीं उभरी है। अन्य स्वतंत्र परंपराएँ भी देश में थीं और उनमें हुए आदान-प्रदान और उनके अंतःसंबंधों ने भारतीय समाज और संस्कृति को उनका वास्तविक रूप दिया है। धर्मनिरपेक्ष परंपराएँ वैचारिक संस्कृति, चिकित्सा, इंजीनियरी आदि क्षेत्रों में विकसित होती रही हैं और विराट् भारतीय परंपरा के विकास में उनकी भूमिका उल्लेखनीय रही है। भारतीय समाज के विकास की प्रक्रिया कभी रुकी नहीं और अपने उद्‍विकास के हर चरण में समय की चुनौतियों के प्रति उसकी अनुक्रिया प्रायः रचनात्मक रही। वह धर्मग्रन्थों की परंपरा द्वारा निर्धारित लीक से हटा भी। परंपरा का सम्मान उसमें था, किन्तु संशय, विरोध और विद्रोह की परंपराएँ भी विकसित होती रहीं, जिनसे भारतीय समाज को नयी दिशा और गति मिली। शुद्ध रक्त आर्यों की केंद्रीय भूमिका को बार-बार दोहराना दुराग्रह है। भारतीय समाज के विकास ने गर्वीले आर्यों के आराध्य देवताओं को पदच्युत कर उन्हें दिशापाल बना दिया। प्राचीन मनीषियों ने चिरंतन की खोज अवश्य की, किंतु अस्तित्व से जुड़े प्रश्नों ने नये मूल्यों और सामाजिक प्रकार्यों की खोज को भी समर्थित और पुरस्कृत किया। धर्मग्रंथों में परंपरा की खोज एक अत्यंत जटिल प्रक्रिया का अतिसरलीकृत और एकांगी निरूपण है।

भारतीय परंपरा की सही समझ के लिए हमें भ्रमों का चक्रव्यूह तोड़ना होगा।

हमारे वैचारिक क्षितिजों पर जो मोहक इंद्रजाल छा गये हैं, उनसे मुक्ति के लिए ऐतिहासिक विवेक के आलोक में नयी दृष्टि विकसित करनी होगी। पुराने मिथकों के साथ जो नये मिथक हमने विकसित किये हैं और करते जा रहे हैं, उनसे जूझना जरूरी है, क्योंकि वे छोटे-छोटे तात्कालिक लाभ भले ही दें, दीर्घकालीन परिप्रेक्ष्य में उनसे परंपरा की ऊर्जा का स्खलन होता है और हमारे सोच में विकृतियाँ आती हैं। काम कष्टसाध्य है, पर राष्ट्रीय अस्तित्व के लिए वह बहुत जरूरी है।

रावर्ट रेडफील्ड और मिल्टन सिंगर ने 'महान्' और 'लघु' परंपराओं की अवधारणाएँ विकसित की हैं और उनके अंतःसंबंधों के आधार पर भारत की जटिल सांस्कृतिक प्रक्रियाओं को समझने के प्रयत्नों को प्रोत्साहित किया है। दार्शनिक चिंतन के आधार पर प्राचीन भारत के मनीषियों ने मूल्यों और आदर्श समाज-व्यवस्था की जो परिकल्पना विकसित की, वही महान् परंपरा का आधार है। इसके प्रतिमानों को साक्षर समाज के एक बड़े भाग ने आंशिक रूप से अपनाया। समकालीन संप्रेषण के साधनों ने इनका प्रसार किया और उसके कुछ अंश क्षेत्रीय और स्थानीय संस्कृतियों ने भी आत्मसात् किये। जीवन-दर्शन, मूल्यों और सामाजिक व्यवस्था में, इस तरह, कुछ एकरूपता आयी, किंतु इससे जातीय, स्थानीय और क्षेत्रीय संस्कृतियाँ अभिभूत नहीं हुईं, उन्होंने अपनी अस्मिता की रक्षा की और अपने विशेषतासूचक चिह्नों को बचाये रखा। लोकाचार और लौकिक परंपराएँ बलवती सिद्ध हुईं। उनके—लघु परंपराओं के—अनेक तत्त्व महान् परंपरा में प्रतिष्ठित हुए। जो परंपरा विकसित हुई, उसमें दोनों के तत्त्व थे। महान् परंपरा मूलतः आदर्श प्रतिमानों का प्रतिरूप रही, लघु परंपराएँ व्यवहारजन्य प्रमाणित हुईं। आज भी हमारी परंपराएँ मूलतः जातीय, स्थानीय और क्षेत्रीय हैं, किंतु उनमें महान् शास्त्रीय परंपरा के अनेक तत्त्व घुलमिल गये हैं। इस संबंध में मेक्किम मेरियट की लोकव्यापीकरण और स्थानिकीकरण की अवधारणाओं का उल्लेख भी आवश्यक है। स्थानिक—जातीय, स्थानीय, क्षेत्रीय—परंपरा के अनेक तत्त्व महान् परंपरा का अंग बने और नये सिरे से उनका लोकव्यापीकरण हुआ। एक विपरीत प्रक्रिया भी निरंतर चल रही थी। महान् परंपरा के अनेक अंशों को लोक-परंपरा ने अपने ढाँचे में ढाल लिया, उनमें स्थानिकता का रंग चढ़ गया। इन अवधारणाओं की भी अपनी सीमाएँ हैं। क्या भारत में एक ही महान् परंपरा थी ? जैन, बौद्ध, इस्लाम, ईसाइयत की परंपराएँ इस श्रेणी में नहीं आतीं ? स्वतंत्र अस्मितावाली परंपराएँ क्या नगण्य हैं ? क्या महान् परंपरा का परिमार्जन नहीं हुआ ? क्या उसका रूप तो वही रहा, पर उसके निहित अर्थ नहीं बदले ?

कुछ वर्ष पहले मैंने इस प्रक्रिया पर विचार कर भारतीय परंपरा की मुख्य धाराओं पर अपने आरंभिक निष्कर्ष प्रस्तुत किये थे। पहली धारा शास्त्रीय परंपरा की है। इसमें भारत की सभी मुख्य धार्मिक परंपराएँ आती हैं। यह जीवित परंपरा भले ही

न हो और उसकी अभिव्यक्ति में एकरूपता न हो, किंतु उसका दृश्य और अदृश्य प्रभाव व्यापक है। दो अन्य धाराएँ–स्थानीय और क्षेत्रीय–व्यवहार के आधार पर महत्त्वपूर्ण हैं। इनकी अलग पहचान है, पृथक् अस्तित्व है। इनके साथ तीन और धाराओं की मान्यता आवश्यक है। पहली धारा है राष्ट्रवाद के उद्रेक में परंपरा की ओर लौटने और पुनरुत्थान की। इसमें अनेक असंगतियाँ और विकृतियाँ भले ही हों पर धारा शक्तिशाली थी और है। दूसरी धारा है पाश्चात्यीकरण और अब आधुनिकीकरण की। तीसरी धारा है एक नयी राष्ट्रीय परंपरा के विकास की। इस विश्लेषण की अपनी सीमाएँ हो सकती हैं, किंतु इन सभी धाराओं को उनके अंतःसंबंधी आधार पर समझे बिना भारतीय परंपरा को नहीं समझा जा सकता।

अंत में हम परंपरा से जुड़े कुछ ऐसे बिंदुओं पर विचार करेंगे, जिनका सैद्धांतिक और व्यावहारिक दोनों दृष्टियों से महत्त्व है।

परंपरा का मूल रूप हम किसे मानें ? पहली दृष्टि में यह प्रश्न अर्थहीन प्रतीत होता है, क्योंकि कोई भी परंपरा टकसाल से ढलकर नहीं आती, बनी-बनायी नहीं मिलती, उसका क्रमिक विकास होता है। बात यहाँ नहीं रुकती। वर्तमान की अनिश्चितताओं और क्लेश से त्रस्त होकर इतिहास के स्वर्मिण युग में लौटने की माँग उठायी जाती है। इन स्वर्णिम युगों का विश्लेषण हमें बताता है कि उनकी विसंगतियों और नयी चुनौतियों का सामना कर सकने में उनकी अक्षमता के कारण ही उनका ह्रास हुआ। उनकी उपलब्धियाँ कितनी ही महान् रही हों, वे नयी समस्याओं के नये समाधान खोजने में असमर्थ थे। क्या उस युग की संस्कृति में आज के प्रश्नों के उत्तर हैं ? इतिहास की धारा को प्रत्यावर्तित करना असंभव है। नयी माँग है जड़ों की ओर लौटने की। नये धार्मिक आंदोलनों का शुद्धतावादी रूप मूल तत्त्वों की ओर वापसी का आग्रह करता है। मूल रूप हम किसे मानें ? प्रस्तर युग की संस्कृति को ? बाद की आरण्यक संस्कृति को ? आरंभिक कृषि संस्कृति को ? या उसके कुछ अधिक विकसित पर औद्योगिक क्रांति के पहले की स्थिति को ? इन प्रश्नों का कोई समाधानकारक उत्तर खोज सकना कठिन है। ईसाई कहते हैं, हम जीसस क्राइस्ट के रहें। उसी युग में, उसी समाज में ? कैसा व्यवहार किया था, उस समाज ने जीसस के साथ ? क्या हज़रत मोहम्मद और उनके समकालीन समाज की जीवनशैली पुनः अपनायी जा सकती है ? पेट्रो डालर संस्कृति के उदय के बाद तो अरब देशों में भी यह संभव नहीं हो रहा है और हिंदू किस युग में, किस संस्कृति में लौटें ? हिंदू राष्ट्रवादियों के पास भी इस प्रश्न का कोई संतोषजनक उत्तर नहीं है। लक्षणात्मक रूप में ये माँगें मोहक लगती हैं, किंतु उनका व्यावहारिक पक्ष उनके संभव हो सकने पर अनेक प्रश्नचिह्न लगाता है।

क्या परंपरा ऐतिहासिक सत्यों पर आधारित है ? और क्या समसामयिक जीवन

को उसके उदाहरणों के अनुसार ढाला जा सकता है ? इस बिंदु पर हम पहले भी विचार कर चुके हैं। परंपरा में मिथक भी हैं, ऐतिहासिक तथ्य भी। मिथक सामाजिक तथ्य हैं, ऐतिहासिक तथ्य नहीं। उनकी उपस्थिति औचित्य-स्थापन की प्रक्रिया को उलझनभरी बना देती है। मिथकों की रहस्यमयता उनका आकर्षण है और उनकी कमजोरी भी। मिथक संसार का तर्क सामान्य संसार पर लागू नहीं होता। क्या इंद्र का चरित्र आज के संदर्भ में अनुकरणीय माना जायेगा ? उनकी पदावनति क्यों हुई ? प्राचीन ऋषि-मुनियों का ईर्षा-द्वेष और सम्मान के लिए उनकी प्रतिस्पर्धा मानव समाज के लिए आदर्श उपस्थित करती है ? बाली के वध का औचित्य क्या आज के तर्क को मान्य होगा ? राम की सेना के महाबली योद्धाओं ने अपनी अपूर्व शक्ति किन जनकों से पायी थी ? मिथक के तर्क ने स्थिति को स्वीकार किया, किंतु आज के समाज में उसकी पुनरावृत्ति खलबली मचा देगी। कर्ण के साथ मिथक ने भी अन्याय क्यों किया ? मिथक-परंपरा इतनी विशाल है और उसमें इतने परस्पर-विरोधी तत्त्व हैं कि उनमें से अनुकरण के उदाहरण चुनना हर कृत्य-कुकृत्य को जायज बना देगा।

तीसरा विचारणीय बिंदु है : क्या सभी परंपराओं को स्वीकार करना आवश्यक है ? उत्तर स्पष्ट है। न कभी ऐसा हुआ है, न होगा। परंपरा कोई दैवी निर्माण नहीं है, अपनी आवश्यकताओं के अनुकूल तत्त्वों का चुनाव कर समाज उन्हें आकार देता है। यह मानवनिर्मित परंपरा भी निरंतर नयी आवश्यकताओं द्वारा अनुकूलित होती रहती है। आज का एकलव्य और समाज उस व्यवहार को सहन नहीं करेगा जो मौलिक एकलव्य को सहना पड़ा। नये संदर्भ में अस्पृश्यता अमानवीय है। नारी को न पूजा की ज़रूरत है, न ताड़ना की। वह सिर्फ समता चाहती है। असहमति, विद्रोह और सुधार की परंपराओं ने न्याय की माँग उठायी। वे आंशिक रूप से सफल भी हुईं। परंपरा को बदलना स्वयं एक महत्त्वपूर्ण परंपरा है।

क्या परंपरा में नयी चुनौतियों को स्वीकार करने की क्षमता है ? इस प्रश्न का उत्तर 'हाँ' या 'न' में नहीं दिया जा सकता। यदि परंपरा को हम लीक पर चलना मानते हैं, तो उत्तर है—'नहीं'। यदि हम परंपरा की गत्यात्मकता को स्वीकार करते हैं तो अनेक संभावनाओं के द्वार खुल जाते हैं। परंपरा ने चुनौतियों का मुकाबला किया है। गांधीजी ने परंपरा को नया मोड़ दिया, यद्यपि वे उसके विरोधी नहीं थे। नये अध्ययन बताते हैं कि परंपरा की ऊर्जा का उपयोग आधुनिकीकरण के लिए किया जा सकता है। जातीय सृजनशीलता विकास की प्रक्रिया को गति दे सकती है और अवरोधकों को दूर करने में सहायक हो सकती है।

एक अंतिम बिंदु और। क्या परंपराओं का सहअस्तित्व संभव है ? परंपराओं में सहयोग भी हुआ है, संघर्ष भी। सहअस्तित्व के समीकरण स्थापित हुए, टूटे और पुनः स्थापित हुए। एक परंपरा का अहंकार दूसरी परंपराओं में प्रतिशोध की भावना को

जन्म देता है। सहयोगी दृष्टिकोण उनमें भ्रातृत्व स्थापित करता है और पारस्परिक आदान-प्रदान को भी संभव बनाता है। उद्दंड दृष्टिकोणों ने अनगिनत संघर्षों को जन्म दिया है। परंपरा का राजनीतिकरण आज की विश्व-व्यवस्था की अस्थिरता का कारण है। परंपरा का सहअस्तित्व संभव है, पर इसके लिए हमें अपनी मानिसकता बदलनी होगी।

राजनीतिक स्वतंत्रता, आर्थिक विकास और सामाजिक समता के आदर्शों में अब सांस्कृतिक स्वायत्तता का लक्ष्य भी जुड़ गया है। परंपरा की उपेक्षा नहीं की जा सकती। उसे दबाया भी नहीं जा सकता। सांस्कृतिक विविधता स्वाभाविक है, किसी रोग का लक्षण नहीं। वह यदि बढ़ती है तो बढ़े। अंकुश लगाना है सांस्कृतिक अहंकार और असहिष्णुता पर। साथ ही समूची मानवजाति के विकराल प्रश्नों को हल करने के सहयोगी और सहभागी प्रयत्न भी आवश्यक हैं। यह महान् लक्ष्य परंपरा की ऊर्जा और जातीय सृजनात्मकता के उपयोग के बिना प्राप्त नहीं होगा। विवेकसम्मत इतिहास-दृष्टि का विकास परंपरा की विकृतियों को दूर करने में सहायक होगा और उनके सहअस्तित्व को भी संभव बनायेगा।

[पंडित कुंजीलाल दुबे स्मारक भाषण, रानी दुर्गावती विश्वविद्यालय, जबलपुर]

# भारतीयता की तलाश

साम्राज्यवाद और उपनिवेशवाद से पीड़ित जगत् ने, दूसरे महायुद्ध के बाद, बीसवीं सदी के पाँचवें दशक के मध्य से राष्ट्रीय स्वाधीनता पाना शुरू किया। पाँचवें और छठे दशक का मुहावरा मूलतः स्वतंत्रता का था। सातवें और आठवें दशक में मानवीय चेतना ने एक नया मोड़ लिया और स्वतंत्रता की परिभाषा में समता की माँग अविभाज्य रूप से जुड़ गयीं। समता का एक आयाम सांस्कृतिक था, आर्थिक समता के साथ सांस्कृतिक स्वायत्तता भी जरूरी मानी जाने लगी।

संस्कृति पर नये सिरे से विचार आरंभ हुआ। इस विचार-प्रक्रिया का एक भाग थी परंपरागत और रूढ़ सांस्कृतिक आत्मछवि, जो अपने चारों ओर लगे प्रश्नचिह्नों के बावजूद पराजय नहीं मानती थी।

दूसरा भाग थी वह आत्मछवि, जिसे राष्ट्रीय आंदोलन ने प्रयत्नपूर्वक उभारा था। इन प्रयत्नों ने परंपरा के स्रोतों का उपयोग तो किया ही था, पर साथ ही कई नये तत्त्वों को भी उसमें जोड़ा था। इस प्रक्रिया में कई नये मिथ भी विकसित हुए। स्वाधीनता की लड़ाई के जमाने में इस राष्ट्रीय आत्मछवि की भूमिका उपयोगी और महत्त्वपूर्ण थी, किंतु बदलते परिवेश में वह पूरा संतोष नहीं दे पा रही थी। धीरे-धीरे उसके कुछ पक्ष धूमिल होने लगे थे और हम स्वयं नये मिथकों को शंका की दृष्टि से देखने लगे थे।

रूढ़ और राष्ट्रीय आत्मछवियों को एक तेज झटका उस समय लगा जब इतिहास-दृष्टि ने अपना लक्ष्य बदला और नये तथ्यों और वैज्ञानिक विवेक के सहारे अपने अनुसंधान की दिशा बदली। व्यक्तित्व, सत्ता, स्मरणीय घटनाओं और कालानुक्रम इतिहास की मुख्य विषय-वस्तु न रहे, जन-चेतना और उसकी अभिव्यक्ति के स्वरूपों को जन-इतिहास या सामाजिक इतिहास की समझ के लिए अनिवार्य मान लिया गया। इस तरह समाज के उपेक्षित और तिरस्कृत वर्ग और समूह इतिहास के पृष्ठों में प्रतिष्ठित होने लगे।

तीसरी दुनिया के समाजों में ऐसे वर्गों और समूहों ने अपने-आपको एक नया इतिहास देने का प्रयत्न किया। इन प्रयोगों में परंपरा से कुछ समझौता किया गया, कुछ उसका पुनर्मूल्यांकन किया गया और उसमें कुछ नये मिथक जोड़े गये। निश्चित ही यह सच्चा इतिहास नहीं था, परंतु बदलती मानसिकता का यह पक्ष जन-इतिहास के लिए महत्त्वपूर्ण कच्ची सामग्री अवश्य था। सामाजिक सत्य का वास्तविक सत्य होना जरूरी नहीं है।

इतिहास-दृष्टि में बदलाव के साथ सांस्कृतिक चेतना का स्वरूप भी बदलने लगा। छोटी सांस्कृतिक इकाइयाँ बदलते संदर्भों में नयी जागृति का आभास देने लगीं। उनमें आत्मविश्वास जागा और इससे नयी सांस्कृतिक माँगों ने जन्म लिया। वैसे भी सहज विवेक और विशेषकर उभरते वैज्ञानिक विवेक ने कई स्थापित मूर्तियों को खंडित और प्रचलित मिथकों को विशृंखलित कर दिया था। इससे आरंभ हुई जड़ों की खोज, बुनियाद की तलाश। अमरीकी नीग्रो अब अपने इतिहास का आरंभ दासता के काल से नहीं मानते, वे अपने पुराने महाद्वीप के पूर्वजों से पुनः संबंध स्थापित करना चाहते हैं। मध्य और दक्षिण अमरीका के इंडियन अपने उस अतीत के प्रति सजग हैं, जिसमें सहस्रों वर्ष पूर्व इंका, माया और एजटक लोगों ने गौरवपूर्ण सभ्यताओं का विकास किया था। इंडोनेशिया का एक सबल बौद्धिक वर्ग इस्लाम को अपना धर्म मानते हुए भी प्रंबनन की हिंदू और बोरोबुदुर की बौद्ध-परंपराओं से अपने संबंधों को समझना चाहता है ! दूर क्यों जायें, धार्मिक और राजनीतिक मुल्लों के प्रभुत्ववाले पाकिस्तान में कृष्ण की मुरली, गोपियों के रास और गंगा की पावन धारा का सम्मोहन जागता दिखाई पड़ता है। वहाँ के कुछ बुद्धिजीवी फर्जी अरब न बनकर उपमहाद्वीप की प्राचीन सभ्यता में अपने स्थान को समझना चाहते हैं। उदाहरण और भी बहुत-से दिये जा सकते हैं। कुछ साल पहले एक समाजशास्त्री ने उन आंदोलनों की गणना की थी जो सांस्कृतिक स्वायत्तता के प्रश्न से जुड़े थे और जिनकी वैचारिक भावभूमि में प्रत्यक्ष-अप्रत्यक्ष रूप से जड़ों की तलाश थी। उस समय इन आंदोलनों की संख्या तीन सौ सत्तर से अधिक थी।

जड़ों की खोज एक बुनियादी मुद्दा है। इसके पीछे जातीय स्मृतियों का आग्रह है और है नये इतिहास बोध की माँग। पर सीधे-सच्चे सवालों के हमेशा सीधे और सच्चे उत्तर नहीं दिये जाते। इतिहास पर सदा ही सत्ता और न्यस्त हितों के दबाव रहे हैं और अनेक स्थितियों में वह न केवल झुका है, अपितु वह स्वेच्छा से ऐसे प्रत्यनों में सहभागी भी बना है। इस प्रक्रिया में अनेक विकृतियाँ आयी हैं, जिनसे ऐतिहासिक सोच और समझ में विसंगतियाँ उत्पन्न हुई हैं। जड़ों की तलाश को हमें दिशाभ्रम से बचाना है, उसे लक्ष्य-भ्रष्ट नहीं होने देना है।

ऐसा करने के लिए तीन बातें जरूरी हैं। पहली यह कि हम इतिहास को उसकी

समग्रता में देखें और तथ्यों के सहारे जितने पीछे जा सकते हैं, उतने पीछे जाने का यत्न करें। ईरान का इतिहास इस्लाम, विशेषकर उसके शिया सम्प्रदाय, के जन्म से आरंभ नहीं हुआ और न भारतीय सभ्यता आर्य भाषा-भाषी कबीलों के आने से आरंभ हुई। दूसरे, असुविधाजनक सत्यों से मुँह नहीं मोड़ा जा सकता। इस्लाम के जोश में यदि मलेशिया अपनी पुरानी हिंदू विरासत को भुलाने की कोशिश करता है तो वह ऐतिहासिक दृष्टि से समृद्ध होता है या दरिद्र ? क्या वे भी इंडोनेशिया की तरह धर्म और संस्कृति को अलग नहीं कर सकते ? तीसरे, जातीय स्मृतियों के साथ कई बार जातीय दुराग्रह भी जुड़ जाते हैं। ऐसे संदर्भों में संघर्ष की स्थितियाँ याद रही आती हैं, प्यार और अंतरावलंबन के प्रसंग भुला दिये जाते हैं। बुनियाद की तलाश करते समय इन दुराग्रहों का निराकरण आवश्यक है। प्रजातीय, धार्मिक और सामुदायिक उन्माद सच्ची इतिहास-दृष्टि के दुश्मन हैं। उनसे बचे बिना हम न जड़ों तक पहुँच सकते और न समसामयिक यथार्थ से साक्षात्कार कर सकते हैं।

हर संस्कृति-समूह, समुदाय और राष्ट्र की अपनी अलग छवि होती है। इसके दो मुख्य पक्ष होते हैं—एक वह जिसे इकाई स्वयं अपने बारे में विकसित करती है और दूसरी वह जो उसे इतर संस्कृतियाँ देती हैं। पहली को हम 'आत्मछवि' या 'सेल्फ इमेज' कहते हैं, दूसरी को 'प्रदत्त छवि' या 'गिव्हन इमेज'। दोनों एक सीमा तक रूढ़ मतों पर आश्रित होती हैं और दोनों कुछ विशिष्ट संदर्भों में एक-दूसरे को प्रभावित करती हैं। यहाँ यह स्मरण रखना आवश्यक है कि आत्मछवि के भी दो पक्ष होते हैं—हाथी के दाँतों की तरह जो दिखाने के और होते हैं, खाने के और। आत्मछवि का एक रूप बाहरी दुनिया को दिखाने के लिए होता है जो अधिक सकारात्मक होता है। दूसरा, इकाई तक ही सीमित होता है। इसमें सकारात्मक और नकारात्मक दोनों तत्त्वों का समावेश होता है। यदि अपने गुण कुछ बढ़ा-चढ़ाकर देखे जाते हैं तो दोषों और कमियों का अहसास भी होता है। दोनों प्रकार की छवियों—आत्मछवि और प्रदत्त छवि और प्रगट और अंतर्निहित छवियों के अंतर को समझना जरूरी है, दोनों के प्रकार्य भी भिन्न होते हैं। ये छवियाँ स्थिर और दृढ़ नहीं होतीं, बदलते संदर्भ, ऐतिहासिक अनुभव और विशिष्ट उपलब्धियों द्वारा उनमें गुणात्मक परिवर्तन होते हैं।

आत्मछवि या प्रदत्त छवि का एकदम सही होना जरूरी नहीं है। वे पूरी तरह पूर्वाग्रहमुक्त भी नहीं हो सकतीं। उनमें जाने-अनजाने जातीय स्मृतियों के आग्रह और दुराग्रह आ ही जाते हैं। फिर भी हम यह नहीं कह सकते कि इन रूढ़ मतों का कोई आधार ही नहीं होता। जातीय स्मृतियाँ ऐतिहासिक तथ्यों को एकदम भुला नहीं सकतीं, ये ऐतिहासिक तथ्य इन छवियों को आकार, निखार और विस्तार देते हैं। ये

छवियाँ सांस्कृतिक इकाइयों के व्यक्तित्व को भी प्रभावित करती हैं। आत्मछवि एक तरह की स्वयं को सत्य प्रमाणित करनेवाली भविष्यवाणी (सेल्फ फुलफिलिंग प्रोफेसी) होती है, इकाई की मानसिकता और उसके व्यवहार-प्रकार इस छवि के अनुकूल बनने लगते हैं। कभी-कभी कई समूह नये संदर्भों में अपने-आपको नयी आत्मछवि देना चाहते हैं या प्रदत्त छवि को प्रयत्नपूर्वक गलत प्रमाणित करना चाहते हैं। इन प्रयत्नों के सफल होने में समय लगता है, क्योंकि भ्रांतियों और विकृतियों में भी अदम्य जीवन-शक्ति होती है। संस्कृति-समूहों की मानसिकता पर इन छवियों की गहरी छाप होती है। अमरीकी काले लोग एक ओर तो 'काला सुन्दर है' (ब्लैक इज़ ब्यूटीफुल) आंदोलन चलाते हैं और दूसरी ओर आपसी लड़ाई-झगड़े में 'यू डर्टी निगर' (तू गंदा नीग्रो) गाली देते हैं। आत्मछवि और प्रदत्त छवि—दोनों की महत्त्वपूर्ण सामाजिक और सांस्कृतिक भूमिका होती है, पर उनमें किसी भी संस्कृति के उपादानों का पूर्ण रेखांकन नहीं होता और न उसकी आत्मा की सही परख ही होती। सामाजिक संरचना के प्रेरक सिद्धांत और संस्कृति के मूल्यों का झुकाव इनके द्वारा प्रामाणिक ढंग से नहीं समझा जा सकता। स्पष्ट है कि हमें इन छवियों की छलना से बचना चाहिए।

भारत की एक नहीं, अनेक छवियाँ हैं। हमारी आत्मछवि में कालांतर में अनेक परिवर्तन हुए हैं, और बाहरी दुनिया का हमारे बारे में नज़रिया भी समय-समय पर बदलता रहा है। यह भी सच है कि हम बाहरी दुनिया को अपना जो चेहरा दिखाना चाहते हैं, स्वयं हमें उस पर पूरी आस्था नहीं है। भारतीयता की भावना धीरे-धीरे विकसित हुई, पर उसके तत्त्वों का विश्लेषण प्रायः प्रासंगिक और एकांगी रहा है। आज भी, जब हम भारतीयता की तलाश का गंभीर प्रयत्न कर रहे हैं, हम उसकी आधारभूमि के संबंध में ही सहमति विकसित नहीं कर पा रहे हैं।

हमने अपने-आपको कैसे देखा ?

हमारे प्राचीनतम पूर्वज अनेक जनजातीय कबीले थे, जिनमें से कुछ का प्रजातीय संबंध अफ्रीकी नीग्रो लोगों से था, कुछ का आस्ट्रेलिया के आदिवासी समूहों से, कुछ का दक्षिण-पूर्व एशिया की मंगोलायड शाखा से। अफ्रीका से आये प्रजातीय समूह कब आये, कहाँ गये और उनकी सांस्कृतिक देन क्या थी, आदि के संबंध में आज निश्चयात्मक रूप से कुछ भी कह सकना मुश्किल है। वे जलमार्ग से ही आये थे, इसलिए उन्हें नौका-विज्ञान के ज्ञान का श्रेय देना अनुचित न होगा। शायद वे अपने साथ आद्य संगीत और नृत्य की परंपरा भी लाये होंगे, पर उसका रूप उतना विकसित नहीं रहा होगा, जो आज के अफ्रीकी कबीलों में दिखायी पड़ता है। ये समूह संभवतः आखेटक और खाद्य-संग्रह करनेवाले थे। यह हो सकता है कि उन्होंने आद्य कृषि का

आरंभ किया हो। यह कहना भी कठिन है कि उनका क्या हुआ, क्योंकि उनके कुछ चिह्न दक्षिण भारत की कुछ जनजातियों में और कुछ लक्षण उत्तर-पूर्व की एक-दो जनजातियों में मिलते है। उनका शुद्धतम रूप अंडमान की ओंगे जनजाति में मिलता है। उनकी भाषा भी अपनी कोई स्पष्ट छाप आज के भाषा-समूहों पर नहीं छोड़ गयी। आस्ट्रिक लोग आस्ट्रेलिया से नहीं आये थे, अपने मूलक्षेत्र से उनकी एक शाखा आस्ट्रेलिया गयी और एक भारत आयी। इनके एक खंड ने जनजातियों के रूप में अपना स्वतंत्र अस्तित्व बनाये रखा, शेष अन्य प्रजातीय समूहों से घुल-मिल गये। अनेक जनजातियों के रूप में खंडित ये समूह आर्थिक-प्राविधिक विकास के विभिन्न स्तरों पर थे—आखेटक-खाद्य संकलन स्तर, आरंभिक कृषि स्तर, नव पाषाण युग का विकसित कृषि स्तर। चक्के का आविष्कार वे कर चुके थे। उनकी सामाजिक संरचना क्रमशः जटिल होती जा रही थी। ऐसा मानने के कारण हैं कि उनके विश्वासों और जीवन-दृष्टियों ने अपनी छाप द्रविड़ समूहों के माध्यम से आज के भारत पर भी छोड़ी है। उनकी भाषाएँ आज भी बोली जाती हैं। इसी तरह टिबेटो-बर्मन भाषाएँ बोलने वाले मंगोलायड भाषावर्ग ने एक भिन्न पर्यावरण में अपनी संस्कृतियाँ विकसित कीं। बाद में उनमें से कुछ शेष समाज में मिल गये और कुछ ने जनजातीय संस्कृतियों के रूप में अपना स्वतंत्र अस्तित्व बनाये रखा। कृषि की एक विशिष्ट प्रणाली के विकास का और कपड़ा बुनने की कला को निखार देने का श्रेय इन्हें मिलना चाहिए।

प्रश्न यह नहीं है कि किसने क्या दिया और क्या लिया ! प्रश्न है कि आर्य और द्रविड़ भावनाओं से पीड़ित होकर हम अपने इन पूर्वजों से अपना नाता क्यों स्वीकार नहीं करते ? साथ ही हमें यह भी स्मरण रखना चाहिए कि किसी काल में इन सभी प्रजातीय सांस्कृतिक समूहों की स्वतंत्र आत्मछवियाँ थीं और जो आज जनजातियों के रूप में रह रहे हैं, उनकी भी स्वतंत्र सामूहिक चेतना है। भारतीय छवि की बात करते समय इन्हें भुलाया नहीं जा सकता।

द्रविड़भाषी भारतीय उपमहाद्वीप पर भूमध्य सागरीय क्षेत्र से आये। कालांतर में वे विस्तृत भूभाग पर फैल गये। उनकी पहुँच का अंदाज इसी बात से लगाया जा सकता है कि उत्तर-पश्चिम क्षेत्र में—जो अब पाकिस्तान में है—कराची, हैदराबाद, क्वेटा और कलात में अभी भी ब्राहुई भाषा बोलनेवाले लोगों के छोटे-छोटे समूह हैं। यह भाषा निश्चित रूप से द्रविड़ भाषा-परिवार की है। सिंधु घाटी सभ्यता की लिपियों के विश्लेषण से विद्वानों की धारणा बनी है कि उनकी भाषा अपनी संरचना में द्रविड़ मूल की ही मानी जा सकती है। भारतीय सभ्यता को द्रविड़भाषी समुदायों की देन का सही आकलन अभी तक नहीं किया गया। हड़प्पा-मोहनजोंदड़ो में हमें नियोजित नगर संस्कृति का एक श्रेष्ठ नमूना मिलता है। लोथल समुद्रतटीय संस्कृति का उत्कृष्ट उदाहरण है, जहाँ एक अच्छा बंदरगाह था। भारत उस काल में भी अपने-आपमें

सीमित नहीं था, बाहरी दुनिया से अपने जहाजी बेड़ों द्वारा वह संपर्क रखता था। शिव और शक्ति की परिकल्पनाएँ भी इसी संस्कृति की देन मानी जाती हैं। पिछले दशकों के उत्खननों से ज्ञात हुआ है कि उत्तर-पूर्व में इस संस्कृति की विस्तार सीमा पहले अनुमानों से कहीं अधिक थी।

द्रविड़ उत्कर्ष काल में भारत की आत्मछवि क्या रही होगी ? द्रविड़ अस्मिता आज एक नया राजनीतिक रंग लेकर जागी है, पर इससे उसकी प्रभावसीमा का संकोचन ही हुआ है। उत्तर भारत के लोग आर्यों को अतिरंजित महत्त्व क्यों देते हैं ? द्रविड़भाषियों की भारतीय सभ्यता को देन का सही मूल्यांकन हम क्यों नहीं करते ?

आर्य-भाषाएँ बोलनेवाले कबीलों का आना ईसापूर्व 1500-1200 में आरंभ हुआ। एक के बाद एक उनकी कई लहरें इस भूभाग पर आयीं। भौतिक संस्कृति और प्राविधिक विकास की दृष्टि से वे भारत में बसे लोगों से बहुत पीछे थे, किन्तु उनमें दार्शनिक चिंतन और काव्यसृजन की विलक्षण प्रतिभा थी। उनकी स्मरण शक्ति भी अद्वितीय थी, क्योंकि उन्होंने जो रचा, उसे याद रखा। उनका प्रजातीय अहं भी असीमित था। यहाँ के निवासियों को उन्होंने अपमानजनक नाम दिये—काले, अनास, दास, दस्यु, लिंगपूजक, अदेववादी आदि। एकीकरण की प्रक्रिया आसान नहीं थी। संघर्ष के लंबे दौर के बाद घृणा की दीवारें टूटीं और सांस्कृतिक संविलयन आरंभ हुआ। श्वेत वर्ण, नीली आँखों और सुनहरे बालोंवाले दर्पस्फीत आर्य श्याम वर्ण के सौंदर्य के सामने झुके, प्रजातीय मिश्रण बड़े पैमाने पर हुआ। आज के संदर्भ में आर्य एक मिथक के रूप में जीवित हैं, सभ्यता को उनका योगदान महत्त्वपूर्ण है, परंतु उसके विकास में पूर्ववर्ती निवासियों की देन कम उल्लेखनीय नहीं है। आर्यों के अनेक देव गौण हो गये, दिक्पाल बन गये, आर्य-पूर्व समुदायों के देवी-देवता हिंदू देव-परिवार में प्रतिष्ठित हुए। वर्ण-व्यवस्था आज भी जीवित है, किंतु वर्णों की शुद्धता संदिग्ध है। जिन आर्यों का झंडा कुछ लोग आज भी फहराना चाहते हैं, वे हैं कहाँ ?

भारत का आकर्षण और कई समूहों को इस धरती पर खींच लाया। अपनी-अपनी अस्मिता के साथ यूनानी, शक, कुषाण, आभीर, गुर्जर और हूण आये। इन सबने कुछ समय तक अपना स्वतंत्र सांस्कृतिक व्यक्तित्व बनाये रखा और फिर सामान्य भारतीय समाज में मिल गये।

एक ओर जहाँ पुरानी छवियों का संविलयन होता रहा, नयी स्वतंत्र छवियाँ भी उभरती रहीं। ये भारत की भूमि पर भारतीय परंपरा से उपजी थीं। जैन धर्म का आधार एक नयी वैचारिक भूमि थी, जिसने कई बहुमान्य अवधारणाओं को चुनौती दी। बौद्ध मत ने एक क्रांतिकारी विचारधारा को प्रतिष्ठित किया, मानवीय उद्देश्यों और मूल्यों की एक नयी योजना प्रस्तुत की। इसी तरह अनेक संप्रदाय उपजे। सिख मत संप्रदाय है या धर्म, यह कह पाना कठिन है। संप्रदाय भी स्वतंत्र धर्म बन सकते

हैं, बात भावना की है। दीर्घकाल तक इनकी छवियाँ स्वतंत्र रहीं, आज भी हैं, परंतु वे भारतीयता से पृथक् नहीं हैं, क्योंकि उनकी जड़ें भारतीय चिंतन की भावभूमि में हैं। उन पर विचार किये बिना भारतीयता की कल्पना भी नहीं की जा सकती।

भारतीय इतिहास अनेक 'राज्यों' और 'साम्राज्यों' का उल्लेख करता है, जिनमें से कई की गौरवशाली परंपराएँ रही हैं, प्रत्येक की स्वतंत्र छवि थी। ऐसा भी समय था जब देश की भिन्न-भिन्न दिशाओं में अलग-अलग छवियों का सह-अस्तित्व था। सांस्कृतिक भावभूमि में सामान्य एकता के कारण इन विभिन्न छवियों ने भारतीयता की भावना के विकास में अवरोध उत्पन्न नहीं किया। स्वतंत्र छवियाँ पनपती रहीं, पर भारतीयता भी भावात्मक आधार पर पुष्ट होती रही। सल्तनते-मुगलिया और कंपनी बहादुर की हुकूमत में भारतीयता की छवि जो पहले कुछ धूमिल थी और अधिक स्पष्ट हुई। क्रिया-प्रतिक्रिया के सिद्धांत से इस प्रवृत्ति को समझा जा सकता है।

संघर्ष की स्थिति में आत्मछवियाँ अतिरंजित रूप में उभरती हैं। जय और पराजय के संदर्भ उन्हें नये अर्थ देते हैं और साथ ही प्रतिक्रियाओं की एक शृंखला को जन्म देते हैं। मुस्लिम शासन, कई दृष्टियों से, हिंदू अस्मिता को चुनौती था। उसने नये हिंदू नायकों को जन्म दिया, जैसे राणा प्रताप, छत्रपति शिवाजी और गुरु गोविन्द सिंह। अंग्रेजी शासन में स्थिति बदली। मुसलमानों का शासक-भाव, पराजय के बाद, बदल चुका था। विजित पराधीन देश ने प्राचीन काल के हिंदू उपनिवेशों की चर्चा आरंभ की। विक्रमादित्य, चंद्रगुप्त, अशोक, अकबर और जहाँगीर गर्व से याद किये जाने लगे। हमारा झंडा 'विजयी विश्व तिरंगा प्यारा' बन गया और हम विश्वविजय का प्रण पूर्ण करने के संकल्प करने लगे। इकबाल के शब्दों में हिंदोस्तां 'सारे जहाँ से अच्छा' हो गया। यह एक दृष्टि से जातीय हीनभाव की अभिव्यक्ति थी। इसी संदर्भ में हमें रवीन्द्रनाथ ठाकुर का भी स्मरण करना चाहिए जिनके 'जन गण मन' में एक स्वस्थ राष्ट्रीय छवि उभरी थी।

समसामयिक भारतीय समाज अपने-आपको एक नयी राष्ट्रीय छवि देना चाहता है। भारतीयता की तलाश का सवाल इसी प्रयत्न से जुड़ा है। कठिनाइयाँ आज का जिया हुआ यथार्थ हैं और विस्तृत उल्लेख की अपेक्षा नहीं करतीं।

बाहरी दुनिया ने हमें किन नजरों से देखा और हमें कैसी छवियाँ दीं ?

यह चित्र एक कोलाज की तरह है, जिसमें एक नहीं अनेक छवियाँ हैं। पहली छवि समृद्धि की है। हम आज भी उस अतीत की याद करते हैं जब भारत को 'सोने की चिड़िया' माना जाता था और जब इस देश में दूध-दही की नदियाँ बहती थीं। एक अन्य छवि थी ज्ञान और चिंतन के देश की जहाँ के मनीषियों ने ब्रह्मांड की गंभीर गुत्थियाँ सुलझायी थीं और जहाँ से उच्च कोटि का शास्त्रीय और व्यवहृत ज्ञान पाया जा सकता था। फिर छवि आयी एक कर्मकांडी और विभाजित समाज की। एक

अरसे तक हम दुर्लभ मसालों और चकित कर देनेवाले मलमल और रेशम का देश माने जाते रहे। पूर्व-विद्या के आचार्यों ने 'पूर्व पूर्व है, पश्चिम पश्चिम है और दोनों कभी नहीं मिल सकते' का सिद्धांत निरूपित किया और आध्यात्मिकता को हमारी सभ्यता का मूल स्वर माना। बिना तर्क और परीक्षण के हमने इस वर्गीकरण और चरित्र-चित्रण को स्वीकार कर लिया। इसके बाद हम योगियों, बाजीगरों, साँपों, शेरों, पवित्र गाय और नाचनेवाले बंदरों और भालुओं का देश माने जाने लगे। पुरानी छवियों के अवशेषों के साथ आज हमारी दो छवियाँ और हैं—भयावह गरीबी और भुखमरीवाले देश की और सीमित क्षेत्रों में गंभीर समस्याओं के बावजूद विज्ञान और प्रगति की ओर धीमी, पर निश्चित गति से बढ़नेवाले देश की।

रूढ़ छवियों की अपनी सीमाएँ होती हैं, न उनमें पूरा सत्य होता, न पूरा असत्य। वे उन्हें भी प्रभावित करती हैं जिनके बारे में उन्हें विकसित किया जाता है। प्रशंसात्मक रूढ़ियाँ प्रायः जैसी की तैसी स्वीकार कर ली जाती हैं, प्रतिकूल या आलोचनात्मक रूढ़ मत भी अंशतः आत्मसात् कर लिये जाते हैं, यद्यपि इस दशा में समाज अपनी प्रतिक्रिया भी अभिव्यक्त करता है और कभी-कभी अपने को बदलने का प्रयास भी करता है। हमारी भारतीयता की परिकल्पना काफी हद तक इन प्रदत्त छवियों से प्रभावित है।

सभ्यताओं के इतिहास में भारतीय सभ्यता की एक विशेष पहचान और अस्मिता है। संसार में सभ्यता के कई प्राचीन केंद्र रहे हैं, किंतु उनमें से अधिकांश को हम केवल उनके भग्नावशेषों द्वारा ही जानते हैं। भारतीय सभ्यता में एक अविश्रृंखल निरंतरता है। पाँच हजार वर्ष पुरानी इस सभ्यता में आज भी अतीत और वर्तमान के बीच की कड़ियाँ सशक्त हैं। यह कहना तो उचित नहीं होगा कि हर दृष्टि से यह सभ्यता आदर्श थी, क्योंकि इसमें अनेक विसंगतियाँ और विरोधाभास थे। उदाहरण के लिए, कुछ सशक्त आदिवासी समूहों को छोड़कर शेष को वर्ण-व्यवस्था में बहुत नीचा स्थान मिला और जो इस व्यवस्था के अंग नहीं बने, उन्हें धीरे-धीरे बीहड़ वनों और एकाकी पर्वतमालाओं की ओर धकेला गया। अस्पृश्यता हमारे समाज का कलंक थी और आज भी है। धर्मग्रंथों के कुछ श्लोकों में भले ही हमने स्त्री को शीर्ष स्थान दिया हो, किंतु व्यवहार में वह दूसरे दर्जे की नागरिक ही रही। इन दोषों के बावजूद भारतीय सभ्यता केवल पुरातत्त्व की सामग्री न रहकर आज भी जीवित है। उसकी अदम्य जीवन-शक्ति का रहस्य क्या है ?

भारतीय संस्कृति के बारे में हम जब भी सोचते हैं, हमारा ध्यान उसकी आध्यात्मिक प्रकृति पर केंद्रित रहता है। यह रूढ़ि कई दृष्टियों से बड़ी भ्रामक है।

मानव जीवन के चार प्रमुख लक्ष्यों—पुरुषार्थों में अर्थ और काम का उतना ही महत्त्व है जितना धर्म और मोक्ष का। प्राचीन ग्रंथों में यदि धर्मशास्त्र महत्त्वपूर्ण है तो अर्थशास्त्र और कामशास्त्र भी उपेक्षणीय नहीं हैं। सामान्य धर्म की परिकल्पना को भी अध्यात्मोन्मुख नहीं माना जा सकता।

आलौकिक पक्षों पर चिंतन करते हुए भी भारत में भौतिक संस्कृति का अभूतपूर्व विकास हुआ था। जहाँ आध्यात्मिक संस्कृति ने कई बार दिशा बदली, वहाँ भौतिक संस्कृति के क्षेत्र में आश्चर्यजनक क्रमिक विकास दिखायी पड़ता है। समसामयिक भारत की मृद्-कलाओं को सिंधु घाटी सभ्यता के उत्पादनों से जोड़ा जा सकता है। आदिम समूहों ने लोहे की धातु को शुद्ध कर अस्त्र-शस्त्र बनाना आरंभ कर दिया था, परंतु लोहे के फलवाले जैसे हल का प्रयोग संभवतः मौर्यकाल में आरंभ हुआ। उसका व्यापक पैमाने पर प्रयोग आज भी हो रहा है। भारत को जोड़नेवाले तत्त्वों की खोज करते समय हमें भौतिक संस्कृति के उपादानों पर भी गंभीर रूप से विचार करना चाहिए। निर्मलकुमार बोस ने इस क्षेत्र में एक उपयोगी सर्वेक्षण कराया था। अपनी सीमाओं के बावजूद इस अध्ययन के परिणाम उल्लेखनीय हैं।

राष्ट्रीय और राजकीय सीमाएँ भले ही अलग रही हों, भारत का सांस्कृतिक-धार्मिक भूगोल एक भारतीयता की ओर ही इशारा करता है। भारत की भूमि, पर्वतों और नदियों के उल्लेख हमें बार-बार धार्मिक और साहित्यिक ग्रंथों में मिलते हैं। पवित्र तीर्थों का वितरण भी देश-व्यापी है। इनसे यदि भारतीयता प्रमाणित नहीं होती तो कम-से-कम उसकी भाव-भूमि का आभास तो होता ही है।

राबर्ट रेडफील्ड और मिल्टन सिंगर ने 'महान्' और 'लघु' परंपराओं और उनके अंतरावलंबन की बात की है। मैं उन्हें 'शास्त्रीय' और 'लौकिक' परंपराएँ कहना अधिक पसंद करता हूँ। महान् परंपरा के तत्त्व हम शास्त्रों में खोजते हैं और उसका एक आदर्श प्रतिरूप निर्मित करते हैं। इस संबंध में प्रश्न उठता है कि प्राचीन समय में या आज कितने समूह इस परंपरा के जीवित प्रतिनिधि थे ? इसके विपरीत किसी एक लघु परंपरा की बात करना भी व्यर्थ है। अनेक लौकिक परंपराएँ थीं—जातीय, स्थानीय और क्षेत्रीय। स्थानीय परंपराएँ क्षेत्रीय परंपराओं से सावयवी रूप से जुड़ी थीं। क्षेत्रीय संस्कृतियों का अपना सबल व्यक्तित्व था। इन संस्कृतियों ने अपने-अपने तरीकों से शास्त्रीय परंपराओं से संपर्क-सूत्र बनाये। लौकिक परंपराएँ हमेशा ज्यादा ताकतवर रहीं। महान् परंपरा का कभी आग्रह नहीं रहा कि वह लौकिक परंपराओं को निगल जाये। पितृप्रधान देश में, मातृप्रधान समुदायों का अस्तित्व बना रहा। बहुपति प्रथा भी समाज के कई भागों में मान्य रही। कई समुदायों ने ब्राह्मण से पूजा करायी, परंतु कई समूहों ने ब्राह्मण के पौरोहित्य को नहीं स्वीकारा। धर्मशास्त्रों ने भी लोकाचार की स्वायत्तता स्वीकार की। शास्त्रीय और लौकिक परंपराओं में समझौते

हुए और आदान-प्रदान भी होता रहा। भारतीय संस्कृति विशृंखलित हो जाती, यदि वह लौकिक संस्कृतियों की स्वतंत्र छवि को नष्ट करने का दुराग्रह करती। मेरी दृष्टि में शास्त्रीय परंपराओं और स्थानीय, जातीय और क्षेत्रीय परंपराओं का सहअस्तित्व भारतीय समाज को विशृंखलन से बचाये रखने में सहायक हुआ है।

सनातन की खोज भारतीय मनीषा से जुड़ी है, किंतु धर्म के किसी रूप को हमारी सभ्यता ने परीक्षा की कसौटी से ऊपर नहीं माना। कट्टरवाद भारत की धार्मिक परंपराओं का मूल स्वर नहीं रहा, यद्यपि इतिहास में उन मोड़ों के भी हज़ारों उल्लेख हैं जो हिंसात्मक धर्मांधता से प्रेरित थे। भारतीय संस्कृति को बचाये रखने में उसके प्रश्न, शंका, असहमति, विरोध, सुधार और विद्रोह की परंपराओं का बड़ा हाथ रहा है। भारत के अनेक संत कवियों ने सामाजिक विक्षोभ की अभिव्यक्ति और अन्याय से लड़ने का एक नया मुहावरा विकसित किया। परंपरा को प्रकट रूप से बिना अस्वीकार किये उन्होंने पैने प्रश्न पूछे, गंभीर शंकाएँ व्यक्त कीं, अपनी असहमति को शब्द दिये, विरोध को वाणी दी, सुधार की योजनाएँ सुझायीं और आवश्यकता पड़ने पर विद्रोह का समर्थन किया। इन परंपराओं ने एक ओर सामाजिक तनावों को दूर या कम किया तो दूसरी ओर सामाजिक सामंजस्य उत्पन्न करने में भी सहायता दी।

भारतीय सभ्यता में बाह्य तत्त्वों को आत्मसात् करने की अपूर्व क्षमता थी। ऐसे तत्त्वों का भारतीय सांस्कृतिक परिवेश में अनुकूलन भी हुआ, समाकलन भी। इस प्रकृति के अभाव में यह देश खंडित ही रहता। आद्य कबीलों ने भारतीय सभ्यता को पहले कुछ दिया, बाद में बहुत कुछ लिया। उनमें से कुछ उभरते समाज में मिल-जुल गये, कुछ ने अपना स्वतंत्र अस्तित्व बनाये रखा। द्रविड़ भाषायी समूहों ने समाज और सभ्यता के विकास की धारा को एक नया मोड़ दिया। जैसा पहले कहा जा चुका है, सचेत अध्येताओं की दृष्टि में सिंधु घाटी सभ्यता उनकी देन थी। फिर आर्य भाषा बोलनेवाले कबीले आये और उन्होंने सभ्यता के विकास को नयी दिशा और गति दी। तीनों के आंशिक संविलयन से समाज पुष्ट हुआ। यह प्रक्रिया चलती रही। यूनानी आये, शक आये, कुषाण आये और अपनी-अपनी भेंट देकर भारतीय समाज के अंग बन गये।

इसके बाद की सांस्कृतिक सामाजिक धारा का रुख कुछ बदला, पर सामाजिक सांस्कृतिक विकास का मार्ग पूरी तरह अवरुद्ध नहीं हुआ। कई दिशाओं और देशों से मुसलमान आये और अपने साथ अपना धर्म और अपनी विशिष्ट संस्कृतियाँ लाये। धर्म का प्रश्न विवादास्पद है, क्योंकि भारतीय इस्लाम में यदि एक धारा कट्टरवाद की थी तो दूसरी उदारवाद की। पर यह विवाद के परे है कि इस्लाम का भी भारतीयकरण हुआ। यह कहना गलत होगा कि मुसलमानों ने सिर्फ मंदिर तोड़े और मसजिदें बनवायीं। बौद्धिक धरातल पर हिंदू और मुस्लिम संस्कृतियों में संवाद हुआ।

संस्कृत के समृद्ध साहित्य ने उन्हें प्रभावित किया और वे संस्कृत की समृद्धि में सहायक हुए। दर्शन, ज्योतिष, गणित, स्थापत्य, चिकित्सा आदि के क्षेत्रों में दोनों संस्कृतियों में पर्याप्त आदान-प्रदान हुआ। खान-पान, वेश-भूषा, शिष्टाचार आदि पर इस्लाम ने अपनी अलग छाप छोड़ी। कट्टर इस्लाम में निषिद्ध चित्रकला और संगीत को भी उन्होंने पुरस्कृत कर प्रोत्साहन दिया। सूफी संतों को भारतीय मुसलमानों और हिंदुओं दोनों ने स्वीकारा और वे आज भी उनके मजारों को पूजते हैं। कुछ हिंदुओं के इस्लाम कुबूल करने के बाद भी उनकी सामाजिक बुनावट में बहुत कम फर्क आया, जातिप्रथा किसी-न-किसी रूप में उनमें बनी रही और कई क्षेत्रों में आज भी बनी है। पश्चिम उत्तरप्रदेश में आज भी राजपूत और त्यागी मुसलमान अपने-आप का परिचय इसी तरह देते हैं। पंजाब के गाँवों में आपको आज भी हिंदू मुसलमान और सिख जाट मिलेंगे, जो पुराने रक्त और विवाह-संबंधों का अब भी आदर करते हैं। मुसलमानों का एक समूह ऐसा भी है जिसमें व्यक्तियों के मिले-जुले हिंदू-मुसलमान नाम होते हैं। कई समूहों में काजीजी के निकाह पढ़ देने के बाद हिंदू शैली में विवाह की पूरी रस्में होती हैं। उत्तर मध्यप्रदेश में कुंजड़िनें एक साँस में 'राम दुहाई' और 'अल्ला कसम' दोनों कहती हैं। अरबीकरण का अध्याय बहुत नया है। भारत के अधिकांश मुसलमान लंबे समय तक अपनी क्षेत्रीय संस्कृतियों के प्रतिनिधि ही माने जा सकते थे। उनका बहुभाग आज भी बदला नहीं है।

यही कहानी भारत में ईसाई धर्म की है। संत पाल ने दक्षिण में इस धर्म की नींव ईसवी सन् 1852 में रखी थी। वे धर्म की वैचारिक शक्ति लेकर आये थे, उनके पीछे न साम्राज्यवाद की सामरिक ताकत थी, न किसी छद्म व्यावसायिक कंपनी का समर्थन। उल्लेखनीय है कि केरल और तमिलनाडु में पहले ब्राह्मणों के कई परिवारों ने ईसाई धर्म अंगीकार किया। इस धर्म के अनेक प्रचारकों ने भारतीय संन्यासियों की वेशभूषा और धर्मोपदेश के तरीके अपनाये थे। यह भी उल्लेखनीय है कि इन दोनों प्रदेशों में ईसाई समुदाय में जातिप्रथा का एक रूप आज भी पाया जाता है और वहाँ ऊँची जातियों और नीची जातियों के गिरजे अलग-अलग हैं। वैवाहिक संबंधों में भी यह ऊँच-नीच का भेद पाया जाता है। राजा राममोहन राय और 'ब्राह्म समाज' ने ईसाई धर्म से भी प्रेरणा ली थी। साम्राज्यवाद के साथ ईसाई मत का जो रूप आया, उसके पीछे दूसरी ही प्रेरणा और शक्ति थी, इसी कारण उसमें कुछ हास्यास्पद तत्त्व भी आ गये, पर स्वतंत्रता-प्राप्ति के बाद इन विसंगतियों का निराकरण हो रहा है।

पारसी थोड़ी संख्या में आये। उनके नेताओं ने आश्वासन दिया था कि वे भारतीय समाज में उसी तरह मिल जायेंगे जैसे दूध में चीनी घुल जाती है। उन्होंने अपना वायदा पूरा किया और शेष समाज ने उनके धर्म और रीति-रिवाजों से

छेड़खानी नहीं की।

परिवेश में अनुकूलन, समन्वयन और सांस्कृतिक वैभिन्न्य के सह-अस्तित्व की स्वीकृति की प्रवृत्ति यदि हमारे समाज में न होती तो उसका सामासिक रूप नहीं उभरता। यह प्रक्रिया सरल और संघर्षहीन नहीं थी, फिर भी दूरगामी परिणामों में उसकी विजय होती रही और उसने समाज को विघटन से बचा लिया।

राष्ट्रीय स्वतंत्रता-संग्राम की भारतीय समाज के भावात्मक समाकलन में बड़ी महत्त्वपूर्ण भूमिका थी। स्वाधीनता को लक्ष्य बनाकर भारत ने अपने धार्मिक, क्षेत्रीय और जातीय विवादों को अस्थायी तौर पर भुला दिया था। पुराने नायकों की नयी छवियाँ उभारी गयी थीं, और आंदोलन के नेताओं को राष्ट्रीय नायकों का सम्मान मिला था। राष्ट्रीयता के इस उत्कर्ष में अनुराष्ट्रीयताएँ और उप-राष्ट्रीयताएँ दब गयी थीं। सच तो यह है कि इनका उपयोग भी बड़े कौशल से आंदोलन को बढ़ावा देने के लिए किया गया था। तात्कालिक उद्देश्यों की प्राप्ति में यह नीति सफल रही, किंतु विराट् लक्ष्य की प्राप्ति के बाद ये शक्तियाँ पुनः उभरीं और आज राष्ट्रीय एकीकरण के मार्ग में अवरोधक बन रही हैं। मुस्लिम सांप्रदायिकता राष्ट्रीय उद्देश्यों से अधिक समय तक जुड़ी न रह सकी, जिसके परिणामस्वरूप हमें देश के विभाजन की त्रासदी को भोगना पड़ा। यह एक विडंबना है कि हमें एकीकृत रहने के लिए किसी-न-किसी शत्रु या संकट की आवश्यकता पड़ती है।

भारत में एक नयी जन-संस्कृति (मास कल्चर) का विकास हो रहा है, जिसका श्रेय हमें मुख्य रूप से जन-संचार के नये माध्यमों को देना चाहिए। फिल्मी अभिनेता और अभिनेत्रियाँ भारतीय आकाश पर छाये हुए हैं, लोकप्रियता के उन्होंने नये कीर्तिमान स्थापित किये हैं। उत्तर, दक्षिण, पूर्व, पश्चिम—देश की प्रत्येक दिशा—में उनके नाम और चेहरे जाने-पहचाने हैं। न कोई उनका धर्म पूछता है, न जाति, न प्रांत। फोक-हीरोज़ की दूसरी श्रेणी में खेल-कूद की दुनिया के लोग हैं। जो देश को जीत दिलवा दे, उसकी कुछ दिनों तक वाहवाही होती रहती है। राजनीतिज्ञ अपनी छवि उभारने की कला जानते हैं और किसी-न-किसी रूप में उनका उल्लेख होता ही रहता है। इसके बाद आते हैं विचारक, वैज्ञानिक, कलाकार, लेखक, कवि और सामाजिक कार्यकर्ता। जनसंचार के साधन निश्चित रूप से देश को इन सबके प्रचार-प्रसार द्वारा जोड़ते हैं। पर जन-संचार के साधनों के पूर्ण प्रभाव का अध्ययन जरूरी है, क्योंकि वे एक पलायनवादी दृष्टिकोण और उपभोक्ता संस्कृति को भी जन्म दे रहे हैं। मनोरंजन ऐसा न हो जो हमें देश की समसामयिक चुनौतियों से विमुख करे। बहरहाल इतना तो कहा ही जा सकता है कि सपनों का सतरंगी इन्द्रधनुष देश को एक प्रकार की एकता दे रहा है, भले ही वह खण्डित सामाजिकता का दीर्घकालीन समाधान न हो।

आत्मछवियाँ और प्रदत्त छवियाँ पूर्वाग्रह-मुक्त नहीं होतीं। उनका ज्ञान आवश्यक है, पर वह विश्वास का आधार नहीं बन सकता। भारत और भारतीयता को समझने के लिए हमने जो अधिक गंभीर प्रयत्न किये हैं, उनका विश्लेषण भी आवश्यक है।

एक अरसे तक हम भारत की खोज प्राचीन धर्मग्रंथों में करते रहे। उनमें भारत का एक पक्ष है, विशेषकर पुरातन भारत का। उपलब्धियों के जिन दार्शनिक शिखरों को भारत ने छुआ, उन पर हमें गर्व होना चाहिए। इन ग्रंथों से हमें उदात्त दार्शनिक भावभूमि मिली, और मिला समाज-व्यवस्था का एक आदर्श प्रारूप। पर क्या यही सच्चा भारत था ? इन ग्रंथों की रचना एक विशिष्ट काल के सांस्कृतिक-सामाजिक संदर्भों में हुई थी। केवल उनके अध्ययन से हम भारतीय समाज के इतिहास और उसकी बहु-आयामी संस्कृति को नहीं समझ सकते। उनकी रचना के बाद की परंपराओं का अध्ययन भी आवश्यक है। जैन और बौद्ध धर्मग्रंथों का उतना उपयोग नहीं किया गया, जितना अपेक्षित था। अहिंसा, अपरिग्रह, आस्तेय, करुणा आदि के मार्गदर्शक सिद्धांत हमें मुख्यतः इन स्रोतों से मिले हैं। अनेक संप्रदायों और मतों की भी अवहेलना जाने-अनजाने हो गयी है। इस्लाम और ईसाई धर्म का प्रभाव सामान्य भारतीय जीवन पर नगण्य नहीं है। शास्त्रों की कुछ अवधारणाएँ—वर्णाश्रम, पुरुषार्थ, ऋण, कर्म—दीर्घजीवी प्रमाणित हुईं, पर यह उल्लेखनीय है कि हमारे शास्त्रकारों ने धर्म को देश, काल और पात्र से जोड़ा था। यह लौकिक परंपराओं और प्रासंगिक आवश्यकताओं की स्वीकृति थी। सामान्य धर्म की अवधारणा तक का परिसीमन देश की विविधता को दृष्टि में रखकर किया गया था।

दूसरी ओर नृतत्ववेत्ताओं और समाज-वैज्ञानिकों ने जिये जानेवाले जीवन का निकट से अध्ययन किया। उनके शोध से—जो अधिकांशतः जनजातियों, ग्रामों, जातियों और क्षेत्रों पर किये गये थे—समसामयिक यथार्थ का एक नया आयाम उद्घाटित हुआ। ये अध्ययन आज के भारत के एक प्रतिदर्श के अध्ययन माने जा सकते हैं। आदर्शों से यथार्थ की ओर यह मोड़ भारत को समझने के प्रयत्नों में एक उल्लेखनीय और महत्त्वपूर्ण घटना थी, किंतु इन अध्ययनों की भी कुछ सीमाएँ थीं। समय के फैशन के अनुसार इन अध्ययनों ने जान-बूझकर ऐतिहासिक पृष्ठभूमि की अवज्ञा की थी। यह एक बड़ी गलती थी। भारतीय सामाजिक इतिहास की नयी विधा इस भूल का परिमार्जन करने का यत्न कर रही है। साथ ही हमने शास्त्रीय, स्थानीय तथा क्षेत्रीय परंपराओं के अंतरावलंबन का अध्ययन उस गहराई में नहीं किया जो भारतीयता की समझ के लिए अपेक्षित था। शास्त्रीय और प्रत्यक्ष अध्ययनों के बीच सेतु-निर्माण आवश्यक है।

इस दिशा में कुछ उल्लेखनीय प्रयास किये गये हैं। राबर्ट रेडफील्ड और मिल्टन सिंगर द्वारा विकसित 'महान्' और 'लघु' परंपराओं और उनके सावयवी संबंधों के

सिद्धांत का उल्लेख किया जा चुका है। अध्ययन का यह ढाँचा उपयोगी है, पर इसकी भी अपनी सीमाएँ हैं। क्या भारत जैसे देश के लिए एक ही महान् परंपरा की कल्पना उचित है ? या हमारी एक से अधिक महान् परंपराएँ हैं ? क्षेत्रीय व्यक्तित्वों की उपेक्षा भी उचित प्रतीत नहीं होती। अनेक लघु परंपराएँ ऐसी भी हैं, जिनका किसी महान् परंपरा से सीधा संबंध नहीं है।

इसी ढाँचे में हमें मैक्किम मैरियट की 'सार्वभौमिकरण' (युनिवर्सिलाइजेशन) और 'स्थानीकीकरण' (पेरोकियालाइजेशन) की परिकल्पनाओं पर भी विचार करना चाहिए। यह स्पष्ट है कि लघु परंपराओं के कुछ तत्त्व, कालांतर में, महान् परंपरा में प्रतिष्ठित होते हैं और महान् परंपरा के कुछ भाग लोक-मुहावरे में ढलकर स्थानीय और क्षेत्रीय परंपराओं के अंग बन जाते हैं। कठिनाई यहाँ भी परिभाषा की है। अभी-अभी मैंने कहा है कि क्षेत्रीय परंपराओं पर भी स्वतंत्र रूप से विचार अपेक्षित है। उनकी उपस्थिति और अस्मिता नगण्य नहीं है। साथ ही पाश्चात्यीकरण, क्रमशः विकसित हो रही राष्ट्रीय धारा और नयी जन-संस्कृति (मास कल्चर) के स्वभाव, प्रभाव और प्रसार पर भी विचार आवश्यक है।

श्रीनिवास की संस्कृतकरण की अवधारणा का उल्लेख इस संदर्भ में आवश्यक है। बिना किसी उलझाव के यदि कहें तो संस्कृतकरण की प्रक्रिया वह है जिसके अंतर्गत वर्ण-व्यवस्था में नीचे धरातल की जातियाँ उच्च वर्णों की जीवनशैली, विश्वास और कर्मकांड अपनाती हैं। यह प्रक्रिया कई समाजों में देखी गयी है, कुछ इसके द्वारा ऊँचा स्थान पाने में सफल हुए, अनेक को तीव्र सामाजिक विरोध और दमन सहना पड़ा। यह 'संदर्भ समूह व्यवहार' (रेफरेंस ग्रुप बिहेवियर) का एक प्रकार है, जिसमें एक समूह अन्य समूहों के प्रति सकारात्मक या नकारात्मक रुख अपनाता है। यदि एक का अनुकरण करता है तो दूसरे के अनुकरण से प्रयत्नपूर्वक बचता है। संस्कृतकरण की अवधारणा एक दशक तक चर्चा का विषय रही है, इसकी प्रशंसा भी हुई है, आलोचना भी। मैं इसके बारे में एक ही प्रश्न उठाऊँगा : संस्कृतकरण अनुकरण है, या विद्रोह या अनुकरण द्वारा विद्रोह ? छत्तीसगढ़ के चमार जब सतनामी संप्रदाय में शरीक हुए तो उन्होंने मांस-मदिरा का त्याग किया, तंबाखू छोड़ी, बैंगन और टमाटर खाना छोड़ा, तथा जनेऊ, भजन और पूजा-पाठ अपनाया। मेरी दृष्टि में यह अनुकरण द्वारा विद्रोह था, क्योंकि इस आंदोलन द्वारा समाज की आधारभूत मान्यताओं को ही चुनौती दी गयी थी। इस प्रकार के एक नहीं, अनेक उदाहरण हैं। सांस्कृतिक प्रक्रियाओं का अध्ययन यदि हम अनुकरणविद्रोह के इस ढाँचे में करें तो कुछ उपयोगी परिणाम निकल सकते हैं।

भारतीय समाज-व्यवस्था को उसके कुछ आधारभूत सिद्धांतों के सहारे समझने के यत्न शुरू हुए हैं, जिनमें सबसे महत्त्वपूर्ण लुई-ड्यूमाँ की 'होमो हायरारकिसस' (श्रेणी

विभाजित मानव) की स्थापना है। यह स्थापना मुख्यतः हिंदू समाज पर लागू होती है, जहाँ कर्मकांडी शुचिता के आधार पर समाज का अनेक ऊँचे-नीचे स्तरों में विभाजन होता है। शुचिता का सिद्धांत भारतीय समाज के संदर्भ में महत्त्वपूर्ण है, परंतु उसे सर्वोपरि मानना गलत होगा। आर्थिक और सामाजिक कारण सत्ता से जुड़े रहते हैं और सत्ता समाज के स्वरूप और चरित्र को प्रभावित करती है। भारतीय समाज के विकास का इतिहास इसके उदाहरणों से भरा पड़ा है।

भारतीयता एक मनोदशा है। भारतीयता को समझने के लिए भारतीय मानस को समझना जरूरी है। यह एक ऐसा क्षेत्र है जिसमें अनुसंधान और चिंतन बहुत कम हुआ है। सुधीर कक्कड़ की किताब 'द इनर वर्ल्ड' (भीतरी दुनिया) एक उपयोगी अपवाद है। भारतीय मानस की बुनावट और अंतःक्रियाओं पर खोज की एक अच्छी शुरुआत इस पुस्तक से हुई है। उसकी अध्ययन-विधि और स्थापनाओं से पूरी तरह सहमत होना जरूरी नहीं है। मिथकों का प्रतीकात्मक मूल्य होता है, किंतु उन्हें समसामयिक समाज की मानसिक अंतःक्रियाओं से जोड़ना, जैसा सुधीर कक्कड़ ने किया है, विश्वसनीय प्रतीत नहीं होता। किन स्थितियों में और कैसे भारतीय मानस अपनी एकता की अभिव्यक्ति करता है, इसकी गहराई में खोज होनी चाहिए।

अंततः भारतीयता का प्रश्न भावना का प्रश्न है। भावना यदि ज्ञान पर आधारित हो तो वह अधिक टिकाऊ होती है। इस खोज के लिए हमें नचिकेता को अपना उदाहरण बनाना होगा, जिसे ज्ञान के लिए यमराज के पास जाने तक में हिचक नहीं हुई और इस ज्ञान की प्राप्ति के बाद उसे रामानुज की भाँति बहुजनहिताय बाँट देना होगा, किसी भी व्यक्तिगत मोक्ष और स्वर्ग-प्राप्ति के मोह को त्यागकर।

जड़ों की तलाश एक बुनियादी सवाल है। वह एक सार्थक जिज्ञासा से जुड़ा है और अस्तित्वबोध को एक नया आयाम और नये मूल्य देता है। सतह का स्पर्श हमें सच्चे उत्तर नहीं देगा, उसके लिए वैज्ञानिक विवेक के सहारे हमें गहराई में जाना होगा। महज फैशन के तौर पर इस प्रश्न को उठाना और छिछले उत्तर दे देना दिमागी ऐयाशी से ज्यादा कुछ नहीं है।

भारतीयता की बात तो आजकल बहुत सुनी जा रही है, पर उसके तत्त्वों के विश्लेषण के गंभीर प्रत्यन नहीं हो रहे हैं। जो स्थापनाएँ और अवधारणाएँ प्रस्तुत की गयी हैं, उनकी प्रामाणिकता संदिग्ध है। सही समझ की कुछ पूर्व शर्तें हैं :

इतिहास दृष्टि;

परंपरा बोध, जिसमें उसका मूल्याकंन शामिल है;

समग्र जीवन-दृष्टि, जो भूत, वर्तमान और भविष्य को जोड़कर देख सके;

वैज्ञानिक विवेक, जिससे वैकल्पिक भविष्य और जीवन के बदलते आयामों के प्रश्न जुड़े हैं।

शासकों और युद्धों के इतिहास की उपयोगिता सीमित है। उल्लेखनीय सांस्कृतिक उपलब्धियों की कालानुक्रम से बनायी गयी सूची भी हमारी समझ को आगे नहीं बढ़ाती। जन की भूमिका इस इतिहास में रेखांकित नहीं होती। उसके बिना भारतीयता की समझ अधूरी और एकांगी होगी; उसमें विकृतियाँ भी आ सकती हैं। भारतीय परंपरा के बारे में हमें एकवचन में नहीं, बहुवचन में विचार करना है। हमें परंपराओं के अंतरावलंबन को समझना है और उनका मूल्यांकन करना है। हम वर्तमान में जीते हैं, पर हमारी जड़ें अतीत में हैं। वर्तमान का भविष्य को भुला देना घातक सिद्ध हो सकता है, ऐसा करना भावी पीढ़ियों के प्रति उत्तरदायित्वहीनता की भावना का प्रदर्शन होगा। परंपराओं की परख इसी ढाँचे में करना जरूरी है। हमें परंपराओं को हथकड़ी और बेड़ी नहीं मानना चाहिए, यदि वैज्ञानिक विवेक का आग्रह हो तो उन्हें नया मोड़ दिया जा सकता है, तोड़ा भी जा सकता है। परंपराएँ उसी सीमा तक उपयोगी हैं जिस सीमा तक वे एक वैकल्पिक भविष्य की खोज में सहायक होती हैं और जीवन के बदलते आयामों के लिए हमें ढालने में मददगार होती हैं। उन्हें बदला भी जा सकता है, तोड़ा भी जा सकता है, इस संदर्भ में हमें गौतम बुद्ध का वचन स्मरण रखना चाहिए—'नाव नदी पार करने के लिए होती है, कृतज्ञता-भाव से उसे जीवन-भर पीठ पर ढोना मूर्खता होगी।' भारतीयता की तलाश हमें आगे बढ़ने के लिए करना है, पीछे जाने के लिए नहीं।

भारतीयता की खोज आज के संदर्भ में दो दृष्टियों से आवश्यक है। स्वाधीनता-प्राप्ति के बाद देश में एक सांस्कृतिक अराजकता व्याप्त हो गयी है। स्वदेश और स्वदेशी की भावनाएँ, अशक्त होती जा रही हैं। हम बेझिझक पश्चिम का अनुकरण कर अपनी अस्मिता खोते जा रहे हैं। यह प्रवृत्ति एक छोटे, पर प्रभावशाली, तबके तक सीमित है, पर उसका फैलाव हो रहा है। यदि इसे हमने बिना बाधा बढ़ने दिया तो हमें परंपराओं की संभव ऊर्जा से वंचित होना पड़ेगा और हमारी स्थिति बहुत कुछ त्रिशंकु जैसी हो जायेगी। दूसरा कारण और भी महत्त्वपूर्ण है। संस्कृति आज की दुनिया में एक राजनीतिक अस्त्र के रूप में उभर रही है, न्यस्त स्वार्थ, जिसका उपयोग खुलकर अपने उद्देश्यों के लिए कर रहे हैं। उन पर रोक लग सकती है, यदि हम निष्ठा और प्रतिबद्धता से भारतीयता की तलाश करें।

अंतिम टिप्पणी के रूप में कुछ शब्द और।

भारत ने जगत्गुरु होने का एक भ्रम पाल रखा है। इससे जितनी जल्दी नजात मिले, उतना अच्छा। भारत ने यदि मानवसभ्यता को कुछ दिया है, तो उसने बहुत कुछ लिया भी है। इस आदान-प्रदान के बिना हमारा सामाजिक-सांस्कृतिक विकास अवरुद्ध हो जाता।

हमारा दूसरा जातीय भ्रम है, हमारी समाज-व्यवस्था के आदर्श होने का। यदि हमारी व्यवस्था आदर्श और स्वयंपूर्ण थी तो वह समय-समय पर उठनेवाली गंभीर समस्याओं का हल क्यों नहीं खोज सकी ? विसंगतियों के कारण हमारी दुर्दशा क्यों हुई ?

निःसंदेह हमारे पास उच्च आदर्शों और लक्ष्यों का अनमोल खजाना है, पर इनके संदर्भ में ही हम तीसरा भ्रम पाल रहे हैं। हमारे ऊँचे आदर्श हमारी जिंदगी में रसे-बसे नहीं हैं, हमारी कथनी और करनी में भारी अंतर है। क्या हम हृदय पर हाथ रख पूरी सच्चाई से यह कह सकते हैं कि हमारा आचार-विचार सत्य पर आधारित है ? अहिंसा के देश में हिंसा का ज्वालामुखी क्यों फूट रहा है ? अपरिग्रह की दुहाई देने वाले समाज में उपभोक्ता संस्कृति क्यों पनप रही है ?

इक्कीसवीं सदी में प्रवेश की चर्चा चौथे भ्रम को जन्म दे रही है। हमारा ध्यान उच्च विज्ञान और तकनीकी पर केंद्रित है, हम उनके सांस्कृतिक पक्ष पर बहुत कम विचार कर रहे हैं। मानवीय मूल्यों और मानसिकता पर उनका क्या प्रभाव होगा ? क्या यांत्रिकता और अमानवीकरण ही हमारे भविष्य हैं ?

सच्ची भारतीयता की तलाश का आग्रह है कि हम जगत्गुरु होने का दंभ छोड़कर यथार्थ की भूमि पर उतरें और अपनी समसामयिक दशा पर विचार करें। पुनर्गठन के लिए हमारे समाज को नये लक्ष्य और साधन चाहिए। भारतीय परंपराओं के अक्षय स्रोत से हमें भारतीयता के नये प्रतीक और मूल्य चुनना है। ये तत्त्व ऐसे हों जिनके द्वारा हम आज और आनेवाले कल की चुनौतियों का सामना कर सकें। इस प्रक्रिया में हमें कई मुखौटे उतारने होंगे और जीवन-दृष्टि पर छाये पाखंड की धुंध का उन्मूलन करना होगा। 'राष्ट्रीय मुख्य धारा' में सबके संविलन की नीति विघटनकारी सिद्ध होगी, इसके विपरीत हमें सच्ची सामाजिक संस्कृति विकसित करना है, जिसमें आर्थिक विषमताएँ न्यूनतम हों और सांस्कृतिक अभिव्यक्ति के लिए अधिकतम अवसर हों। इक्कीसवीं सदी की अनिवार्यताओं को समझकर हमें नये तत्त्वों को आत्मसात् करने की क्षमता को और भी विकसित करना है, जिससे हम अपनी अस्मिता को आहत और विखंडित किये बिना अपने लिए एक सुंदर वैकल्पिक भविष्य का निर्माण कर सकें।

[आचार्य हजारीप्रसाद द्विवेदी स्मारक भाषण, कमानी सभागार, नयी दिल्ली]

# इतिहास-बोध

इतिहास-बोध और ऐतिहासिक दृष्टि का विश्लेषण और उनके अलग-अलग पक्षों पर विचार करते समय एक साथ अनेक प्रश्न उठते हैं :

इतिहास क्या है ?

इतिहास क्यों ?

अब इतिहास कैसे लिखा जाये ?

ये प्रश्न नये नहीं हैं। ये प्रश्न जरूरी भी हैं। इन्होंने इतिहासकारों की प्रायः सभी पीढ़ियों को उद्वेलित किया है, किंतु उनके समाधानकारक उत्तर अभी तक नहीं मिले। जीवन के बदलते संदर्भों ने इन प्रश्नों को एक नया स्वरूप और नयी तीक्ष्णता दी है। इतिहास की पुरानी व्याख्याएँ और इतिहास-भूमि का पुराना परिसीमन धीरे-धीरे अपना अर्थ और मूल्य खोते जा रहे हैं। इतिहास-बोध और उससे जुड़े तमाम सवालों पर पुनर्विचार आज की आवश्यकता बन गया है। मिथक-चेतना से इतिहास चेतना की लंबी यात्रा अभी पूरी नहीं हुई। ऐतिहासिक चिंतन और इतिहास-लेखन की प्रक्रिया में अनेक नये मिथकों ने जन्म लिया है। विपरीत उद्देश्यों और भ्रांतियों का जो घना कोहरा इतिहास पर छा गया था, वह अभी भी पूरी तरह हटा नहीं है। जिस विकल्प की तलाश आज हो रही है, वह इन मिथकों को निर्मूल करना चाहता है, कोहरे को हटाना चाहता है। नयी इतिहास-दृष्टि अब विशिष्ट से सामान्य की ओर जा रही है। भू-खंडों से जुड़े काल-खंडों का इतिहास निरुपयोगी नहीं हुआ है, किंतु समन्वित, एकीकृत और समग्र मानव इतिहास की जरूरत को बड़ी शिद्दत से महसूस किया जा रहा है। ऐतिहासिक चिंतन की दार्शनिक भावभूमि बदल रही है और ऐतिहासिक विश्लेषण का आधार क्रमशः विस्तारित हो रहा है। बिना अपना स्वतंत्र स्वरूप बदले इतिहास समानधर्मी अनुशासनों की ऊर्जा से सार्थक रूप से प्रभावित हो रहा है और उन्हें भी प्रभावित कर रहा है। ये प्रवृतियाँ स्वस्थ हैं और उनमें एक आशाप्रद भविष्य का संकेत निहित है।

इतिहास क्या है ? इस प्रश्न में एक विस्मयकारी सरलता है, किंतु उसका सीधा और सरल उत्तर संभव नहीं है। इतिहास-लेखन और चिंतन अपने परिवेश से जुड़े रहे हैं, उनके तात्कालिक और दीर्घकालीन उद्देश्यों में कभी तारतम्य रहा है, कभी असंगति। बदलती मानसिकताओं के द्वंद्व ने प्रश्न को और भी जटिल बना दिया है। इतिहासकारों ने स्वयं अपने लक्ष्य और साधनों के दायरे का सीमांकन किया है और आक्रामक जातीय शुद्धता की भावना से अपने सीमांतों की रक्षा करने के प्रयत्न किये हैं। ऐसे प्रत्यनों ने इतिहास की व्याख्या को और भी उलझन-भरी बना दिया है और स्कूलवादी हठधर्मिता ने विषय के स्वाभाविक विकास पर अनावश्यक बंदिशें लगा दी हैं। आज स्थिति यह हो गयी है कि इतिहास की विषयवस्तु, प्रकृति और आवश्यकता पर अनेक विपरीतार्थी अथवा बहु-ध्रुवी मत व्यक्त किये जा सकते हैं, जिनमें से प्रत्येक में एक सीमा तक सचाई है।

इतिहास की आदिम विधा बहुत पुरानी है। आद्य मिथक भी एक तरह के इतिहास हैं, यदि उन्हें विशेष दृष्टि से समझने की कोशिश की जाये। लिखित इतिहास के पहले मौखिक और स्मरण किया हुआ इतिहास था। सारी सीमाओं के बावजूद इस इतिहास का महत्त्व है—स्रोत के रूप में और युग-भूखंड की मानसिकता के प्रदर्श के रूप में। इस संबंध में चारण परंपरा का उल्लेख आवश्यक है, जिसकी रचनाओं में प्रत्यक्ष चाटुकारिता के अतिरिक्त इतिहास की महत्त्वपूर्ण कच्ची सामग्री होती थी। आरंभिक इतिहास-लेखन कई श्रेणी के लोगों ने किया—अन्वेषणधर्मी यायावरों ने, दरबारी विद्वानों ने, ईसाई मिशनरियों ने, प्रशासकों ने। इस लेखन की भी अपनी सीमाएँ थीं। वह पूर्वग्रह-मुक्त नहीं था, कभी-कभी उसमें तीव्र दुराग्रह भी झलकते हैं। फिर भी इस लेखन में—विशेषकर उसके अनुभवजन्य विवरणों में—महत्त्वपूर्ण कच्ची सामग्री के अतिरिक्त प्रभावशाली विश्लेषण भी मिलते हैं। एक अकादमिक अनुशासन के रूप में इतिहास की स्वीकृति बहुत बाद की घटना है। उन्नीसवीं सदी में विशेषज्ञ व्यावसायिकता के प्रवेश ने इतिहास-लेखन को अनुशासित अवश्य किया, किंतु उसकी कुछ विकृतियाँ पूर्ववत् बनी रहीं और कुछ नयी विकृतियाँ भी जन्मीं।

अकादमिक अनुशासन के रूप में इतिहास की चर्चा करने के पहले उसके सामाजिक प्रकार्यों पर विचार आवश्यक है। यह हमारा दूसरा प्रश्न है—इतिहास क्यों?

हेरोडेटस के जमाने से इतिहास की सामाजिक भूमिका महत्त्वपूर्ण मानी गयी है। मौखिक इतिहास के विभिन्न रूपों के भी सुनिश्चित प्रकार्य थे।

चारण परंपरा स्पष्टतः अपने आश्रयदाता और उसके वंश का गुणगान करती थी। इतिहास का उपयोग जातीय, क्षेत्रीय और राष्ट्रीय अस्मिता की अभिव्यक्ति के लिए भी खुलकर किया गया है, भले ही ऐसा करने में तथ्यों की तोड़-मरोड़ करनी पड़े। इस श्रेणी के इतिहास ने आलोचकों को उत्तर दिया है, अपने समाज और अपनी

संस्कृति और सभ्यता को आलोचकों के समाज, संस्कृति और सभ्यता से बढ़ा-चढ़ाकर दिखाया है और विरोधियों का विद्रूप कर उन्हें लज्जित करने का प्रयास भी किया है। उपनिवेशवादी इतिहासकारों ने विजित समाजों का वर्णन इस प्रकार किया है कि उनमें जातीय-राष्ट्रीय हीन भाव उत्पन्न हो और वे अपने नये शासकों की उत्तमता को सहज भाव से स्वीकार कर लें। समय की बदलती माँगों और आवश्यकताओं के अनुरूप राष्ट्रीय छवि की प्रस्तुति के लिए भी इतिहास का उपयोग हुआ है। वैसे बौद्धिक धरातल पर इतिहास का उद्देश्य बीते हुए युगों की खोज रहा है, इस आशा के साथ कि इतिहास का आलोक हमें वर्तमान और भविष्य के लिए मार्ग-दर्शन दे सके। इन भूमिकाओं और प्रकार्यों के दबावों ने इतिहास-लेखन को दिशा दी है और उसका स्वरूप निर्धारित किया है।

अब हम फिर कुछ क्षणों के लिए अपने पहले सवाल पर आयेंगे—इतिहास क्या है ?

एक लंबे अरसे तक इतिहास-लेखन पर रान्के की गहरी छाया रही है और यह प्रभाव आज भी देखा जा सकता है। रान्के ने इतिहास की बुनावट में तीन तत्त्वों को प्रायः समान स्थान दिया—व्यक्तित्व, राजनीति और कालानुक्रम। ऐतिहासिक रंगमंच पर स्थितियाँ और पात्र किसी विराट् इतिहास-पुरुष के इर्द-गिर्द घूमते थे। कभी-कभी इतिहास-नायिकाओं को भी महत्त्व मिल जाता था, पर बहुधा उनके पीछे पुरुष विचार-शक्ति या रणकौशल होता था। ऐसे विराट् व्यक्तित्व राजनीतिक घटनाक्रम का संचालन करते थे, जिसका कालानुक्रम से वर्णन करना इतिहास का उद्देश्य माना गया था। इस प्रकार के इतिहास में तथ्य-संकलन और विवरण मुख्य होता था, विवेचन और विश्लेषण गौण। इस प्रकार का इतिहास असाधारण पर केंद्रित होता था, उसमें सामान्य की प्रायः उपेक्षा होती थी। इतिहास का प्रकाशपुंज कभी-कभी जनसाधारण और उनके दैनिक जीवन पर भी केंद्रित हुआ। मैकाले के सामाजिक इतिहास का मज़ाक उसे भानमती का पिटारा (ओल्ड क्युरियॉसिटी शाप) कहकर भले ही किया गया हो, पर उसमें दैनिक जीवन के सामान्य पक्ष, जो इतिहास के लिए असामान्य थे, अवश्य चित्रित थे। इस चित्रण में व्यवस्था का अभाव था, किंतु वह एक नयी प्रवृत्ति का परिचायक था। मार्क्स ने अपनी ऐतिहासिक और राजनीतिक कृतियों में समाज के विभिन्न स्तरों का, जिनमें जनसाधारण भी सम्मिलित थे, वर्गों के आधार पर विश्लेषण किया है। ट्रेवेलियन ने ऐसे इतिहास की बात की है जिससे राजनीति बाहर निकाल ली गयी हो। यह स्वाभाविक है कि ऐसे इतिहास में विराट् पुरुष ही नहीं होंगे। उनका स्थान सामान्य जन ले लेते हैं, जिनका सामान्य जीवन इतिहास की विषयवस्तु बन जाता है।

व्यक्ति-केंद्रित इतिहास के प्रति असंतोष का चरम उत्कर्ष समसामयिक इतिहास

की महत्त्वपूर्ण और सशक्त विधाओं में दिखायी पड़ता है। सामाजिक इतिहास में क्रमशः नयी प्रवृत्तियाँ उभरी हैं। पहले, हमारा ध्यान ऐतिहासिक परिदृश्य के शिखरों और ऊँची पर्वतमालाओं से हटकर सामान्य जीवन के विशाल मैदानों को स्पर्श करने लगा है। समाज के उपेक्षित और उत्पीड़ित वर्ग भी इतिहास की विषय-वस्तु बने हैं। दूसरे, यह इतिहास सिर्फ वर्णन नहीं करता है, उसमें तीव्र विश्लेषण की प्रवृत्ति भी लक्षित होने लगी है। सामाजिक प्रवृत्तियों के विश्लेषण के लिए इतिहास का संवाद अन्य सामाजिक विज्ञानों से होने लगा है। यह जरूरत महसूस की गयी है कि संस्कृति का भौतिकवादी पर सांबंधिक संबोध विकसित हो...जिसमें संस्कृति में जड़ भौतिक जगत् का विश्लेषण हो। (ये शब्द जैराल्ड साइडर के हैं जो मुझे सुमित सरकार के माध्यम से मिले हैं, अनुवाद मेरा है।) इतिहास अब सामाजिक संबंधों, सामाजिक गठन, निजी जीवन, सामाजिक एकीकरण, सामाजिक संघर्ष, सामाजिक वर्ग, सामाजिक समूह आदि पर भिन्न किंतु अंतरावलंबी इकाइयों के रूप में केंद्रित होने लगा है। तीसरे, समग्र इतिहास की माँग बढ़ रही है, जिसमें लोकचेतना और मनोवृत्तियों के अध्ययन को महत्त्वपूर्ण माना गया है। अभी तक इतिहास ऊपर से नीचे की ओर देखता था, अब वह नीचे से ऊपर की ओर देखने लगा है। यह जन-इतिहास है, जिसमें समाज के सामान्य लोग सत्ताधीशों के हाथ में शतरंज के मोहरे नहीं हैं। अपनी तरह वे भी इतिहास के निर्माता हैं। उनकी शक्ति का आकलन अब होने लगा है।

तीसरे प्रश्न—अब इतिहास कैसे लिखा जाये ?—पर कुछ शब्द और किसी भी बौद्धिक अनुशासन के स्वाभाविक विकास का नियमन कायदे-कानून बनाकर नहीं किया जा सकता है। ऐसा करना गलत भी होगा।

इतिहास का अनुशासन स्वयं अपना मार्ग खोज रहा है और इस प्रक्रिया में अन्य सामाजिक विज्ञानों से उसकी दूरी कम हो रही है। यह प्रवृत्ति नयी नहीं है। मानव के भौतिक उद्विकास और आरंभिक संस्कृति को अनुशासनों की एक लंबी शृंखला की सहायता के बिना नहीं समझा जा सकता था। इस समझ के लिए भौतिकी, जैविकी, रासायनिकी, भूगर्भ विज्ञान आदि अनेक अनुशासनों और उनकी नवीनतम अनुसंधान-विधाओं की जरूरत पड़ी। इसी तरह जन-केंद्रित और समग्र मानव इतिहास के लिए विभिन्न सामाजिक विज्ञानों का सहयोग और सहकार आवश्यक है। अनुशासनों से जुड़े गर्व के कारण इन विषयों के बीच का संवाद अब तक, पीटर बर्क के शब्दों में, बहरों की बातचीत रहा है। इन अनुशासनों ने एक-दूसरे को पूर्वग्रह, शंका और भय की दृष्टि से देखा है। हमने उनकी सीमाओं पर विचार किया है, उपलब्धियों और संभावनाओं पर नहीं, उनके विकसित होते सीमांतों को अनदेखा किया है, उनकी नयी शाखाओं के विकास को अतिक्रमण माना है और प्रत्येक स्वतंत्र अनुशासन को भय

रहा है कि दूसरा कोई अनुशासन उसे निगल न ले। यह मनोदशा अस्वस्थ है। हमें एक-दूसरे की भाषा और मुहावरे को समझने का प्रयत्न नये सिरे से करना होगा, समान उद्देश्यों की प्राप्ति के लिए सहयोग करना होगा और यदि दो या अधिक अनुशासन एक ही विषयवस्तु का स्पर्श करते हैं तो इस स्थिति का स्वागत करना होगा। साथ ही प्रत्येक अनुशासन को नयी स्थिति से साक्षात्कार कर अपनी दृष्टि में और अनुसंधान प्रणाली में पैनापन और गहराई लानी होगी। इन अनुशासनों का अंतरावलंबी विकास अब आवश्यक हो गया है।

इतिहास कई तरह से लिखा गया है, कई तरह से लिखा जाता रहेगा। यह निश्चित है कि यह आनेवाले वर्षों में और भी अधिक जनोन्मुख होगा और उसकी तुलनात्मक दृष्टि सामाजिकीय संघटनाओं के विश्वव्यापी मानव-इतिहास पर केंद्रित होगी। शायद उसमें सामान्य और विशिष्ट—साधारण और असाधारण—दोनों को स्थान मिले, पर साथ ही उनके अन्तःसंबंधों और लोक-संदर्भों की व्याख्या को वह अपने मूल उद्देश्यों की सूची में शामिल कर ले। इतिहास को समाज के एक ऐसे दर्पण के रूप में उभरना है, जो परंपरा के मूल्यांकन का साधन बने और अपने निर्मम सत्य से समाज को अपने भावी विकास की धाराओं पर विचार करने के लिए सार्थक पृष्ठभूमि दे।

[आधार वक्तव्य, 'इतिहास के नये सीमांत' पर संगोष्ठी,
मध्यप्रदेश उच्च शिक्षा अनुदान आयोग, भोपाल]

# संस्कृति / अपसंस्कृति

# समय और संस्कृति : बीसवीं सदी के हस्ताक्षर

समय और संस्कृति में निकट का संबंध है—प्रत्यक्ष और अप्रत्यक्ष। अनुभव तथा स्थूल और सूक्ष्म गणना के आधार पर मनुष्य ने समय को मापना आरंभ किया। आदिमानव को दिन और रात के साथ ऋतुचक्र का अनुभव था; दिन का पहर जानने के लिए उसने सूरज का सहारा लिया, रात का समय जानने के लिए चाँद-तारों का। इन प्रयत्नों की असुविधा दूर करने के लिए और समय की अधिक विश्वसनीय जानकारी के लिए धीरे-धीरे अनेक प्रकार की घड़ियाँ विकसित की गयीं—छाया-घड़ी, जल-घड़ी, रेत-घड़ी। जल-पोतों पर पहरे के समय (वाच) का निर्धारण करने के लिए घड़ियों का उपयोग किया गया जिनका नाम फ्रेंच भाषा में क्लाक था। इस तरह समय-सूचक यंत्रों के नाम 'वाच' और 'क्लाक' पड़े। पहले इन घड़ियों में घंटा दर्शानेवाला एक ही काँटा होता था; बाद में मिनट का दूसरा काँटा आया और उसके कुछ और बाद सेकंड दर्शानेवाला तीसरा काँटा। इन घड़ियों का विकास सन् 1300 में आरंभ हुआ; आज न्यूक्लीय ऊर्जा से चालित अति विश्वसनीय घड़ियाँ बना ली गयी हैं जो विश्व के भिन्न-भिन्न समय क्षेत्रों का समय एक साथ दिखा सकती हैं और जिनमें अनेक अतिरिक्त क्षमताएँ भी जोड़ दी गयी हैं। दिन के बाद माह की कल्पना आयी। प्राचीन समय में काल गणना माह में होती थी, वर्ष में नहीं। संभवतः अमावस्या से पूर्णिमा तक चन्द्रमा के स्वरूप के आधार पर 29 ½ दिनों के बारह महीनों की परिकल्पना विकसित की गयी। इस्लामी जगत् में आज भी 354 दिनों का वर्ष होता है। सौर वर्ष में कुछ उलझनें थीं। ई. पू. 4000 के लगभग मिस्र में 365 दिनों के वर्ष की अवधारणा निर्धारित कर ली गयी थी, परन्तु बेबीलोन और चीन में 360 दिनों का वर्ष चलता रहा। हिसाब सही करने के लिए बेबीलोन में हर आठ वर्ष बाद तीन अतिरिक्त माह जोड़ दिये जाते थे। ई. पू. 1300 के लगभग चीन ने अपने तीस दिन

के बारह माह के वर्ष के अंत में एक अतिरिक्त माह जोड़ना आरम्भ किया जो बाद में आवश्यकता के अनुसार किसी भी महीने के अंत में जोड़ा जाने लगा।

प्राचीन भारत में समय की अत्यंत सूक्ष्म गणना कर दिन और वर्ष को लघु इकाइयों में बाँटा गया है। लघुतम से आरंभ कर क्रमशः बड़े आकार की इकाइयाँ हैं–त्रुटि, वेध, लव, निमेष, क्षण, काष्ठा, लघु, नाड़िका, मुहूर्त, प्रहर/शाम, दिन, पक्ष, मास और वर्ष। यह मानवीय समय है। मानवीय समय का एक वर्ष देवलोकीय समय के एक दिन और रात के बराबर होता है। देवलोकीय समय के बारह सहस्र वर्षों में चार युगों का एक चक्र पूरा होता है–चार हजार देवलोकीय वर्षों का सतयुग, तीन हजार वर्षों का त्रेतायुग, दो हजार वर्षों का द्वापर युग और एक हजार वर्षों का कलियुग। इन चार युगों में देवलोकीय समय के क्रमशः आठ सौ, छह सौ, चार सौ और दो सौ संक्रमण के वर्ष जोड़ना जरूरी है। इन वर्षों में एक युग तो समाप्त हो जाता है पर दूसरा युग पूरी तरह नहीं आ पाता। यह भुकभुके जैसी दोहरी स्थिति होती है। प्राचीन भारतीय काल निर्णय की बाहरी सीमा यहाँ समाप्त नहीं होती। चार युगों के एक हजार चक्र ब्रह्मा का एक दिन होते हैं। दैनिक जीवन के नियमन के लिए कई प्रकार के पंचांग प्रचलित हैं। शक संवत् राज्य द्वारा मान्य है पर दैनिक जीवन में इसका उपयोग, प्रभाव सीमित क्षेत्रों में ही है। अधिक मास के प्रावधान से वर्ष को संतुलित किया जाता है। संसार भर में प्रचलित समय-गणना की पद्धतियों का उल्लेख संभव नहीं है, किन्तु दो आद्य संस्कृतियों की चर्चा आवश्यक है। मध्य अमेरिका में ई. 300 से 900 तक मया सभ्यता का प्राधान्य था। इस सभ्यता का मुख्य केंद्र मेक्सिको में था पर इसके प्रभाव क्षेत्र में गुआटेमाला, बेलाइज और हौउन्ड्राज, तथा एल सलवेडोर के भी कई भाग थे। इस सभ्यता की अपनी लिपि थी जिसके आलेख और पुस्तकें आज हमारे लिए रहस्य हैं क्योंकि उन्हें पढ़ा नहीं जा सकता। उसकी काल-गणना की विधि अधिक स्पष्ट है। मया सभ्यता ने ई. पू. 3113 से काल-गणना का आरम्भ किया। यह प्रस्थानबिंदु क्यों चुना गया इसके बारे में कुछ नहीं कहा जा सकता। उनका समय विभाजन था : किन (एक दिन), उइनल (बीस दिन), टुन (360 दिन), कटुन (7200 दिन) और बकटुन (144,000 दिन)। इसी क्षेत्र के एजटेक (ई. 1350 से 1521) जो मया सभ्यता के अवसान के बाद आये, वर्ष गणना दो तरह से कराते थे–उनका एक वर्ष 365 दिन का होता था जिसके अनुसार राजकाज और कृषि कार्य चलता था; दूसरा धार्मिक और कर्मकांडों से जुड़ा वर्ष 260 दिन का होता था। ये एक बिंदु पर पुनः 52 वर्षों के अंतराल के बाद आते थे। यह समय भय और संकट का माना जाता था।

समय की नाप-जोख के इन प्रयत्नों को मानव की एक महत्त्वपूर्ण उपलब्धि मानना चाहिए। इसमें गणित का चमत्कार था; आकाशमंडल के ग्रह, नक्षत्रों का सूक्ष्म

अध्ययन था और अनुभव के आधार पर विकसित ऋतु-चक्र की समझ थी। साथ ही दो ऐसी प्रवृत्तियाँ भी समय की अवधारणा से जुड़ी थीं जो वैज्ञानिक न होकर सांस्कृतिक थीं। पहली के अनुसार, कालखंडों में मानव ने विशेष गुणों का समावेश किया, उन्हें शुभ-अशुभ अथवा ऊर्जावान या विनाशकारी माना। दूसरी के अनुसार, मानव ने आनेवाले समय का पूर्वानुमान कर उसमें होनेवाली घटनाओं पर नियंत्रण स्थापित करना चाहा। इन प्रवृत्तियों की पृष्ठभूमि में जो विश्वास थे उन्होंने समय को एक सक्रिय भूमिका देकर उसे भविष्य का नियंता बना दिया। 'समय होत बलवान' या 'समय का फेर' जैसी मान्यताएँ समय को एक स्वतंत्र कारक के रूप में देखती हैं। पुराणों में प्रत्येक काल की सामाजिक-सांस्कृतिक प्रवृत्तियों का विराट् वर्णन है। सतयुग से कलियुग तक का इतिहास क्रमिक नैतिक ह्रास का इतिहास है। चार युगों का चक्र पूरा होने के बाद पुनः उच्च नैतिकता का युग आरंभ होता है। पंचांग शुभ मुहूर्तों का उल्लेख करते हैं और अशुभ घड़ियों से सावधान करते हैं। अमंगलकारी नक्षत्रों के प्रभाव को क्षीण करने के लिए यहाँ पूजा, व्रत आदि का विधान है। फलित ज्योतिष और भृगु संहिता जैसे ग्रंथ भविष्यवाणियों के माध्यम हैं। चीनी वर्ष पशुओं के नामवाले माहों में विभक्त हैं; जैसे 'कुत्ते का वर्ष' 'सुअर का वर्ष' या 'ड्रैगन (दैत्य) का वर्ष'। इन वर्षों के अपने गुण होते हैं। वर्षफल जानने के लिए उनके विशेषज्ञ पुजारी और भविष्यद्रष्टा हड्डी को चटकाकर उसमें पड़ी रेखाओं का ध्यान से अध्ययन करते हैं। अमंगल को टालने का तरीका भी पुजारी/काल-विशेषज्ञ बतलाते हैं। ईसवी सन् के कई दिनों और माहों के नाम देवी-देवताओं के नाम पर रखे गये हैं, यद्यपि इस कैलेंडर में शुभ-अशुभ का विचार केवल स्थानीय परंपराओं से ही जुड़ा है। मया सभ्यता के दो भिन्न प्रकार के वर्षों का उल्लेख किया जा चुका है—राजकीय वर्ष और धार्मिक वर्ष।

इस सभ्यता ने 365 दिनों का खगोलशास्त्रीय कैलेंडर भी विकसित किया था और चंद्रमा पर आधारित विश्वसनीय काल-गणना भी की थी। इस प्रतिभा की धनी सभ्यता ने अपनी उल्लेखनीय वैज्ञानिक उपलब्धियों के बाद भी समय की अवधारणा को 'पवित्र' मानकर उसका प्रबंधन पुजारियों के हाथ में ही रखा। एजटेक काल-गणना के संबंध में 52 वर्ष के अंतराल के बाद आनेवाले गंभीर चिंता और भय के बिंदु का उल्लेख भी किया जा चुका है। ऐसे हर चक्र की समाप्ति के बाद पाँच अत्यंत अशुभ दिन आते थे जिनमें भयाक्रांत एजटेक प्रलय जैसे संभावित महाविनाश से बचने का प्रयत्न करते थे। वे अपनी बहुत सारी सम्पत्ति नष्ट कर देते थे। आग बुझी रखते थे और इस भय से कहीं नींद में बच्चे चूहे न बन जायें उन्हें जबरन जागते रहने को विवश करते थे। गर्भवती स्त्रियों को बन्द रखा जाता था; मुक्त स्थिति में उनके जंगली पशु बन जाने की आशंका रहती थी। पाँचवें दिन सूर्यास्त के

समय पुजारियों का दल एक सुप्त ज्वालामुखी के शिखर पर जाकर नक्षत्रों का अवलोकन करता था। ठीक उस घड़ी में जब समय-चक्र का अंत होता था, कुछ ही पहले बलि चढ़ाए, एक व्यक्ति के वक्ष पर आग जला दी जाती थी। यह संकट टल जाने का संकेत था। एजटेक राष्ट्र उत्सव मनाने में जुट जाता था।

समय की अवधारणाओं में वैज्ञानिक तथ्यों के अतिरिक्त परालौकिक और दिव्य तत्त्व भी घुलमिल जाते हैं। वैज्ञानिक उपलब्धियाँ मिथकों और धार्मिक विश्वासों की छाया में फलती-फूलती हैं। समय कभी आशा का संचार करता है, कभी भय की भावना को जाग्रत करता है। बीसवीं सदी का अन्त और इक्कीसवीं सदी का आगमन ऐसा ही प्रस्थान बिंदु है—नाटकीय और रहस्यमय। इसे देखने-समझने में वैज्ञानिक और मिथकीय मानसिकताओं का सम्मिश्रण होता है। नयी सदी में हम वह देखते हैं जो देखना चाहते हैं। यह इच्छापूर्ति का अव्यक्त और अप्रत्यक्ष तरीका है।

बीसवीं सदी के अंतिम दिन और इक्कीसवीं सदी के पहले दिन में कोई अंतर नहीं होनेवाला है; जो सूरज 31 दिसंबर 1999 को डूबेगा वही 1 जनवरी 2000 को उदित होगा। नयी सदी का आगमन कोई चमत्कार नहीं करनेवाला, उसका जादू भरा प्रभाव एक क्षण में ही जटिल मानवीय समस्याओं को हल नहीं कर देगा। बीसवीं सदी के हस्ताक्षर लम्बे अरसे तक हमारे साथ रहेंगे। जिन उलझनभरी स्थितियों से हम बीसवीं सदी में सार्थक साक्षात्कार नहीं कर सके, उनकी पीड़ाजनक उपस्थिति हमारे बीच बनी रहेगी।

कैसी थी बीसवीं सदी ? विरासत में वह हमारे लिए क्या छोड़ जा रही है ? क्या भविष्य के कोई स्पष्ट दिशा संकेत हैं ?

बीसवीं सदी विराट् उपलब्धियों और चिंताजनक असफलताओं के सौ वर्षों का कालखंड रही है। इसके कई मोड़ों पर मानव ने बड़ी शिद्दत से अपने अस्तित्व के संकट का अहसास किया है। इसके अंतर्विरोध विस्मयकारी हैं। इस सदी ने दो विनाशकारी महायुद्ध देखे पर उनसे कुछ सीखा नहीं। लीग आफ नेशंस जन्म से ही पक्षाघात पीड़ित और पंगु रही, यूनाइटेड नेशंस की हालत बहुत बेहतर नहीं। एक देश का बढ़ता वर्चस्व उसे दरबार का रूप दे रहा है। सैकड़ों क्षेत्रीय और स्थानीय युद्ध आज भी चल रहे हैं और अंतर्राष्ट्रीय संगठन असहाय-सी मनःस्थिति से उन्हें देखते रहते हैं। उनका हस्तक्षेप सार्थक नहीं होता। इस सदी ने साम्राज्यवाद का उत्कर्ष देखा, उसका ह्रास देखा और अब नवउपनिवेशवाद का उदय देख रही है। इस बार यह सहयोगी प्रयास है, उसका विरोध कम है, स्वागत अधिक। सोवियत संघ के विघटन और चीन में नीति-परिवर्तन के बाद कोई विकल्प ही शेष नहीं रहा। अस्तित्व के विराट् प्रश्न हाशिए पर चले गये हैं और वैश्वीकरण के नाम पर एक भोगवादी संस्कृति पुरस्कृत हो रही है। विज्ञान और प्रौद्योगिकी ने आश्चर्यजनक प्रगति की।

दूसरे महायुद्ध के अंतिम दिनों में हिरोशिमा और नागासाकी में हमने उसका एक रूप देखा। हाल के इराक के विरुद्ध खाड़ी युद्ध में प्रलय के आधुनिकतम संस्करण का एक दृश्य भी देखा। अन्य क्षेत्रों में भी विज्ञान ने अद्भुत प्रगति की है पर उनका लाभ सीमित क्षेत्रों और सीमित वर्गों को ही मिला है। बौद्धिक संपदा अधिकार का दुराग्रह उनकी जन-उपलब्धता को और भी कठिन बना रहा है। संसाधनों के होते हुए भी संसार के दो तिहाई भाग को, अभाव की संस्कृति में जीना पड़ता है। अस्तित्व के संकट का दूसरा आयाम है बढ़ती खाद्य असुरक्षा। संपूर्ण विश्व के लिए आज भी पर्याप्त खाद्य भण्डार है पर वह इतना महँगा है कि गरीब देश उसे खरीद नहीं सकते। विश्व बैंक और अन्य विश्वसनीय संस्थाओं ने चेतावनी दी है कि यदि इस बारे में अभी ही कुछ निश्चयात्मक कदम नहीं उठाये गये तो अफ्रीका और एशिया के एक बड़े भूभाग को भूख का तांडव देखना पड़ेगा। खाद्य उत्पादन की प्रविधि चमत्कार कर रही है पर वह लाभोन्मुख है, जनोन्मुख नहीं। खाद्य सुरक्षा और जनसंख्या विस्फोट के प्रश्न एक-दूसरे से जुड़े हैं। संपन्न देशों की जनसंख्या स्थिर हो गयी है, गरीब देशों में वह अबाध गति से बढ़ रही है। भूखे पेटों को अन्न और खाली हाथों को काम यदि नहीं मिला तो संपूर्ण विश्वव्यवस्था ही अस्थिर हो सकती है। बढ़ता हुआ पर्यावरण प्रदूषण भी अस्तित्व पर प्रश्नचिह्न लगा रहा है। वायु प्रदूषण, जल प्रदूषण, विषाक्त समुद्र, ऐसिड वर्षा, कटते हुए वन और फैलते हुए मरुस्थल एक गंभीर चेतावनी हैं। साथ ही ऊर्जा के स्रोत घट रहे हैं, प्राकृतिक संसाधन लुप्त हो रहे हैं। विकल्पों की सार्थक तलाश हो रही है, पर धीमी गति से। इस क्षेत्र में मानव की अक्षमता भयावह संकेत देती है।

सांस्कृतिक अस्तित्व और अस्मिता के प्रश्न भी बीसवीं सदी में अत्यन्त जटिल हो गये। एक ओर विश्वग्राम की परिकल्पना है, दूसरी ओर प्रजातिवाद, भाषावाद और क्षेत्रीयतावाद के आग्रह और दुराग्रह हैं। जातीय भावना का उत्कर्ष राष्ट्रों और राज्यों को विखंडन की ओर ले जा रहा है। एक ओर नारा लगता है कि 'ईश्वर मर गया' दूसरी ओर धार्मिक भावनाएँ बलवती होती हैं और उनकी एक धारा कट्टरतावाद की ओर मुड़ती है। इस धारा की अभिव्यक्ति तीव्र से तीव्रतर होकर आधुनिकीकरण की प्रक्रिया को चुनौती देती है। जिस गति से उद्योग में परिवर्तन होता है उस गति से सामाजिक ढाँचे और उसके मूल्यात्मक आधार में नहीं। परिणामतः सांस्थानिक ढाँचा जर्जर हो जाता है। इससे अनेक विसंगतियाँ उत्पन्न होती हैं। सामाजिक नैतिकता के क्षण से मूल्यहीन और लिप्सावादी दृष्टिकोण पुष्ट होता है, सामाजिक सरोकारों में कमी आती है। समाज धुरीहीन और लक्ष्यहीन हो जाता है। इससे एक विघटनात्मक अराजकता फैल सकती है। बीसवीं सदी की ये विडम्बनाएँ अपने आप में एक लम्बी कार्य सूची है जो इक्कीसवीं सदी को उससे विरासत में मिलेगी।

भविष्यवेत्ताओं की एक लंबी कतार ने इक्कीसवीं सदी को उज्ज्वल और आशाजनक रंगों में चित्रित किया है। नो स्ट्राडेमस, जान हाग, जीन डिक्सन, हक्सले हरार और अरविंद ने जो भविष्यवाणियाँ की हैं उनमें भारत को एक अहम भूमिका दी गयी है। उनके अनुसार विश्व में एक नयी चेतना का उदय होगा। मानव अपनी सभी समस्याओं का समाधान खोजने में सक्षम होगा, भोगवाद समाप्त होगा, प्रगति और शांति को विज्ञान और धर्म के समन्वय से नया आधार मिलेगा। भारत, जो एक विराट् शक्ति के रूप में उभरेगा, इस प्रवृत्ति का नेतृत्व करेगा। विज्ञान और धर्म के समन्वय की बात इस्लामी भविष्यवेत्ता सैयद कुत्व ने भी कही है। पर क्या ऐसा होगा? प्रक्रिया का आरम्भ बीसवीं सदी के अन्तिम बारह वर्षों में होना था। पाँच वर्ष से कम समय बचा है और ऐसी किसी शुरुआत के लक्षण कहीं दिखाई नहीं पड़ते। भारत को दी गयी भूमिका बड़ी लुभावनी है। पर क्या अशक्त, विभाजित, पराश्रयी और पश्चिम के अंध अनुकरण में लीन भारत इतना बड़ा उत्तरदायित्व निभा पायेगा ? वैज्ञानिक भविष्यशास्त्रियों की नयी पीढ़ी इतनी आशावादी नहीं है। भूख, बीमारी, शिक्षाहीनता शायद इतिहास के सफर में लम्बे समय तक हमारे साथ रहें।

समय की शिला पर मानव की नियति के सम्बन्ध में कोई संकेत नहीं हैं। यह आलेख तो मानव ही की रचना होगी। प्रतिबद्ध और समर्पित भाव से यदि हम इतिहास की प्रक्रियाओं में हस्तक्षेप करें तो भविष्य हमारा होगा; अहं और स्वार्थ की टकराहट हमें दिशाहीन अराजकता की ओर ले जायेगी।

# आदिवासी धरोहर

दुनिया का हर सातवाँ व्यक्ति भारतीय है और भारत की जनसंख्या में आदिवासी सात प्रतिशत हैं। यह आँकड़ा पूरी तरह विश्वसनीय नहीं है, क्योंकि इसमें केवल वही आदिवासी समूह आते हैं, जिनके नाम भारतीय संविधान की 8वीं अनुसूची में सम्मिलित हैं। इनके अतिरिक्त ऐसे आदिवासी समूह भी हैं, जो किसी-न-किसी कारण से इस अनुसूची में सम्मिलित नहीं किये गये हैं। अनुसूची में कुछ ऐसे समूहों के नाम भी सम्मिलित हो गये हैं, जिन्हें पहले आदिवासी नहीं माना जाता था, पर जो अपने लिए एक नयी सामूहिक छवि प्राप्त करने में सफल हुए हैं। सच कहा जाये तो आदिवासी और गैर-आदिवासियों के बीच की विभाजन रेखा बहुत स्पष्ट नहीं है, क्योंकि थोड़े ही भारतीय ऐसे होंगे जिनमें आदिवासियों का रक्त न हो। फिर भी यह अंतर आज के संदर्भ में एक नया अर्थ ले चुका है और इसके साथ पहचान और आत्मछवि के संवेदनशील प्रश्न जुड़े हैं।

भारत के संबंध में एक प्रचलित भ्रामक धारणा यह है कि इस देश में सभ्यता का प्रकाश आर्यों के आगमन के साथ ही आया। नये पुरातात्विक और ऐतिहासिक तथ्य इस भ्रांति का खंडन करते हैं। उत्तर-पश्चिम से आर्य-भाषाएँ बोलनेवाले समूहों की लहरें, एक के बाद एक, जब इस उपमहाद्वीप में आ रही थीं तब भारत में एक उन्नत सभ्यता का विकास हो चुका था। इस सभ्यता के मुख्य तत्त्व थे—सुनियोजित नगर, विकसित कृषि-व्यवस्था, वाणिज्य और व्यापार का सुनियंत्रित जाल, जटिल धार्मिक विश्वास और कर्मकांड और एक ऐसी लिपि जिसे अभी तक पढ़ा नहीं जा सका है। यह सभ्यता 'सिंधु घाटी सभ्यता' अथवा 'हड़प्पा सभ्यता' के नाम से जानी जाती है। नये अनुसंधानों से हमें इसके सीमा-विस्तार के संबंध में बहुत ही महत्त्वपूर्ण सामग्री उपलब्ध हुई। इसका विस्तार एक ओर पंजाब और हरियाणा तक था, तो दूसरी ओर गुजरात के समुद्र तक। 'सिंधु घाटी सभ्यता' के पहले भी इस देश में पत्थर के उपकरण का उपयोग करनेवाली अनेक संस्कृतियाँ थीं। अनेक स्थानों पर

पाये गुफाचित्रों में उस काल के जीवन के दृश्य हमें मिलते हैं। बहुसंख्यक पत्थर के बने उपकरणों से, जो इस उपमहाद्वीप के प्रायः सभी भागों से मिले, हम देश के आरंभिक सांस्कृतिक विकास का कालानुक्रम निर्धारित कर सकते हैं। आर्य, जिनमें कई विशेषताएँ थीं, अपने साथ कोई सभ्यता नहीं लाये थे। उनकी परंपरा सशक्त थी और वे प्रयत्नपूर्वक उसे बचाकर स्थायित्व प्रदान करने के लिए कटिबद्ध थे। उनकी स्मरण शक्ति विलक्षण थी और सकंठ पाठ से वे पूरी-की-पूरी पुस्तकें एक पीढ़ी से दूसरी पीढ़ी तक पहुँचा सकते थे। उनकी चिंतनशीलता उल्लेखनीय थी और वे सूक्ष्म तत्त्वों का विश्लेषण प्रभावशाली ढंग से कर सकते थे। उनका कर्मकांड अत्यंत विकसित था। अपनी संस्कृति और आत्मछवि को भी वे दर्पभरे भाव से शेष समाज के सामने प्रस्तुत करते थे।

इस स्थिति में सांस्कृतिक संघर्ष जरूरी था। आर्य प्रजाति के लोग अहंभाव पीड़ित थे और देश के पुराने वासियों को अपने-आपसे बहुत कम समझते थे। उनका उल्लेख वे अनादरसूचक शब्दों से करते थे, जैसे दास, दस्यु, अनास आदि। प्राचीन भारत के कुछ भागों में दास प्रथा प्रचिलत थी, किंतु आर्यों के पहले से देश में रहने वाले लोगों को दास कहना उचित नहीं था। देश में यहाँ-वहाँ संस्कृति के द्वीप थे। किंतु चोर और डाकू भी थे। परंतु आर्यों के पहले के सभी समाजों को दस्यु की संज्ञा देना निश्चित रूप से गलत था। यह सच है कि आर्यों के चेहरे पर उनकी नाक प्रमुख रूप से उभरकर आती थी, परंतु अपेक्षाकृत छोटी या दबी नाकवाले लोगों को नासिकाविहीन कहना निश्चित रूप से अनादरसूचक था। आर्यों की मौखिक परंपरा का एक बड़ा भाग कालांतर में लिपिबद्ध हो गया, इसीलिए हम यह जान सके कि वे आर्य-पूर्व भारतवासियों के संबंध में क्या धारणाएँ रखते थे। दुर्भाग्यवश आर्य-पूर्व परंपरा के ऐसे कोई दस्तावेज शेष नहीं हैं, जिनसे हम यह जान सकें कि आर्यों के बारे में उनका क्या मत था। यह निश्चित है कि उन्होंने आर्यों की प्रजातीय अथवा सांस्कृतिक श्रेष्ठता को स्वीकार नहीं किया। भारतभूमि पर नये-नये आये आर्यों को अपनी प्रजातीय उत्कृष्टता का दंभ था और उन्होंने उसकी शुद्धता बचाये रखने के प्रयत्न भी किये। यह स्पष्ट है कि इस लड़ाई में वे हार रहे थे। आर्यों और अनार्यों में विवाह वर्जित थे, फिर भी ऐसे विवाहों की संख्या बढ़ती ही गयी। शीघ्र ही ऐसी स्थिति आयी जब भारत की जनसंख्या में अनेक प्रजातियों का मिश्रण हो गया। आर्यों के द्वारा प्रजातीय शुद्धता के दावे किये जाते रहे, परंतु वे केवल एक मिथक थे।

धर्म और संस्कृति के संबंध में भी लगभग यही स्थिति थी। हिंदू त्रिमूर्ति में शिव या महादेव का स्थान महत्त्वपूर्ण है। शिवभक्ति की परिकल्पना के स्रोत आदिवासी किंवदंतियों, विश्वासों और धार्मिक क्रियाओं में थे। सर्वशक्तिमान माता से जुड़े हुए विश्वास और धार्मिक क्रियाओं का उद्‌गम आदिवासी, स्थानीय और क्षेत्रीय परंपराओं

में है। हिंदू धर्मपंडितों ने इन्हें हिंदूधर्म के सम्मानित देवी-देवताओं में सम्मिलित कर लिया और उनके संबंध में सुचिंतित, दार्शनिक और धार्मिक अवधारणाएँ प्रस्तुत कीं। इसी प्रक्रिया से लोकव्यापी हिंदुत्व का विकास हुआ। महान् ऋषियों द्वारा संकलित और संपादित धार्मिक और सामाजिक संहिताओं का भारत भर में लोकव्यापीकरण नहीं हुआ था। पूरी तरह न उनकी आत्मा को स्वीकारा गया था, न उनके स्वरूप को। धीरे-धीरे इन संहिताओं में लौकिक परंपराओं का समावेश हुआ। आज का जीवित सामाजिक यथार्थ शास्त्रीय परंपरा पर पूरी तरह आधारित नहीं है। शास्त्रीय परंपराएँ केवल एक आदर्श प्रारूप प्रस्तुत करती हैं। स्थानीय और क्षेत्रीय सांस्कृतिक व्यक्तित्व आज भी सशक्त हैं और उनकी अलग पहचान है। विराट् हिंदू समाज में वे एक-दूसरे से जुड़ी होकर भी अपना अलग अस्तित्व रखती हैं। धार्मिक संस्कारों और सामाजिक रीति-रिवाजों में आज भी स्थानीय और क्षेत्रीय रंग और गंध हैं। इस संदर्भ में यह जानना भी आवश्यक है कि आरंभिक हिंदू धर्म के अनेक प्रतिष्ठित और पूजित देवता आज पदावनत हो गये हैं। संस्कृत मंत्रों में यदा-कदा उनका उल्लेख होता है, परंतु अपने गौण स्थान के कारण वे पूजा-अर्चना के अधिकारी नहीं रह गये हैं।

भारत की इस लंबी सांस्कृतिक गाथा से हमें क्या सबक मिलता है। मिथक कुछ भी कहें, सच्चाई उनसे बहुत अलग है। प्रजातीय रूप से भारतीय जन एक मिश्रित समूह हैं; इसके किसी भी अंश का प्रजातीय शुद्धता के अहंभाव से पीड़ित होने का कोई वैज्ञानिक आधार नहीं है। यह भी निश्चित है कि हमारी संस्कृति का आज का रूप एक ऐतिहासिक प्रक्रिया का परिणाम है, जिससे अनेक प्रजातियों और सांस्कृतिक तथा धार्मिक समुदायों का संविलयन जुड़ा है। आर्य-पूर्व और आर्य तो एक-दूसरे से घुले-मिले ही, किंतु अनेक अन्य संस्कृति-धारक लहरें भी आकर इस उपमहाद्वीप की संस्कृति में समाहित होती रहीं।

आप पूछ सकते हैं कि जब पुराने निवासियों और आर्यों के संविलयन से एक नये समाज का निर्माण हुआ तब कुछ समूह अपनी आदिम संस्कृति को कैसे बचाये रख सके ? वस्तुतः कई समूह सफलतापूर्वक संविलयन की इस प्रक्रिया का विरोध करते रहे। इस विरोध की उन्हें कीमत भी चुकानी पड़ी। अपनी सांस्कृतिक अस्मिता को बचाये रखने के लिए उन्हें नवविकसित सांस्कृतिक केंद्रों से दूर वनों और पर्वतों की शरण लेनी पड़ी। इस एकांत में उन्होंने अपनी जीवन शैली की विशिष्टता को बचाये रखा। धीरे-धीरे उन पर सांस्कृतिक और धार्मिक दबाव बढ़ते गये। उनमें से कुछ को हिंदू समाज की स्तरित व्यवस्था में सम्मानजनक स्थान मिल गया। शासक और शक्तिसंपन्न समूह क्षत्रियों के समकक्ष माने गये। कुछ समूहों को अपेक्षाकृत नीचा स्थान मिला, पर वह असम्मानजनक नहीं था। अन्य समूह, जो नयी हिंदू

पहचान स्वीकार करनेवाले समूहों पर आश्रित थे और भी नीचे स्तर पर हिंदू समाज से जुड़े। जिन आदिवासी समुदायों के पास संख्या की शक्ति थी, वे इस प्रक्रिया का अंग न बनने में सफल हुए। संख्या के अतिरिक्त उनका परिवेश भी इस विरोध को सफल बनाने में सहायक हुआ। कई छोटे-छोटे आदिवासी समुदाय ऐसे सुदूर और अगम्य भागों में रहते थे कि उन्हें लंबे समय तक छेड़ा नहीं गया। इस तरह एक ओर जहाँ सामान्य हिंदू समाज में आदिवासी प्रजातीय और सांस्कृतिक तत्त्वों का मिश्रण हुआ, दूसरी ओर कुछ आदिवासी समुदाय अपनी प्रजातीय शुद्धता और सांस्कृतिक वैशिष्ट्य बचाये रख सके।

आदिवासियों और गैर-आदिवासियों में अंतर किस तरह किया जा सकता है ? प्रश्न कठिन है, क्योंकि उनके बीच की विभाजन रेखा स्पष्ट नहीं है। भारतीय संदर्भ में आदिवासी और जनजाति शब्दों की सूक्ष्म और संतोषनजक व्याख्या नहीं की गयी है। 'ट्राइब' शब्द का उपयोग ऐसे समुदायों के लिए किया गया था, जो न एक-दूसरे के समान थे और न जिनकी तुलना ही की जा सकती थी। इतिहास की पुस्तकों में राजपूतों और जाटों को भी यही संज्ञा दी गयी थी। बाद में इस शब्द का प्रयोग मूलनिवासियों और पूर्व समूहों के लिए ही किया जाने लगा। स्थिति इससे भी स्पष्ट नहीं हुई। जनजातियों की पहचान के लिए जिन तत्त्वों का सहारा लिया जाता है, उनमें से कुछ निम्नलिखित हैं :

1. जनजातियों की जड़ें इस देश में बहुत गहरी और पुरानी हैं। वे इस भूभाग के सर्वप्रथम निवासी भले ही न हों, पर निश्चित रूप से यहाँ के पुरातनतम निवासियों में हैं।
2. वे वनों और पर्वतों के अपेक्षाकृत एकांत में रहते हैं। उनका परिवेश अगम्य भले ही रहा हो, किंतु उसकी दूरी ने सांस्कृतिक प्रभावों पर स्वाभाविक नियंत्रण रखा है।
3. जनजातियों का इतिहासबोध सीमित और उथला है। उनका स्मरण किया हुआ इतिहास पाँच-छः पीढ़ियों से अधिक का नहीं होता। इसके बाद वह जातीय मिथकों से जुड़ जाता है।
4. उनके आर्थिक और प्राविधिक विकास का स्तर बहुत ऊँचा नहीं होता।
5. अपनी सांस्कृतिक समग्रता, भाषाओं, संस्थाओं, विश्वासों और प्रथाओं के आधार पर समाज के शेष भागों से वे अलग दिखायी पड़ते हैं।
6. जनजातियाँ समतावादी भले ही न हों, किंतु उनमें आंतरिक स्तरण और विशेषीकरण बहुत कम होता है।

ये सूचक बहुत संतोषजनक नहीं हैं। वैज्ञानिक कसौटी पर इनमें कई कमियाँ

पायी जा सकती हैं। अधिक विश्वसनीय आधार के अभाव में ऐसे समूहों को, जिनमें यदि सब नहीं तो कुछ ऐसे तत्त्व हों, हम जनजाति कहकर संबोधित करते हैं। भारतीय संविधान के लागू होने के बाद अनुसूचित जनजातियाँ एक विशिष्ट श्रेणी के रूप में उभरकर आयी हैं। अनुसूचीकरण मूलतः राजनीतिक निर्णय पर आधारित होता है। ऐसे निर्णयों का प्रजातीय, सांस्कृतिक या आर्थिक प्राविधिक कारकों पर आधारित होना आवश्यक नहीं है। स्मरण रखने की बात यह है कि इनमें से अनेक समुदायों की स्वतंत्र जनजातीय पहचान है और वे अपनी सांस्कृतिक अस्मिता को बचाये रखने के लिए सचेत हैं।

इस तरह हम देखते हैं कि एक ओर आर्य-पूर्व और आर्य-तत्त्वों के मिश्रण से भारत में एक सामाजिक संस्कृति विकसित हो रही थी, तो दूसरी ओर कुछ जनजातियाँ अपनी आत्मछवि और पहचान के अनुरूप जीवनशैली बनाये रखने के लिए निरंतर प्रयत्नशील थीं। समसामयिक जनजातियों के पूर्वजों ने इस सामासिक संस्कृति के विकास में योगदान किया था। वे स्वयं परिवर्तन की सशक्त आँधियों से प्रभावित नहीं रहीं। हमारी आज की संस्कृति में जनजाति तत्त्व कुछ इस तरह घुलमिल गये हैं कि उनको पहचानना कठिन हो गया है। आज की जनजातियों को अतीत के अवशेष मानना गलत होगा, क्योंकि समय की अनिवार्यताओं और पड़ोसियों की परंपराओं ने अपने प्रभाव उन पर छोड़े हैं। जनजातियाँ भारत के प्रजातांत्रिक राजतंत्र में पूरी हिस्सेदारी की इच्छुक हैं और इस दृष्टि से वे कई रूपों में दबाव डाल रही हैं।

जनजाति शब्द कुछ अर्थों में भ्रामक है। इस श्रेणी में आनेवाले समुदायों की तुलना उनकी संख्या, अथवा सामाजिक गठन और सांस्कृतिक प्रकार्यों की विशिष्टता अथवा आर्थिक-प्राविधिक विकास के स्तर के आधार पर ही की जा सकती है। गोंड, मुंडा, कोल, भील और संथाल संख्या की दृष्टि से बड़ी जनजातियाँ हैं। इनकी तुलना में बिरहोर, कुमार, चैंचू और इसी तरह की अनेक जनजातियों की संख्या कुछ हजार से अधिक नहीं है। कुछ जनजातियाँ इनसे भी छोटी हैं। उदाहरण के लिए ओंगे और टोटो जनजातियों की संख्या सौ से भी कम है।

जनजातियों के सामाजिक संगठन के स्वभाव और जटिलता में बडी भिन्नता पायी जाती है। उनकी पारिवारिक रचना और उत्तराधिकार की व्यवस्था में भी महत्त्वपूर्ण अंतर है। भारत के अधिकांश भागों के आदिवासी समूहों में पुरुष की प्रधानता है और इनमें उत्तराधिकार का निर्णय पिता की पंक्ति में होता है। इसके विपरीत दक्षिण और उत्तर-पूर्व में उत्तराधिकार मातृधारा द्वारा निर्णीत होते हैं और पारिवारिक गठन मातृप्रधान होता है। विवाह के इच्छित रूपों में भी अलग-अलग समुदायों में अलग निर्णायक मान्यताएँ पायी जाती हैं। मध्यप्रदेश, उड़ीसा, बिहार, उत्तरप्रदेश और नागालैंड की कुछ जनजातियों में युवा गृहों का प्रचलन था जिनके

परिमार्जित स्वरूप आज भी वहाँ देखे जा सकते हैं। ये संस्थाएँ क्रीड़ा-केंद्र होने के अतिरिक्त जनजातीय युवावर्ग में अनुशासन उत्पन्न करती थीं और शैक्षिक संस्था के रूप में उन्हें जनजातीय परंपराओं और मूल्यों से परिचित कराती थीं। अनेक जनजातियाँ गोत्रों में विभाजित हैं, जिनमें कई गोत्र-समूहों के विशेष संबंध होते हैं। तमिलनाडु के नीलगिरि क्षेत्र, उत्तरप्रदेश के चकराता क्षेत्र और हिमाचल प्रदेश के कई भागों में बहुपति-प्रथा अभी भी प्रचलित है। यहाँ यह स्मरण रखना आवश्यक है कि उत्तरप्रदेश और हिमाचल के ये समूह कुछ समय पहले ही जनजातियों के रूप में अनुसूचित किये गये हैं और उनकी हिंदू पहचान बनना अभी भी शेष है। कई छोटी-छोटी जनजातियाँ आज भी आदिम खाद्य संकलन के स्तर पर हैं। उनसे कुछ बड़े समूहों में अस्थिर कृषि-व्यवस्था के दर्शन होते हैं। इनकी 'झूम' या 'पोडू' कही जाने वाली कृषि-व्यवस्था में बड़े वृक्षों की डालियों और छोटे वृक्षों और झाड़ियों को काटकर उनमें आग लगा दी जाती है और सीधी या टेढ़ी कुदाल की सहायता से खेती की जाती है। कुछ समूह स्थायी निवास नहीं बनाते और एक स्थान से दूसरे स्थान को जाते रहते हैं। यायावरी उनकी सांस्कृतिक विरासत का अंग है। कुछ जनजातियाँ किसी विशिष्ट आदिम प्रवृत्ति से जुड़ी रहती हैं, कुछ किसी रोजगार को अपना लेती हैं। बड़े समुदायों में स्थायित्व का कारण है कृषि, जिसमें हल का उपयोग भी किया जाता है। कृषि की दृष्टि से ये जनजातियाँ गैर-आदिवासी कृषक समाज से भिन्न नहीं हैं। किंतु उनके मिथकों, धार्मिक विश्वासों और क्रियाओं तथा सामाजिक प्रथाओं में जनजातीय रंग पाया जाता है।

भारत का सांस्कृतिक चित्र पच्चीकारी का एक अच्छा नमूना है, जिसमें विविध संस्कृतियों के आकार और रंग मिले हैं। आदिवासी समूह इस रचना में विशेष स्थान रखते हैं। समय-समय पर आदिवासियों और शेष जनसंख्या में संघर्ष की स्थितियाँ आयी हैं; परंतु सामान्यतः जीवन की धारा को कठिन अवरोध का सामना नहीं करना पड़ा। आदिवासियों को अन्य समूहों का उच्चभाव अच्छा नहीं लगता था और वे उनकी आलोचना से दुखी भी हो जाते थे। आदिवासी-बहुल क्षेत्रों में आदिवासियों और गैर-आदिवासियों के संबंधों में स्थायित्व आ गया था। अखिल भारतीय आदिवासी पहचान विकसित नहीं हुई थी। सच तो यह है कि कई जनजातियाँ अपने असली नामों से नहीं जानी जातीं। वे उन नामों से जानी जाती हैं जो उन्हें दूसरों ने दिये। उदाहरण के लिए गोडों का मूल नाम कोइतूर है और मिजो पहले लूशाई नाम से जाने जाते थे। उन्हें आदिवासी, आदिमजाति, जनजाति और गिरिजन जैसी संज्ञाएँ सामाजिक कार्यकर्ताओं द्वारा दी गयी थीं, जो उनके कल्याण की योजनाओं से जुड़े थे। धीरे-धीरे भारतीय उपमहाद्वीप पर उन समूहों की एक अलग पहचान उभरी और वे इन नये नामों से पहचाने जाने लगे। उत्तर-पूर्व में ऐसे समूह अपने-आपको

आदिवासी की अपेक्षा जनजाति या 'ट्राइब' कहलाना पसंद करते थे। अंग्रेजी सरकार ने अपवर्जित और आंशिक रूप से अपवर्जित क्षेत्रों का निर्माण कर आदिवासियों और गैर-आदिवासियों की दूरी को बढ़ाया। कम-से-कम ऊपरी तौर पर इस प्रयत्न का उद्देश्य था कि आदिवासियों को शोषण और विलीनीकरण की प्रक्रिया से बचाया जाय। यह कह सकना कठिन है कि आदिवासी किस सीमा तक शोषण से बचे, किंतु उभरती राष्ट्रीय जीवनधारा में आदिवासियों के समाकलन की प्रक्रिया कुछ मंद अवश्य हुई। अल्प परिमार्जन के साथ स्वतंत्र भारत की सरकार ने इस नीति को चालू रखा। कुछ जनजातियाँ 'अनुसूचित जनजातियाँ' कहीं जाने लगीं और कुछ क्षेत्र 'अनुसूचित क्षेत्र' बना दिये गये। नयी नीति में विकास और कल्याण की गति बढ़ायी गयी और आदिवासियों के समाकलन के धीमे और सतर्क प्रयत्न किये गये।

आदिवासी समस्या पर राष्ट्रीय सोच नेहरू-एलविन सिद्धांत से प्रभावित हुआ। नयी नीति आदिवासियों के प्रति संवेदनशील थी। उसके अंतर्गत यह प्रत्यन किया गया कि जहाँ तक हो सके, आदिवासी परंपराओं को छेड़ा न जाये और आदिवासी क्षेत्रों को अति-शासन के दोष से मुक्त रखा जाये। यह भी प्रयत्न था कि आदिवासियों पर अनावश्यक सुधार थोपे न जायें। प्रतिपूरक विभेदीकरण की नयी नीति विकसित की गयी, जिसके अंतर्गत आदिवासियों को विधायी संस्थाओं, सार्वजनिक सेवाओं और शैक्षिक संस्थाओं में आरक्षण दिया गया। राष्ट्रीय बजट में आदिवासी विकास के लिए विशेष प्रावधान किया गया। यह नीति सत् उद्देश्य से प्रेरित थी, किंतु उसका क्रियान्वयन जिस तरह से किया गया, उससे उसके परिणाम संतोषजनक सिद्ध नहीं हुए। कुछ आदिवासी समूहों और क्षेत्रों में जातीय भावना से प्रेरित आंदोलनों ने हिंसात्मक रुख अपनाया। इंदिरा गांधी, जो अपने बचपन में मानववैज्ञानिक बनकर आदिवासियों का अध्ययन करना चाहती थीं, नये विचारों और नीतियों की प्रेरणास्रोत बनीं। उत्तर-पूर्व के राज्यों का पुनर्गठन कर उन्होंने इस आंदोलन की तीव्रता को कम किया। आदिवासी विकास की एक नयी रणनीति बनायी गयी। इस नीति को इंदिराजी का पूरा समर्थन प्राप्त था। विचारों के धरातल पर योजना अच्छी थी, किंतु राज्यों की राजनीतिक अनिश्चितता, राज्य-स्तर पर हस्तक्षेप और नौकरशाही के अदूरदर्शी रवैए ने नीति के सफल क्रियान्वयन में बाधा डाली। नागालैंड, मिजोरम, मणिपुर और त्रिपुरा में स्थिति बिगड़ी और वह आज भी चिंताजनक है। आदिवासी भारत के शेष भागों की शांति भी भ्रामक है। नक्सलबाड़ी, श्रीकाकुलम् और तेलंगाना में जो आंदोलन हुए, उन्हें आंदोलनकारियों का कार्य मात्र ही नहीं माना जाता। इन क्षेत्रों में तीव्र असंतोष व्याप्त था। यदि दूरदेशी से काम नहीं लिया गया तो छोटा नागपुर और बस्तर में भी स्थिति बिगड़ सकती है। इस संबंध में चेतावनी का स्वर स्पष्ट है। हमें स्थिति पर गंभीर विचार कर सार्थक योजनाएँ बनानी

होंगी, जिनसे यह असंतोष कम हो सके। जनजातियों की संवेदनाओं को समझना और आर्थिक अन्याय से उन्हें बचाना आवश्यक है।

देश के आदिवासी-बहुल भागों में जब अस्थिरता और अशांति होती है, तो हमारी जनसंख्या का एक बड़ा भाग उत्तेजित हो जाता है। उसे आश्चर्य होता है कि आदिवासी अपनी प्राथमिक परंपराओं से क्यों चिपके रहना चाहते हैं। वे महान् भारतीय परंपरा का अंग बन जाने का विरोध क्यों करते हैं ? संविलयन, उनकी दृष्टि में, आदिवासी समस्याओं का एकमात्र समाधान है यह अति सरलीकृत समझ का एक उदाहरण है। यदि हिंदू जातियों ने अपनी जातीय प्रथाओं और रस्म-रिवाजों को बनाये रखा है, तो क्या यह उचित है कि हम आदिवासियों से यह अपेक्षा करें कि वे अपने वैशिष्ट्यसूचक चिह्नों को छोड़ दें। विशाल हिंदू परंपरा स्वयं क्षेत्रीय और स्थानीय परंपरा के एक संघ जैसी है। जातीय-भावना-जनित आंदोलन केवल आदिवासी समूहों तक सीमित नहीं हैं, उन्हें अनेक धरातलों पर अनेक रूपों में अभिव्यक्ति मिली है। बढ़ते हुए सांस्कृतिक अंतर से हमें चिंतित न होना चाहिए। जरूरी यह है कि आर्थिक विषमताएँ कम की जायें। समस्या का आर्थिक पक्ष उतना ही महत्त्वपूर्ण है, जितना उसका सांस्कृतिक पक्ष।

राष्ट्रीय समाकलन का सरलतम उपाय है अंतरावलंबन के ऐसे रूपों का विकास, जिसमें अलग-अलग समूहों का काम एक-दूसरे के बिना न चल सके। सैन्य शक्ति से भारत का सांस्कृतिक एकीकरण नहीं किया जा सकता, यह औषधि उस व्याधि से भी खराब है जिसके लिए इसका प्रयोग सुझाया जा रहा है। इससे विभेदक शक्तियों को सहारा मिलेगा, सांस्कृतिक दूरियाँ बढ़ेंगी। आदिवासियों के अधीनस्थ और अन्य समूहों को प्रमुख मानना रुग्ण मानसिकता का परिचायक है। आदिवासी क्षेत्र देश के आंतरिक उपनिवेश नहीं हैं। हमें स्मरण रखना चाहिए कि भारतीय संविधान के अनुसार सभी नागरिक समान हैं; प्रजाति, धर्म, विश्वास और जाति से उनकी स्थिति में अंतर नहीं आता। किसी भी वर्ग या समूह को कोई विशेषाधिकार नहीं है। वैसे महान् भारतीय परंपरा में भी विसंगतियाँ, असमताएँ और अन्याय अंतर्निहित हैं। जहाँ गाँवों में इतनी पीड़ा, इतना शोषण है, वहाँ कुछ समूहों में उच्च भाव का आधार क्या है ? क्यों हम चाहते हैं कि आदिवासियों के जीवन की खुशियाँ खत्म हो जायें, उनसे उनके गीत और नृत्य छिन जायें ?

आदिवासियों और गैर-आदिवासियों के बीच 'हम'/'वे' का अंतर बढ़ रहा है। इसके मूल में है हमारी दोषपूर्ण ऐतिहासिक समझ और बहुसंख्यकों की झूठी उच्च भावना। दोनों को नजदीक आना है, किंतु इस प्रक्रिया में आदिवासियों का आकृतिहीन बनना जरूरी नहीं है। आदिवासी क्षेत्रों से न्यस्त हितोंवाले छोटे-से वर्ग को निर्मूल करना आवश्यक है, जिससे आदिवासियों का शोषण रुक सके। हमारे वन

राष्ट्रीय संपदा हैं, पर हजारों वर्षों से आदिवासियों की संस्कृति, विशेषकर, अर्थव्यवस्था, उन पर अवलंबित रही है। वनों की रक्षा के नाम पर हम उन्हें अपने पारंपरिक अधिकारों से वंचित नहीं कर सकते। आदिवासी क्षेत्रों में बहुमूल्य खनिज संपदा है। इन क्षेत्रों में बड़े-बड़े उद्योग लग रहे हैं। व्यापक सामाजिक हित में यह जरूरी है, किंतु आदिवासियों के पुनःस्थापन के सार्थक प्रयत्न भी उतने ही जरूरी हैं। अब तक ये प्रयत्न दुर्बल और अप्रभावी रहे हैं। आदिवासियों के लिए विकल्प की तलाश हमें सहानुभूति और दूरदर्शिता से करना है। प्रयत्न यह करना है कि औद्योगीकरण की प्रक्रिया उनके लिए अप्रिय और विघटनकारी न हो। उनकी कृषि-व्यवस्था का आधुनिकीकरण किया जा सकता है और आनेवाले दशकों में वे वन की उपज के परिष्कर्ता बन सकते हैं। उनके लिए शिक्षा की ऐसी प्रविधि अपनायी जा सकती है जो उन्हें अपनी संस्कृति से विमुख न करे। प्रतिपूरक विभेदीकरण की नीति को हमें आगामी कई दशकों तक चालू रखना होगा, पर धीरे-धीरे हमारे कार्यक्रमों का झुकाव उनकी ओर होना चाहिए, जिनकी जरूरतें सबसे अधिक हैं।

आदिवासी जीवन पर रोमेंटिक ढंग से विचार करना व्यर्थ है, पर हमारे सोच में मानवीय संवेदना और सामाजिक स्रोत अवश्य होना चाहिए। सामाजिक प्रवृत्तियों के तीव्र प्रहार से उनका उत्पीड़न हुआ है और वे विपन्न बन गये हैं। समता के धरातल का सहानुभूतिपूर्वक व्यवहार ही उन्हें भारतीय जीवन का सशक्त अंग बना सकता है। 'हम' और 'वे' की भावना को राष्ट्रीय जीवन में विखंडनकारी शक्ति के रूप में नहीं उभरना चाहिए।

# लोक-कलाओं का भविष्य

समसामयिक समाज में दो विपरीत प्रवृत्तियाँ लक्षित हो रही हैं। एक ओर पृथ्वी की दूरियाँ सिकुड़ रही हैं और मानवजाति 'एक ग्रह, एक मानवता' के आदर्श की ओर बढ़ती दिखायी दे रही है; वेशभूषा, खान-पान, मनोरंजन आदि के क्षेत्रों में परंपरागत सीमाएँ टूट रही हैं और एक नया रुचि-वैविध्य लोकप्रिय होता जा रहा है, जो 'अपने' और 'पराये' के बारे में अधिक चिंतित नहीं है; कलाएँ इस पारस्परिक आदान-प्रदान से अछूती नहीं रही हैं, उनमें पर-संस्कृति प्रभाव व्यापक रूप से देखे जा सकते हैं। दूसरी ओर 'जड़ों की खोज' या 'बुनियाद की तलाश' का उपक्रम बड़े शक्तिशाली ढंग से उभरा है। यह प्रवृत्ति गहराई में जाकर संस्कृति की जड़ों को खोजने तक ही सीमित नहीं रही है, उसका आग्रह समूहों की विशिष्ट परंपराओं और सांस्कृतिक अस्मिता की वापसी की ओर भी है। इस तरह जहाँ एक ओर एकीकृत विश्व-संस्कृति पुष्ट होती दिखायी देती है, तो दूसरी ओर सांस्कृतिक व्यक्तित्व का प्रश्न विभिन्न मानव समुदायों के बीच विभाजन की नयी रेखाएँ खींचता है। पहली प्रवृत्ति विश्वव्यापी प्रबुद्ध तथा बौद्धिक संस्कृति और दूसरी ओर लोकप्रिय (पापुलर) या जन (मास) संस्कृति को जन्म देती और संवर्धित करती है, तो दूसरी प्रवृत्ति भूली-बिसरी और विश्रृंखलित तथा क्षीण होती लोक-परंपराओं को पुनर्जीवित करने का आश्वासन देती है। इन प्रवृत्तियों के टकराव के दूरगामी प्रभाव क्या होंगे, यह कह सकना कठिन है। आनेवाले कल का स्वरूप बहुत कुछ आज अपनायी गयी सांस्कृतिक नीतियों और सांस्कृतिक नियोजन की व्यूहरचना पर निर्भर होगा।

कलाओं के उद्‌भव और विकास का पहला चरण लोकभावना और सामुदायिक चेतना से अनुप्राणित रहा। कला के सृजन और उपभोग दोनों में सामुदायिक भावना स्पष्ट रूप से दिखायी पड़ती थी। समूह मिल-जुलकर गाता और नाचता था। हजारों वर्षों तक सीमित संख्या के अभिप्रायों (मोटिव्स) वाली लोककथाओं ने बच्चों की कई पीढ़ियों का मनोरंजन और ज्ञानवर्द्धन किया। ये लोककथाएँ पूरे समुदाय की होती थीं,

उन पर किसी परिवार अथवा समूह-विशेष का एकाधिकर नहीं होता था। समुदाय के मिथक उसका इतिहास और दर्शन होते थे, लोक-जीवन-दृष्टि इनमें अभिव्यक्ति पाती थी। भित्तिचित्र और साधारण आकृतियाँ समुदाय का कोई भी सदस्य प्रायः समान योग्यता से बना लेता था। सामान्य जीवन में उपयोग में आनेवाली वस्तुओं को भी कलात्मक ढंग से सजाया-सँवारा जाता था। कलाकार और श्रोता अथवा दर्शक का अंतर स्पष्ट नहीं था, दोनों की भूमिकाएँ मिली-जुली होती थीं। एक ही व्यक्ति कभी गायक या नर्तक होता था, तो कभी वह दर्शक बन जाता था। गायन, नृत्य, कहानी कहने अथवा चित्रांकन की क्षमताओं में अंतर अवश्य होता था, किंतु इन क्षेत्रों में विशेषज्ञता विकसित नहीं हुई थी। विभिन्न कला-रूपों के संबंध में समूह के प्रत्येक व्यक्ति को जानकारी होती थी और वे थोड़े-बहुत अंतर से उनमें सहभागी बन सकते थे। सामाजिक संरचना में जटिलता आने के बाद कलाओं में भी विशेषीकरण आरंभ हुआ, किंतु लंबे समय तक उनमें सामूहिकता के तत्त्व बने रहे और थोड़े-बहुत परिवर्तन के साथ आज भी बने हुए हैं।

लोक-कलाएँ जीवन के अंग-प्रत्यंग से जुड़ी रहती थीं। कठिन शारीरिक श्रम के काम संगीत से हलके किये जाते थे। पेड़ काटना, नाव चलाना, बोझ खींचना, चक्की पीसना, आदि किसी-न-किसी प्रकार के संगीत से जुड़े होते थे। हर ऋतु के अपने गीत और नृत्य होते थे। जीवन के संक्रमण काल—जन्म, विवाह, मृत्यु—नृत्य और गायन के अवसर तो होते ही थे, उनसे चित्रांकन, मृद् कलाएँ, काष्ठ शिल्प आदि भी संबद्ध होते थे। आर्थिक क्रियाओं में भी किसी-न-किसी तरह जाने-अनजाने कलाएँ प्रवेश पा जाती थीं। धर्म और जादू-टोने से भी कलाएँ असंपृक्त नहीं होती थीं। सच तो यह है कि धार्मिक क्रियाओं और लोक-कलाओं में सावयवी संबंध था। यह कहना शायद उचित न हो कि शुद्ध सौंदर्यवादी दृष्टि से कलात्मक सृजन होता ही नहीं था, परंतु यह निश्चित रूप से कहा जा सकता है कि कलाओं का उपयोगवादी पक्ष किसी भी दृष्टि से गौण नहीं था। आद्यकला-सृष्टियों के कई रूपों के संबंध में आज हम केवल अनुमान ही कर सकते हैं, उनके व्यवहारवादी पक्षों पर प्रामाणिक टिप्पणी करना संभव नहीं है। अल्जीरियाई सहारा मरुस्थल के मध्य आश्चर्यजनक चित्रकला के नमूने अवशिष्ट हैं, जो कठिन यात्रा के बावजूद हर वर्ष हजारों दर्शकों को अपनी ओर खींचते हैं। आदिमानव ने इन चित्रों की रचना क्यों की ? आज इस प्रश्न का कोई संतोषजनक उत्तर नहीं दिया जा सकता। ये चित्र सौंदर्यबोध को अभिव्यक्ति तो करते ही हैं, पर शायद उनके साथ कोई धार्मिक या आर्थिक कार्य भी जुड़े हों। यही प्रश्न भोपाल के समीप भीमबेटका के चित्रों को देखकर उठता है। आदिमानव ने यूरोप में 'विलेनडार्फ की वीनस' की प्रसिद्ध मूर्ति क्यों गढ़ी ? सिंधु सभ्यता से जुड़ी चित्रकला और मूर्तिकला के पीछे मूल भावना क्या थी ? ये प्रश्न ऐसे हैं जिनका

पूर्णतः विश्वसनीय उत्तर शायद हमें कभी न मिले। इतना अवश्य कहा जा सकता है कि उनमें सौंदर्यदृष्टि तो थी ही, उनका कोई व्यवहारवादी पक्ष भी अवश्य रहा होगा। दैनिक जीवन में उपयोगी कितनी ही वस्तुओं का अलंकरण किया जाता था। परिधान—चाहे वे घास या पत्तों के हों, वल्कल के हों या हथकरघे से बने कपास या रेशम के हों—आकर्षक डिज़ाइन और आकृतियों से अलंकृत होते थे। धनुष-बाण, कुल्हाड़ी, हारपून, बूमरेंग आदि अस्त्र-शस्त्रों में भी नक्काशी और पच्चीकारी की जाती थी। मिट्टी, लकड़ी, पत्थर या धातुओं के बर्तन सजाए-सँवारे जाते थे। प्रशांत महासागर के द्वीपों में नौकाओं को कलात्मक ढंग से बनाया जाता था, मूर्तियाँ और भाँति-भाँति के आकर्षक डिज़ाइन उनके अविभाज्य अंग होते थे। फिर उन्हें कौड़ियों, सीपियों और शंखों से भी सजाया जाता था। धर्म-भावना ने काष्ठ, प्रस्तर और धातु शिल्प को भी प्रेरित किया। अमरीकी इंडियंस के टोटम स्तंभ, सालोमन द्वीप की विशाल और विकराल मूर्तियाँ, अफ्रीका के मुखौटे और अनेक अन्य शिल्प रूप धर्म-भावना के प्रतिनिधि माने जा सकते हैं। कला और जीवन का अंतरावलंबन लोक-कलाओं के आरंभिक रूपों की एक उल्लेखनीय विशेषता है। थोड़े-बहुत परिवर्तन के साथ यह विशेषता आज भी लोक-कलाओं में बनी हुई है। लोक-कलाकार ने अपनी कला को जीवन से काटकर देखने का प्रयत्न नहीं किया, उसकी कला जीवन से जुड़ी कला है। जिंदगी के बदलते आयाम इस दृष्टि में परिवर्तन ला रहे हैं, किंतु लोक-कलाओं का व्यवहारवादी पक्ष अभी भी पूरी तरह विशृंखलित नहीं हुआ।

लोक-कलाओं के विभिन्न रूपों के प्रकार्य भी भिन्न-भिन्न होते थे। गीत, कहानी पहेलियाँ, नृत्य आदि मनोरंजन के प्रमुख साधन थे। अनेक अर्थों में चित्रांकन और मूर्ति-निर्माण द्वारा भी व्यक्ति और समूह अपना मनोरंजन करते थे। उस काल का सांस्कृतिक परिदृश्य ही कुछ ऐसा था कि परंपरागत खेलों और लोक-कलाओं के अलावा मनोरंजन के लिए अन्य कोई विकल्प ही नहीं था। खेलकूद आदि के साथ भी संगीत और नृत्य जुड़े थे। लोक-कलाएँ मनोरंजन के अतिरिक्त अन्य उद्देश्यों को भी पूरा करती थीं। उनके माध्यम से सांस्कृतिक परंपराओं का ज्ञान एक पीढ़ी से दूसरी पीढ़ी तक पहुँचाया जाता था। मिथक और किंवदंतियों के द्वारा श्रोताओं को जातीय इतिहास और सामाजिक मान्यताओं, विश्वासों और रीति-रिवाजों का ज्ञान मिलता था। एक लंबे अर्से तक समाज में अलग शैक्षिक संस्थाओं का अस्तित्व नहीं था। परंपरागत शिक्षा-प्रणाली काफी हद तक लोक-कलाओं पर आश्रित होती थी। इस तरह मनोरंजन, परंपरा-बोध और शिक्षा के मिले-जुले कार्य लोक-कलाओं के माध्यम से किये जाते थे। उन कला-रूपों में समुदाय का जीवन-दर्शन अभिव्यक्ति पाता था और उनमें जीवन की सूक्ष्म व्याख्या अंतर्निहित होती थी। लोक-मानस और लोक-चिंतन के गंभीर पक्षों की सामग्री लोक-कलाओं के विश्लेषण से निकाली जा

सकती है। संस्कृति-विश्लेषण की नयी विधाओं ने इस सामग्री का उपयोग कर जीवनदर्शन, सामाजिक मूल्य, सांस्कृतिक प्राथमिकताओं आदि पर गंभीर शोध किया है, जो संस्कृतियों के बाह्यरूप मात्र को देखकर संभव नहीं होता। ये कलाएँ सौंदर्यबोध की अभिव्यक्ति करती थीं और उनके द्वारा व्यक्तियों और समूहों को सृजनात्मक आनंद भी प्राप्त होता था।

लोक-कला किसी भी अर्थ में अचल या जड़ नहीं होती। विशिष्ट काल-संदर्भों में उसके रूप में परिवर्तन होते रहते थे। लोक-कलाओं की प्रकृति के संदर्भ में यह कहा जा चुका है कि उसके प्रायः प्रत्येक कला-रूप में समुदाय की सहभागिता होती थी। कलाकृति—प्रदर्शनकारी अथवा रूपंकर—किसी व्यक्ति विशेष की रचना न होकर अनेक अर्थों में सामूहिक रचना होती थी। लोक-कविता के साथ उसके रचनाकार का नाम नहीं जुड़ता था। छोटे गीतों की बात अलग है, खंडकाव्य और महाकाव्य के आकार के लोककाव्य में भी रचयिताओं के नाम का कोई उल्लेख नहीं है। लोक-कलाकार चित्रफलकों पर अपने हस्ताक्षर नहीं करता था। लोक-वास्तुशिल्प की महान् कृतियों को भी किसी व्यक्ति-विशेष से नहीं जोड़ा जा सकता। पहले ही कहा जा चुका है कि गीतों और नृत्यों में सभी शरीक होते थे। सहभागिता की यह प्रवृत्ति कला-रूपों में परिवर्तन का कारण बनती थी। सहभागी अपनी ओर से उसमें कुछ-न-कुछ जोड़ते-घटाते रहते थे। नाट्य-रूपों में परिवर्तन-परिवर्द्धन और नवाचारों की प्रवृत्ति विशेष रूप से लक्षित होती थी, क्योंकि उनमें सामयिक समीक्षा भी आ जाती थी। रूपंकर कलाओं में भी समुदाय के प्रयोगों और सुझावों का प्रभाव देखा जा सकता था। मिथक और धार्मिक विश्वासों से जुड़े कला-रूपों में परंपरा का अधिक आदर होता था, किंतु यह मानने का कोई कारण नहीं है कि उनका रूप भी स्थिर और स्थायी होता था। प्रस्तुतकर्ताओं के व्यक्तित्व की छाप उन पर भी पड़ती थी, दो विभिन्न दलों की प्रस्तुतियों में स्पष्ट अंतर देखे जा सकते थे। लोक-कलाओं में एक निरंतरता होती है। उनके स्वरूप के कुछ पक्ष अपेक्षाकृत कम बदलते हैं, पर अन्य पक्षों पर समय का प्रभाव देखा जा सकता है। लोक-कलाकार भी बदलते सामाजिक परिदृश्य के प्रति संवदेनशील होते हैं। यदि कला-विधाओं का बाह्य रूप अपरिवर्तित रहता है तो भी समय उनके अभिप्रायों और अर्थों को प्रभावित करता है। इस तरह विशिष्ट समय-संदर्भों से अलग कर यदि हम लोक-कलाओं को समय प्रवाह से जोड़कर देखें तो हमें उनके बाह्य और आंतरिक गठन तथा अंतर्निहित मूल्यों और अर्थों में स्पष्ट अंतर दिखाई पड़ते हैं। दूसरे शब्दों में लोक-कलाओं के मूल और शुद्ध रूप की खोज एक अर्थहीन प्रयास बन सकता है। जिन कलारूपों में शैलीगत वैशिष्ट्य और स्थायित्व-सा आ जाता है, वे भी पूरी तरह अपरिवर्तनशील नहीं होते। गतिशीलता मानव समाजों की एक अनिवार्य प्रवृत्ति है और मूलतः सामाजिक उत्पादन

होने के नाते लोक-कलाओं का एक भाग विकसित और परिमार्जित होकर शास्त्रीय परंपरा (क्लासिकी कला) की श्रेणी में आ जाता है। लोक-कलाओं के भविष्य के संबंध में विचार करते समय हमें उनकी परिवर्तशीलता की इस प्रवृत्ति को ध्यान में रखना आवश्यक है।

विभिन्न मानव-समाजों की सामाजिक-आर्थिक संरचना में जिस मात्रा में जटिलता और विशेषीकरण के तत्त्व आये, उसी मात्रा में उनकी सामूहिक चेतना भी प्रभावित होती गयी। नगरीकरण और औद्योगीकरण ने सामाजिक जीवन को नये आयाम दिये। इनके कारण समाज में स्तरीकरण बढ़ा और वर्गभेद सशक्त रूप से प्रकट हुए। वैसे ये सामाजिक प्रक्रियाएँ नव-पाषाण युग में कृषि के आरंभ और स्थायी कुटीर उद्योगों की स्थापना के समय से ही शुरू हो गयी थीं। शिक्षा और विज्ञान के विकास और फैलाव ने मानवीय चेतना का विस्तार किया और इनके कारण मानसिकता के स्वरूप में भी क्रमशः अनेक परिवर्तन आये। समाज में नये मूल्यों का उदय हुआ और नयी जीवनदृष्टियाँ स्वीकृति पाती गयीं। इस तरह समाज में एक छोटे प्रबुद्ध वर्ग का प्रादुर्भाव हुआ और इस वर्ग और जनसाधारण के बीच की दूरी बढ़ती गयी। परिष्कृत कलाओं का क्रमशः विकास हुआ। इनमें से कुछ लोक-कलाओं से उपजी थीं, कुछ स्वतंत्र रूप से विकसित हुई थीं। कला-रूपों में विशेषज्ञता भी विकसित हुई और कलाओं का आंशिक अथवा पूर्ण व्यवसायीकरण होने लगा। इस प्रक्रिया में यदि एक ओर शैलीगत वैशिष्ट्य रूढ़ हुआ तो दूसरी ओर नवाचारों और प्रयोगों ने कलाओं को नये मोड़ भी दिये। अलग से पहचानी जा सकनेवाली कलाकारों की एक नयी श्रेणी समाज में उभरी। धर्म और विश्वास की भूमिका में बदलाव आया और कलाओं पर उनका प्रभाव कम हुआ। आर्थिक प्राविधिक क्रांति ने उत्पादन का स्वरूप तो बदला ही, साथ ही उत्पादन से जुड़े परंपरागत मूल्यों को भी अस्त-व्यस्त कर दिया। सामान्य उत्पादन में अंतर्निहित सौंदर्यचेतना क्षीण हुई और उपयोगितावाद ने उसके सृजनात्मक पक्षों पर प्रतिकूल प्रभाव डाला। मनोरंजन के नये रूपों ने जन्म लिया और जनसंचार के माध्यमों के विकास ने सामूहिकता के स्वरूप को नया विस्तार दिया। कला-रूपों और प्रकारों में संघर्ष और सह-अस्तित्व की नयी प्रक्रियाएँ आरंभ हुईं। अंतर-सांस्कृतिक संपर्कों ने दीर्घकालीन परिदृश्य में, आदान-प्रदान द्वारा संस्कृतियों को नये तत्त्व दिये, जिन्हें भिन्न मात्राओं और अलग-अलग रूपों में आत्मसात् किया गया।

आर्थिक-प्राविधिक और सामाजिक उद्‌विकास की स्थितियों ने विभिन्न मानव समाजों को अलग-अलग मात्राओं में प्रभावित किया और उन्हें अलग-अलग दिशाएँ दीं। एक ही समाज के अलग-अलग समुदायों और समूहों के विकास की गति में भी अंतर था। आज भी कुछ समाज ऐसे हैं, जो छोटे-छोटे पारिवारिक झुंडों में खंडित हैं और जिनकी ये इकाइयाँ प्रायः स्वयं-पूर्ण हैं। इसी प्रकार के अन्य पारिवारिक झुंडों से

वे लड़कियों का लेन-देन तो करते हैं, पर उनके अन्य सांस्कृतिक संबंध प्रायः नगण्य होते हैं। संसार के अधिकांश भागों की आदिवासी संस्कृतियों में सामाजिक विकास और गठन का यह आद्य रूप देखा जा सकता है। इस प्रकार के झुंडों के विलयन से एक नये सामाजिक गठन ने जन्म लिया, जिसे 'दल' या 'बैंड' कहा जाता है। दलों के सम्मिलन से जनजातियाँ या 'ट्राइब्स' बनीं, जनजातियों के एकीकरण से राष्ट्र या नेशन बने। सामाजिक उद्विकास की स्थितियों का प्रतिनिधित्व करनेवाले समूह और छोटे-बड़े समुदाय आज भी मिलते हैं। इन सबमें सामूहिक चेतना का प्राधान्य होता है और इनकी संस्कृतियों को लोक-संस्कृति की संज्ञा दी जा सकती है। नव-प्रस्तर युग की प्रविधि एक नयी आर्थिक, सांस्कृतिक और सामाजिक क्रांति की अग्रदूत थी। इसने ग्रामीण समुदायों को जन्म दिया और लोक-संस्कृति को इस काल में नया विस्तार और आयाम मिला। नगरीकरण की प्रक्रिया ने लोक-संस्कृतियों को पूरी तरह विशृंखल और विनष्ट तो नहीं किया, पर उनके स्वरूप और गठन में महत्त्वपूर्ण बदलाव अवश्य आये। नगर और ग्राम-संस्कृतियों का सह-अस्तित्व बना रहा और संसार के कई भागों में इन दोनों में सावयवी संबंध विकसित हुए। कस्बाई और छोटे नगरों की संस्कृति ग्रामीण संस्कृति से बहुत अलग नहीं थी। बड़े नगरों और महानगरों के जीवन में भी लुके-छिपे लोक-संस्कृति के कुछ तत्त्व बने रहे। औद्योगीकरण ने लोक-संस्कृतियों और लोक-कलाओं के सामने एक नयी चुनौती प्रस्तुत की। इसके प्रभाव से लोक-संस्कृतियाँ लुप्त तो नहीं हुईं, पर उन्हें एक नयी उभरती संस्कृति से अपना अनुकूलन करना पड़ा। नये संस्कृतिक प्रतिमानों और कला-रूपों को सहयोग और प्रतिस्पर्धा की स्थिति से निपटकर सह-अस्तित्व की नयी शर्तें स्वीकार करनी पड़ीं। आधुनिकीकरण की आँधी ने लोक-सांस्कृतियों और लोक-कलाओं को बुरी तरह झकझोरा। सामूहिकता के ह्रास, विशेषीकरण के उदय और जीवन के पक्षों के अंतरावलंबन के बदलते स्वरूपों ने लोक-संस्कृति और लोक-कला के प्रकार्यों को ही बदल दिया। मनोरंजन के नये रूप विकसित हुए। सौंदर्यबोध और कलात्मक सृजन ने नयी दिशाएँ अपनायीं, शिक्षा की विषयवस्तु बदली और विशेषीकृत शैक्षिक संस्थाओं ने जन्म लिया। ज्ञान-विज्ञान के सीमांतों का विस्तार हुआ, जिसने आस्था और विश्वासों का मूल्यांकन करने की प्रेरणा दी। जीवन के प्रवाह को भी दिशा और गति मिली, नयी जीवन-दृष्टियां और जीवन-शैलियाँ विकसित होने लगीं। प्रयोग और नवाचार एक नये सम्मान के अधिकारी बने। संक्रमण की यह प्रक्रिया लोक-संस्कृतियों और लोक-कलाओं के अस्तित्व के लिए चुनौती बन सकती थी, किंतु उनकी अदम्य जीवन-शक्ति और अनुकूलन-क्षमता ने उन्हें मौत से बचा लिया। यह सच है कि कुछ लोक-संस्क्रतियाँ विनष्ट हो गयीं और लोक-कलाओं के कुछ रूप लुप्त हो गये, किंतु उनका काफी बड़ा भाग थोड़े-बहुत बदलाव के साथ आज भी जी रहा है। एशिया,

अफ्रीका और लातिनी अमरीका में लोक-संस्कृतियाँ अभी भी सशक्त हैं, यद्यपि औद्योगीकरण और आधुनिकीकरण ने उन पर अपना प्रभाव अवश्य छोड़ा है। पश्चिमी यूरोप और उत्तरी अमरीका में लोक-संस्कृतियों और लोक-कलाओं पर प्रबल प्रहार हुए, किंतु वहाँ भी सांस्कृतिक चेतना अतीत के कुछ तत्त्वों को—कम-से-कम संकेत-चिह्नों के रूपों में—पुनर्जीवित कर रही है। सोवियत यूनियन और अन्य कम्युनिस्ट देशों ने ऐसी सांस्कृतिक नीति अपनायी कि समाजों का आधुनिकीकरण तो हो, किंतु उनकी क्षेत्रीय और लोक-संस्कृतियों का वैशिष्ट्य समाप्त न हो। बदलते जीवन-मूल्यों के संदर्भ में किस सीमा तक लोक-संस्कृतियाँ और लोक-कलाएँ अपनी आत्मा को जीवित रख सकती हैं और अपने स्वरूप को परिवर्तन से बचा सकती हैं, यह एक खुला प्रश्न है।

लोक-संस्कृतियों और लोक-कलाओं के संदर्भ में कुछ पूर्वाग्रह और शुद्धतावादी दृष्टिकोण चौंकानेवाले हैं। कुछ दिन पहले 'मध्यप्रदेश आदिवासी लोककला परिषद्' की बैठक में इस विषय पर अनायास ही लंबी बहस छिड़ गयी, जिसमें कुछ गर्मी भी आ गयी। बैठक में आदिवासी और लोक-कलाओं के कुछ विशेषज्ञ अध्येता थे, कुछ लोक-कलाकार। अधिकांश सदस्य लोक-कलाओं से जुड़े थे, सभी को उनसे गहरा लगाव था, चिंता व्यक्त की गयी कि बस्तर के लोक-कलाकार अब रंग-बिरंगी टीशर्ट और जीन्स पहनने लगे हैं और अपनी परंपरागत वेशभूषा छोड़ते जा रहे हैं। प्लास्टिक की कंघियों के बढ़ते व्यवहार पर दुःख प्रकट किया गया। ट्रांजिस्टर-रेडियो की बढ़ती माँग पर भी आक्रोश व्यक्त किया गया। कुछ ने कहा कि आदिवासी और लोक-कलाकारों को राजधानियों के कार्यक्रमों में शहरी और फिल्मी ढंग से सजाया-सँवारा जाता है। मैं इस बहस में मौन ही रहा, पर दिमाग में बेचैन करनेवाले सवाल उठते रहे। बैठक की अध्यक्षता मध्यप्रदेश के मुख्यमंत्री श्री अर्जुनसिंह कर रहे थे। राजवंश के होते हुए भी वे सामान्य-सी बुश्शर्ट, पैंट और चप्पल पहने थे। पुरानी परंपरा के अनुसार तो उन्हें राजसी वेश-भूषा में होना चाहिए था। मखमली जूते, सोने-चाँदी के कामवाला मोटा रेशमी चोंगा, साफा और हीरे मोतियों और अन्य रत्नों से जड़ित आभूषण कुछ भी तो नहीं पहने थे वे। यदि उनके सिर पर राजमुकुट होता तो शोभा और भी बढ़ जाती। उन्हीं के पास मैं भी बैठा था—ब्राह्मण कुल में जन्मा, पर शिखा-सूत्रविहीन; कुरता, धोती और खड़ाऊँ में नहीं, अर्जुनसिंहजी की तरह ही बुश्शर्ट, पैंट और चप्पल में। बस्तर के आदिवासियों के शर्ट और जीन्स पहनने पर जिन्हें गम था उन्होंने अर्जुनसिंहजी या मेरे परिधान पर कोई चिंता व्यक्त क्यों नहीं की ? क्या आदिवासियों को अपनी रुचि के कपड़े पहनने का अधिकार नहीं है ? संस्कृति की स्वस्थ और विकृत धाराओं से वे भी प्रभावित होते हैं। प्लास्टिक पर्यावरण को कितना ही प्रदूषित करता हो पर उसका उपयोग विश्वव्यापी हो गया

है। प्यार के प्रतीक के रूप में आदिवासी युवक अपनी प्रेमिका को हाथ से बनायी और अलंकृत कंघी दे या प्लास्टिक की, इसका निर्णय हम करें या युवक-युवती की अभिरुचि पर छोड़ दें ? जन-संचार माध्यमों की क्रांति यदि आदिवासी क्षेत्रों को भी स्पर्श करे तो इसमें दुःख या आश्चर्य की बात क्या है ? गंभीर रूप से बीमार आदिवासी को आप प्रभावी आधुनिक औषधि देंगे या उसे सलाह देंगे कि वह जादू-टोने से अपना उपचार करा ले (?) यदि वह नयी औषधि अपना सकता है तो उसे ट्रांजिस्टर-रेडियो भी अपनाने दीजिए। मिजो लोग मॉड वेशभूषा, पाश्चात्य संगीत और नृत्य और वीडियो तक अपनाकर कम मीजो नहीं हो गये हैं। विज्ञान और प्रविधि के तत्त्वों को रोका नहीं जा सकता। फिल्मी ढंग से सजाये आदिवासी कलाकार स्वाभाविक नहीं दिखते, पर यदि वे ही स्वयं इस नयी साज-सज्जा की माँग करते हैं, तो हम उन्हें कब तक और कैसे रोक सकते हैं ? उन्हें समझाया अवश्य जा सकता है कि उनकी परंपरागत वेश-भूषा का अपना विशिष्ट सौंदर्य है। वैसे दिल्ली में मुरिया युवतियों के वक्षों की प्रदर्शनी भी कुछ अच्छी नहीं लगती। स्वयं उन्हें और हमें भी लोक-जीवन में अनिवार्यतः बदलते परिवेश के प्रभाव दिखेंगे। हमें इस पर अधिक चिंता करने का कोई कारण नहीं है। ऐसे कलाकार और उनका समुदाय स्वयं कभी सोचेंगे कि किस सीमा तक बदलाव उचित है और किन स्थितियों में अनुचित है। वैसे कलाओं का शुद्ध रूप क्या है, इसका निर्णय उसके अध्येता भी नहीं कर सकते। हर कला-रूप में परिवर्तन-परिवर्धन होते ही रहे हैं और उसे एक विशिष्ट समय खंड या सांस्कृतिक संदर्भ से जोड़ा नहीं जा सकता। कुछ परिवर्तन स्वतःस्फूर्त होते हैं, कुछ बाह्य प्रभावों से जनित होते हैं। ये दोनों ही लोक-कलाओं को संवर्धित कर सकते हैं। सीमाओं का निर्धारण हमें लोकमानस के विवेक पर छोड़ देना चाहिए। प्रबुद्ध वर्ग का हस्तक्षेप कभी-कभी दुःखदायी और चिंताजनक स्थितियाँ उत्पन्न कर सकता है। लोक-कलाओं को किसी एक स्तर पर 'फ्रीज' नहीं किया जा सकता। ऐसा कर सकने के कोई वैज्ञानिक और विवेकसम्मत मानदंड भी नहीं हैं। यदि हमने यह किया भी तो इसके दूरगामी प्रभाव घातक हो सकते हैं।

लोक-कलाओं का भविष्य क्या है ? इस प्रश्न पर उत्तर पहले तो 'लोक' के बदलते रूप पर निर्भर होगा; दूसरे हमारी सांस्कृतिक नीतियों पर।

आज के सांस्कृतिक मानचित्र को देखिए। आधुनिकीकरण के प्रबल आग्रह के बावजूद जातीय स्मृतियाँ सशक्त ढंग से उभर रही हैं और नयी सांस्कृतिक चेतना परंपरा को विस्मृत करने के पक्ष में नहीं है। समाज का ढाँचा चरमरा रहा है। वैयक्तीकरण ने एक अजीब-सी दिशाहीनता की स्थिति उत्पन्न की है, जिसमें निजी हित व्यापक सामाजिक हितों पर हावी हो गये हैं। जिस वैकल्पिक भविष्य की तलाश हम कर रहे हैं, उसमें मानवसमाज के पुनर्गठन की योजना भी सम्मिलित है। इस नये

समाज का आधार होगा अर्थपूर्ण मानवीय संबंधों की पुनःस्थापना। यदि हमें औद्योगीकरण और महानगरीकरण की विकृतियों से बचना है और अमानवीयकरण के उफान को रोकना है तो हमें उद्योगों का रूप बदलना होगा और साथ ही सामाजिक संबंधों का आधार भी। नयी सामाजिक इकाइयाँ ऐसी होनी चाहिए कि उनमें सामूहिकता और सहभागिता दोनों संभव हों। इसका अर्थ हुआ एक नये प्रकार की लोक-संस्कृति की ओर लौटना। इस संस्कृति में कला की पहुँच निश्चित रूप से विस्तारित होगी। संस्कृति का सृजन और उपयोग दोनों मूलभूत मानवीय अधिकार के रूप में प्रतिष्ठित होंगे।

संस्कृति के प्रश्नों पर सतत सार्थक संवाद आवश्यक है। सांस्कृतिक नीति की बात उठने पर कई विद्वान् और संस्कृतिकर्मी चौंक पड़ते हैं, उन्हें मिरगी के दौरे-से आने लगते हैं, किंतु यदि सामाजिक नीति संभव और आवश्यक है तो सांस्कृतिक नीति की जरूरत को भी नकारा नहीं जा सकता। सांस्कृतिक अराजकता से बचने के लिए दूरदर्शी सांस्कृतिक नीति आवश्यक है। इस नीति के कुछ आयाम होंगे :

1. सांस्कृतिक धरोहर के प्रति सम्मान और आत्मीयता की भावना का विकास।
2. बिना सांस्कृतिक एकरूपता संबंधी दुराग्रह के सांस्कृतिक विविधता को अभिव्यक्ति के समान अवसर।
3. लोक-कलाओं और प्रबुद्ध, परंपरागत और शास्त्रीय कलाओं को समान सम्मान और विकास के समान अवसर।
4. विभिन्न क्षेत्रों और स्तरों की संस्कृतियों के बीच सेतु-निर्माण।
5. जनसंचार के साधनों और पारंपरिक कलाओं के व्यर्थ संघर्ष का अंत और इन साधनों द्वारा लोक और शास्त्रीय कलाओं के प्रचार और प्रसार का योजनाबद्ध प्रयत्न।
6. सांस्कृतिक प्रश्नों और गतिविधियों पर संवाद की सभ्यता का समर्थन, जिसके अंतर्गत सार्थक बहस संभव हो।
7. अर्थहीन अनुकरण और सांस्कृतिक विसंगतियों और विकृतियों पर जनमत जाग्रत करना।
8. संस्कृतिमूलक बीज प्रश्नों को हर प्रकार के भ्रम, उन्माद और वितंडावाद से बचाना। इंडोनेशिया में 'रामायण' और 'महाभारत' की संस्कृति और इस्लाम का सह-अस्तित्व संभव है, मलेशिया ने परंपरा को छोड़कर कुछ खोया ही है ! इस्लामीकरण पाकिस्तान और भारत के मुसलमानों को कौन-सी सांस्कृतिक दिशा देगा ? ईसाई धर्म अपनाकर क्या आदिवासियों को अपने परंपरागत शिल्प और कलाएँ छोड़ना चाहिए ? परंपरा की नींव से असंपर्कित होकर समाज अपनी जीवन-शक्ति का ह्रास करता है या नयी शक्ति पाता है ?

9. संस्कृति की सामर्थ्य द्वारा बुनियादी मानवीय समस्याओं को हल करने का प्रयत्न।
10. आज के विवेकहीन प्रश्नों के पर्यावरण में सृजन और निर्माण की धाराओं को दिशा और शक्ति देना।

यह खुशी की बात है कि आज की सांस्कृतिक बहस इस प्रकार के मुद्दों पर केंद्रित है और सांस्कृतिक नीतियाँ इन चुनौती-भरे प्रश्नों का उत्तर खोजने का प्रयत्न कर रही हैं। अंधानुकरण और उन्माद समस्याएँ भी उत्पन्न कर रहे हैं, पर यह लड़ाई नयी नहीं है।

लोक-कलाओं के भविष्य के संबंध में हमें चिंतित होने की आवश्यकता नहीं है। जातीय भावना का विकास, नयी सांस्कृतिक चेतना का उदय, भविष्य के समाज की उभरती परिकल्पनाएँ और सांस्कृतिक नीति के कई पक्ष हमें आवश्स्त करते हैं कि लोक-संस्कृतियाँ अस्तित्व के संकट का सामना कर सकेंगी। संभावना यही है कि वे पुष्पित, पल्लवित और पुष्ट होंगी। लोक-संस्कृतियों के संस्कृति की मुख्य धारा में विलयन-संबंधी दुराग्रह हमें छोड़ने होंगे। लोक-जगत् में उन्हें दूसरी श्रेणी की नागरिकता देना न केवल लोक-कलाओं के लिए वरन् सामान्य रूप से सभी कलाओं के लिए विघातक सिद्ध होगा। हमें ऐसा दृष्टिकोण अपनाना है जो लोक-कलाओं के विकास और उत्कर्ष का मार्ग भी अवरुद्ध न करे, उन्हें अपनी दिशा खोजने का मौका दे और अपनी गति से आगे बढ़ने दे। गाँव की धरती छोड़कर जब वे महानगरों के मंच पर जायेंगी तब उनका रूप तो बदलेगा ही, सांस्कृतिक आदान-प्रदान भी उन्हें प्रभावित करेगा।

# संस्कृति और सत्ता

संस्कृति और सत्ता के अंतःसंबंधों पर लंबे समय से गंभीर बहस चल रही है। विचारकों का एक सशक्त और मुखर वर्ग संस्कृति की स्वायत्तता का समर्थक है, उसे संस्कृति के क्षेत्र में सत्ता का कोई हस्तक्षेप स्वीकार नहीं। इसके विपरीत ध्रुव पर विचारकों का दूसरा वर्ग है, जो संस्कृति के संबंध में विचार करते समय उन आर्थिक, सामाजिक और राजनीतिक प्रक्रियाओं और शक्तियों को नहीं भूलता जिनके द्वारा अंततः संस्कृति का स्वरूप निर्धारित होता है। नये सामाजिक उद्देश्य, नियोजित आर्थिक बदलाव की दिशा और उनसे संबद्ध राजनीतिक निर्णय अनिवार्यतः संस्कृति को प्रभावित करते हैं और स्वयं संस्कृति से प्रभावित होते हैं। इस तरह सामाजिक शक्तियों से—जिनमें आर्थिक और राजनीतिक शक्तियाँ सन्निहित हैं—संस्कृति असंपृक्त नहीं होती, सामाजिक निर्णय उसमें प्रत्यक्ष या अप्रत्यक्ष रूप से हस्तक्षेप करते ही रहते हैं। वैकल्पिक भविष्य के निर्माण के प्रत्यन और इतिहास की प्रक्रियाओं को नया मोड़ देने का संकल्प समसामयिक मानवीय चेतना का अंग बन गये हैं। दोनों ही संस्कृति-परिवर्तन के व्यापक कार्यक्रम के रूप में अभिव्यक्त होते हैं। यह दृष्टिकोण संस्कृति से क्षेत्र में सार्थक हस्तक्षेप को ऐतिहासिक अनिवार्यता मानता है। तीसरा वर्ग उन विचारकों का है जो न संस्कृति की पूर्ण स्वायत्तता को स्वीकार करते हैं, न राजसत्ता के निरंकुश हस्तक्षेप के अधिकार को। संस्कृति स्वयंपूर्ण और स्वतंत्र इकाई नहीं होती, मानवीय आवश्यकताओं के दबाव उसके स्वरूप को बदलते रहते हैं। सामाजिक और मनोवैज्ञानिक पर्यावरण में होनेवाले परिवर्तन संस्कृति के स्वरूप को नये मोड़ देते हैं, उसके लक्ष्यों और साधनों को पुनः परिभाषित करते हैं। संस्कृति की अंतःप्रक्रियाएँ इन परिवर्तनों के मूल में रहती हैं। इस दृष्टि से संस्कृति के अनेक पक्षों का—जिनमें कला रूप भी शामिल है—न मानकीकरण किया जा सकता, न स्थायीकरण। संस्कृति की परिवर्तनशीलता या गतिशीलता उसकी प्रकृति में है। बाह्य कारक भी संस्कृति को प्रभावित करते हैं। संस्कृति अपने संबंध में सचेत निर्णय लेने

के लिए स्वतंत्र नहीं है। राजनीतिक निर्णय प्रत्यक्ष और अप्रत्यक्ष रूप से उसकी दिशा निर्धारित करते हैं। इस संदर्भ में यह कहना भी जरूरी है कि सत्ता और उसके अधिकारी तंत्र को संस्कृति के संवदेनशील पक्षों पर—विशेषकर उन पहलुओं पर जो सर्जना और कलात्मकता से जुड़े हैं—नियंत्रण और निर्णय के असीमित अधिकार नहीं दिये जा सकते। सत्ता का निरंकुश हस्तेक्षप दीर्घावधि में विघातक हो सकता है, क्योंकि सत्ताधारियों और नौकरशाही के सांस्कृतिक विवेक के साथ कई प्रश्नचिह्न जुड़े हैं। कार्यपरक क्षेत्रों में वृत्तिमूलक नेतृत्व होना चाहिए और इस नेतृत्व के निर्णय की शक्ति को बढ़ावा मिलना चाहिए। आदर्श स्थिति तो वह होगी जिसमें सत्ता और वृत्तिमूलक समूहों में निरंतर संवाद हो और सत्ता स्वयं अपने अधिकार क्षेत्र का परिसीमन करे।

## परिभाषा का प्रश्न

संस्कृति की दो प्रकार की व्याख्याएँ संभव हैं—व्यापक और सीमित। मानवविज्ञान सीखे हुए व्यवहार प्रकारों की समग्रता को संस्कृति की संज्ञा देता है। इसकी परिधि में मानव और प्रकृति, मानव और समाज और मानव और अदृश्य जगत् की शक्तियों के सभी अंतःसंबंध आते हैं। मानव का अंतर्जगत्—विचार, विवेक, व्यक्तिगत मूल्य, ऊर्जा की अभिव्यक्ति—भी संस्कृति का अंग होता है। सुविधा के लिए संस्कृति को अवयवों और पक्षों में विभाजित किया जा सकता है, पर उसके घटक एक-दूसरे से सावयवी रूप से जुड़े होते हैं। उनका अंतरावलंबन संस्कृति को संपूर्णता देता है। संस्कृति के भौतिक पक्ष को उसके विचार पक्ष और क्रिया पक्ष से अलग नहीं किया जा सकता। इसके विपरीत संस्कृति की सीमित व्याख्या उसे ध्यानाकर्षी और विशिष्ट उपलब्धियों से जोड़ती है। इन व्याख्याओं में दार्शनिक चिंतन, वैचारिक उत्कर्ष और कलात्मक अवदानों को प्राथमिकता दी जाती है। दैनिक जीवन से जुड़े संस्कृति के अन्य पक्ष गौण माने जाते हैं। चिंतन, विचार और सृजन अपने-आप में महत्त्वपूर्ण हैं, किंतु उन्हें जीवन और संस्कृति के व्यापक संदर्भों से काटा नहीं जा सकता। इस विराट् पृष्ठभूमि में ही वे संपोषण और अर्थ पाते हैं।

सत्ता के दो पहलू हैं निर्णय और निर्णय का प्रवर्तन। दूसरे शब्दों में सत्ता निर्णय करती है और उनका प्रवर्तन भी। सत्ता के कई धरातल होते हैं। पद और अधिकार ही सत्ता के स्रोत नहीं होते, निर्णय और उनके प्रवर्तन की प्रक्रिया को प्रभावित करनेवाले व्यक्ति और समूह भी उसमें भागीदार होते हैं। कई महत्त्वपूर्ण सांस्कृतिक निर्णय औपचारिक अधिकार तंत्र द्वारा किये जाते हैं, किंतु उनके पीछे परंपरा, बदलते सांस्कृतिक रुझानों और वृत्तिमूलक समूहों की शक्ति और उनके दबाव भी होते हैं।

सांस्कृतिक नीति और राज्य से उसके संबंधों का विश्लेषण करते समय हमें

संस्कृति की व्यापक और सीमित व्याख्याओं और सत्ता की बहुवादी अवधारणा को ध्यान में रखना आवश्यक है।

## हस्तक्षेप के क्षेत्र

संस्कृति के क्षेत्र में सत्ता का हस्तक्षेप प्रत्यक्ष और परोक्ष रूपों में निरंतर होता रहता है। संस्कृति के संरक्षण, संवर्धन और नियंत्रण में राज्य की उल्लेखनीय भूमिका रही है। इन भूमिकाओं से अनेक प्रश्न जुड़े हैं, जिन पर अलग से विचार किया जायेगा, किंतु उसके पहले सामान्य राजनीतिक निर्णयों और सामाजिक क्रियाओं के सांस्कृतिक प्रभावों की संक्षिप्त विवेचना जरूरी है।

राज्य के अनेक निर्णय और उनसे जुड़ी नीतियाँ उस भूमि का स्पर्श नहीं करते, जो संस्कृति की परिसीमित व्याख्या-क्षेत्र में आती है। शिक्षा को एक स्वतंत्र और स्वायत्तताशाली क्षेत्र माना जाता है, पर संस्कृति से उसका गहरा संबंध है। आधुनिक शिक्षा कई तरह से परंपरा के क्षेत्र का अभिक्रमण करती है। शिक्षा नये जीवन-मूल्य देती है, नयी क्षमताएँ देती है और परंपरा के कई पक्षों के पुनर्परीक्षण की प्रेरणा बनती है। शिक्षा का स्वरूप अतीत, वर्तमान और भविष्य के संबंध में हमारा दृष्टिकोण निर्धारित करता है। लोकव्यापी शिक्षा, दीर्घकालिक परिप्रेक्ष्य में, सामाजिक संरचना के स्वरूप और उसकी प्रकृति को बदलती है। शिक्षा का प्रभाव लोक-रुचियों और व्यक्तिगत अभिरुचियों पर भी पड़ता है। स्पष्ट है कि शिक्षा संस्कृति के क्षेत्र में हस्तक्षेप है। आज के समाज में शिक्षा को राज्य का महत्त्वपूर्ण उत्तरदायित्व माना जाता है।

समसामयिक विश्व में, विकास के संदर्भ में, विज्ञान और प्रविधि की अनेक महत्वाकांक्षी योजनाएँ बड़े पैमाने पर प्रवर्तित की जाती हैं। उनसे व्यक्ति और समाज को नयी जीवन-दृष्टि मिलती है, जिससे कालांतर में जीवन के आयाम ही बदल जाते हैं और नयी जीवन-शैलियाँ जन्म लेती हैं। यह भी 'संस्कृति' के क्षेत्र का अभिक्रमण है। वैसे विज्ञान और प्रविधि को संस्कृति का ऐसा अंग भी माना जा सकता है, जिससे समाज की अनुकूलन-क्षमता में वृद्धि होती है और समस्या-समाधान की योग्यता तीक्ष्ण होती है।

जन-संचार के साधन सत्ता से अपने समीकरण स्थापित करते हैं। इनमें कुछ समाचार-पत्र और अन्य नियतकालिक प्रकाशन—अपने लिए समर्थक की भूमिका चुनें या प्रतिपक्ष की, सत्ता की सहायता की आवश्यकता उन्हें भी होती है। उनमें और सत्ता में टकराव की स्थितियाँ आती हैं, पर उनमें निरंतर युद्ध नहीं होता। रेडियो और टेलीविजन जैसे संचार-माध्यमों का कई देशों में सत्ता से सीधा सरोकार होता है। तीसरी दुनिया और समाजवादी देशों में उनका संचालन सरकार द्वारा किया जाता है।

यदि ऐसा न भी हो तो उनकी नीतियों और कार्यक्रमों पर सत्ता का कुछ-न-कुछ नियंत्रण होता ही है। उदाहरण के लिए बी. बी. सी. को जन-संचार माध्यम की स्वतंत्रता के आदर्श के रूप में प्रक्षेपित किया गया है, किंतु उसकी हकीकत भी वह नहीं है जो दुनिया के सामने पेश की जाती है। 1982 में मालविनास-फाकलैंड युद्ध के अवसर पर बी. बी. सी. पर आरोप लगाया गया था कि उसके समाचारों की प्रस्तुति पूर्वग्रहग्रस्त और पक्षपातपूर्ण थी। बी. बी. सी के तत्कालीन अध्यक्ष जार्ज हॉवर्ड ने उस समय अपनी संस्था के बचाव में कहा था कि वे अपने देश और आक्रमणकारी के बीच तटस्थ नहीं हैं, पर वे यह भी नहीं चाहते कि "युद्ध के हताहतों की सूची में 'सत्य' का क्रमांक पहला हो।" उस समय के प्रबंध निदेशक रिचर्ड फ्रेंसिस की प्रतिक्रिया और भी तीखी थी। उन्होंने कहा था, "बी. बी. सी. को देशभक्ति का पाठ सरकार से नहीं सीखना है....पोर्ट्समथ और ब्यूनासऐयर्स की विधवाओं में हमारी दृष्टि में कोई अंतर नहीं है।" ये शब्द शूर-वीरों की भाषा के थे, पर इस प्रसंग में बी. बी. सी. की स्वायत्तता की नींव हिल गयी थी। इसके बाद ही वास्तविक जीवन शृंखला की एक कड़ी 'संविलयन के कगार पर' नामक वृत्तचित्र ने दूसरा संकट उपस्थित किया। उसमें उत्तर आयरलैंड के दो अतिवादियों का चित्रण किया गया था। बी. बी. सी. का मत था कि यह चित्रण संतुलित और निष्पक्ष है, पर प्रधानमंत्री मार्गरेट थैचर अतिवादियों को प्रचार के ओषजन द्वारा जीवनदान करने के पक्ष में नहीं थीं। सरकार के दबाव के कारण नियंत्रक मंडल को यह तय करना पड़ा कि फिल्म अपने असंशोधित रूप में नहीं दिखायी जायेगी। 1987 के आरंभ में 'द सीक्रेट सोसाइटी' नाम की शृंखला पर गहरा विवाद हुआ जिसका अंत बी. बी. सी. के महानिदेशक मिलने के त्यागपत्र से हुआ। यह उदाहरण संचार माध्यम की ऐसी संस्था का है, जिसे अपनी संपादकीय स्वतंत्रता पर गर्व है। जो माध्यम सरकार के सीधे नियंत्रण में हैं उनकी स्थिति और भी स्पष्ट है। सरकार उनके काम में हस्तक्षेप करती है और माध्यम संस्कृति में हस्तक्षेप करते हैं।

जनसंचार के माध्यमों के तीन मुख्य प्रकार्य हैं—मनोरंजन, सूचना और शिक्षा। तीनों संस्कृति को प्रभावित करते हैं। कालांतर में ये माध्यम स्वयं संस्कृति के प्रभावी अंग बन जाते हैं और परंपरा तथा समाज के बीच मध्यस्थता करते हैं।

विकास के कार्यक्रम भी एक तरह से संस्कृति के क्षेत्र में हस्तक्षेप होते हैं। विकास की योजनाएँ समाज के आर्थिक आधार को बदलती हैं और नागरिकों की संस्कृति के उपभोग की क्षमता और उसकी प्रक्रियाओं में सहभागिता की संभावना को विस्तार देती है। जब गरीबी की संस्कृति बदलती है, पूरी संस्कृति का ढाँचा बदलता है। युवा पीढ़ी के प्रति दृष्टिकोण, स्त्री की सामाजिक स्थिति और सामाजिक स्तरण में राज्य की नीतियों द्वारा लाये गये परिवर्तनों के सांस्कृतिक परिणाम महत्त्वपूर्ण होते हैं।

और अधिक उदाहरणों की आवश्यकता नहीं है। यह स्पष्ट है कि राज्य के क्रियाकलाप—सत्ता के निर्णय और उनका प्रवर्तन—व्यापक दृष्टि से परिभाषित संस्कृति के लिए अर्थ रखते हैं। यदि हम संस्कृति की सीमित व्याख्या ही करें तब भी ऐसे निर्णयों का अप्रत्यक्ष प्रभाव उसके उपादानों पर पड़ता है। सत्ता का संस्कृति के क्षेत्र में हस्तक्षेप पूरी तरह रोका नहीं जा सकता, उसकी शर्तों और स्वरूप का नियमन जरूर किया जा सकता है।

## संरक्षण

कई स्थितियों में, सांस्कृतिक संपदा की रक्षा का उत्तरदायित्व राज्य को स्वीकार करना होता है। इस संपदा का सर्वेक्षण और सरंक्षण व्यय और कष्टसाध्य होता है। पुरातत्त्वीय सर्वेक्षण और प्राचीन तथा ऐतिहासिक स्मारकों का रख-रखाव निजी उपक्रमों द्वारा संभव नहीं होता। कभी-कभी तो समस्या इतनी गंभीर और खर्चीली होती है कि ऐसे प्रयत्नों में अंतर्राष्ट्रीय सहभागिता अनिवार्य हो जाती है। उदाहरण के लिए मिस्र के अस्वान बाँध की डूब में आनेवाले आबू सिंबल के स्मारक, इंडोनेशिया में पानी के रिसाव से संकटापन्न बोरोबुदर का बौद्ध मंदिर और प्रकृति के तत्त्वों और युद्ध का खतरा उठाता कंबोडिया (कंपूचिया) का अंगोरवाट राज्य के सीमित साधनों द्वारा नहीं बचाये जा सकते थे। युनेस्को के तत्त्वावधान में इनकी रक्षा के प्रयत्न अंतर्राष्ट्रीय तकनीकी सहयोग और वित्तीय सहायता से किये गये। प्राचीन मूर्तिकला और चित्रकला तथा स्थापत्य की रक्षा की जिम्मेदारी अंततः राज्य की होती है। उनके संग्रहालयों का निर्माण और प्रबंधन राज्य को करना होता है। दुर्लभ और विनष्ट होते कला-रूपों के संरक्षण में भी राज्य की अहम भूमिका है।

राष्ट्रीय सांस्कृतिक संपदा की रक्षा के योजनाबद्ध प्रयत्न आवश्यक हैं। इसके लिए दूरगामी और कल्पनाशील नीतियाँ विशेषज्ञों के सहयोग से ही बनायी जा सकती हैं। यह उत्तरदायित्व सत्ताधीशों और नौकरशाहों पर छोड़ना अपर्याप्त होगा। साथ ही जागरूक जनमत की इस क्षेत्र में सचेतक की महत्त्वपूर्ण भूमिका है।

## अभिवृद्धि

संस्कृति की अनेक श्रेष्ठ उपलब्धियाँ राजाश्रय के कारण संभव हुई हैं। इस क्षेत्र में यूरोप में चर्च ने महत्त्वपूर्ण योगदान किया, भारत में मंदिरों ने। दोनों को राज्य का समर्थन प्राप्त था। इस्लामी संस्कृति के उत्कृष्ट सर्जन में भी धर्म और सत्ता का सहयोग था। जैन और बौद्ध स्थापत्य मूर्तिकला और चित्रकला की पृष्ठभूमि में यही शक्ति थी। आज के बदले हुए परिवेश में सत्ता की भूमिका गौण नहीं हुई।

भारत में संस्कृति की अभिवृद्धि के लिए पहले केंद्र और राज्य-स्तर पर अनेक

अकादमियों की स्थापना की गयी। ये स्वायत्तशासी संस्थाएँ थीं और वृत्तिमूलक समूहों के सहयोग से चलायी जाती थीं। इन संस्थानों ने कुछ उपयोगी समन्वेषी कार्य किये, कई पुरस्कारों की स्थापना की और प्रकाशनों तथा परिचर्चाओं द्वारा अपने कार्यक्षेत्र का विस्तार किया। फिर भी बात कुछ बनी नहीं। इनमें से अधिकांश संस्थाएँ अपनी आंतरिक राजनीति में उलझ गयीं। शासकीय दबावों और संबद्ध व्यक्तियों की गुटबंदी ने उनकी शक्ति क्षीण कर दी और वे अपनी विश्वसनीयता खो बैठीं। पुस्तकों के प्रचार-प्रसार के लिए 'नेशनल बुक ट्रस्ट' की स्थापना की गयी। यह संस्था आरंभ से ही गतिरोध का शिकार हो गयी। उसके लक्ष्य स्पष्ट नहीं थे और योजनाएँ अव्यावहारिक थीं। राज्य ने फिल्मों में रुचि लेना भी आरंभ किया। भारत में फिल्मों के अंतर्राष्ट्रीय समारोह आयोजित किये जाने लगे, पर उनका उद्देश्य भी स्पष्ट नहीं था। फिल्म पुरस्कार स्थापित हुए और कलात्मक तथा सामाजिक उद्देश्यों से प्रेरित फिल्मों के निर्माण के लिए वित्तीय सहायता दी जाने लगी। पुरस्कारों से फिल्मों और उनसे संबद्ध लोगों को थोड़ी बहुत ख्याति तो मिली, पर दर्शकों की संख्या में आशातीत वृद्धि नहीं हुई। प्रदर्शन-गृहों और दर्शकों की कमी के कारण अच्छी फिल्में सिर्फ समारोहों में दिखायी गयीं। 'सांस्कृतिक संबंधों की भारतीय परिषद्' ने देश-विदेश में नृत्य और संगीत के कार्यक्रम आयोजित करना आरंभ किया। भारतीय मूल के लोग जिन देशों में काफी संख्या में थे, वहाँ भारतीय संस्कृति के केंद्र स्थापित किये गये।

पिछले कुछ वर्षों में भारत की सांस्कृतिक चेतना ने बड़ा आक्रामक रूप अपनाया है। इंग्लैंड, फ्रांस, अमेरिका और सोवियत संघ में बड़े पैमाने पर भारतीय संस्कृति महोत्सव आयोजित किये गये। इनमें शास्त्रीय कलाओं के साथ परंपरागत लोक-कलाओं को भी स्थान मिला। इन महोत्सवों की लागत और उनके लाभ का लेखा-जोखा अभी तक नहीं किया गया है। आलोचकों ने पूछा—भारतीय संस्कृति के महोत्सव भारत के बाहर क्यों ? मानो इसी प्रश्न के उत्तर में देश की राजधानी में विशाल 'अपना उत्सव' किया गया, जो अपनी परिकल्पना में संस्कृति का महाकुंभ था। इस समारोह का मूल्यांकन भी अभी नहीं हुआ, पर उससे उपजे प्रश्न उत्तर की तलाश कर रहे हैं।

संस्कृति के इस विस्फोट के साथ अनेक नयी सांस्कृतिक संस्थाओं का उदय हुआ। भोपाल में, मध्यप्रदेश सरकार की पहल और केंद्रीय समर्थन से 'भारत भवन' बन चुका था। गुणवत्ता के विकास पर केंद्रित इस संस्था ने अपने कुछ ही वर्षों के जीवन में राष्ट्रीय और अंतर्राष्ट्रीय ख्याति पायी और कई बार वह विवादों से घिर गयी। विवाद के कुछ बिंदु ऐसे थे जिनका उत्तर उसकी मूल परिकल्पना में ही दिया जा चुका था। पहली शिकायत यह रही है कि संस्था के कार्यक्रमों में मध्यप्रदेश की

उपेक्षा हुई है। विवाद का दूसरा कारण रही है उन नामों की सूची जो संस्था और उसके कार्यक्रमों से जुड़े रहे हैं। 'भारत भवन' की नींव प्रादेशिक संस्था के रूप में नहीं डाली गयी थी, आरंभ से उसका धरातल राष्ट्रीय था। मध्यप्रदेश के सांस्कृतिक हितों का ध्यान रखने के लिए 'साहित्य परिषद्', 'कला परिषद्' और 'आदिवासी लोक-कला परिषद्' की स्थापना अलग से की गयी थी। उर्दू, हिंदी और संस्कृत के उन्नयन के लिए भी अलग संस्थाएँ बनायी गयी थीं। उसके राष्ट्रीय चरित्र की आलोचना का कोई औचित्य नहीं है। किसे कब और क्यों बुलाया गया, ऐसे प्रश्न हैं जिनके समाधानकारक उत्तर संभव नहीं हैं। संस्था सक्रिय रही है और उसे सृजनधर्मी व्यक्तियों का व्यापक सहयोग मिला है। यह संभव है कि उसने कुछ अच्छे लोगों का सहयोग न माँगा हो या वे स्वयं उससे दूर रहे हों। वैसे भी सबको खुश रखना कठिन काम है और ऐसा करने का प्रयत्न संस्था को आकृतिहीन बना सकता है। तीसरे, व्यक्तिगत त्रासदियाँ भी 'भारत भवन' की भर्त्सना का कारण बनीं, हालाँकि संस्था उनके लिए उत्तरदायी नहीं थीं। निश्चय ही 'भारत भवन' अभिजात रुझान की संस्था है, उसकी प्रवृत्तियाँ जनोन्मुख नहीं हैं। क्या संस्कृति के उन पक्षों की उपेक्षा की जा सकती थी जिन पर संस्था ने अपना विशेष ध्यान केंद्रित किया है ? यह भी सच है कि उसकी उपलब्धियों का उपभोग करनेवाले लोगों की संख्या अभी सीमित है, पर विचार और प्रयोग के क्षेत्रों में उसके कुछ नवाचार दीर्घजीवी होंगे और उनका व्यापक प्रभाव होगा। संस्था आलोचना से परे नहीं है, पर उसके घोषित उद्देश्य—गुणवत्ता का उत्कर्ष—के आधार पर भी उसकी उपलब्धियों का आकलन होना चाहिए।

'अपना उत्सव' के साथ-साथ और उसके बाद देश भर में अनेक सांस्कृतिक केंद्रों की स्थापना हुई। इनका उद्देश्य भी स्पष्ट नहीं है, यद्यपि आयोजनों और प्रदर्शनों द्वारा वे शास्त्रीय और लोक-कलाकारों की पहुँच बढ़ा रहे हैं और दर्शकों-श्रोताओं को संस्कृति के आस्वाद का अवसर दे रहे हैं। यह भी साफ नहीं है कि केंद्र और राज्य-स्तरीय सांस्कृतिक संस्थाओं से इन केंद्रों के क्या संबंध होंगे।

ऐसा प्रतीत होता है कि देश में संस्कृति से जुड़े पुरस्कारों और सम्मानों की बाढ़ आ गयी है। पहले पुरस्कारों की संख्या कम थी, उनकी राशि छोटी थी, पर उनका सम्मान था। संख्या-स्फीति के बाद उनका अवमूल्यन हुआ है। ज्ञानपीठ पुरस्कार के समकक्ष संस्कृति के अलग-अलग क्षेत्रों में कई बड़े-बड़े पुरस्कार स्थापित हो गये हैं। अपेक्षाकृत छोटे पुरस्कारों की संख्या तो हजारों में चली गयी है। कोई भी पुरस्कार या सम्मान पूरी तरह विवादमुक्त नहीं होता, पर इनमें से कुछ ने अपनी विश्वसनीयता कायम की है। यह भी सच है कि पुरस्कारों की राजनीति ने गंदगी फैलायी है और कई पुरस्कृत कृतियाँ या व्यक्ति गुणवत्ता की कसौटी पर खरे नहीं उतरते। कहा नहीं ज़ा सकता कि इन पुरस्कारों से संस्कृति की अभिवृद्धि कितनी हुई है और उनसे

कितनी अवसरवादिता पनपी है।

शासन द्वारा नियंत्रित जनसंचार के साधन भी संस्कृति के उन्नयन में क्रियाशील हैं। रेडियों ने वर्षों से शास्त्रीय और लोक-कलाओं को प्रोत्साहन दिया है, हालाँकि कला का लोकप्रिय रूप उस पर हावी रहा है। यही काम टेलीविज़न अधिक प्रभावी ढंग से कर रहा है, पर उसकी भी सीमाएँ हैं। दर्शकों के बहुस्तरीय चरित्र के कारण उसे सभी रुचियों का ध्यान रखना पड़ता है। सांस्कृतिक तत्त्वों का चुनाव बड़ा जोखिम भरा काम है, जिसके परिणाम घातक हो सकते हैं। नया माध्यम होने के कारण टी. वी. की आकृति रूढ़ नहीं हुई। उसे अप-संस्कृति का माध्यम बनने से बचाया जा सकता है।

## नियंत्रण

संस्कृति के क्षेत्रों में सत्ता द्वारा नियंत्रण की सीमा हमेशा विवादास्पद रही है। सुरुचि और कुरुचि की परिभाषाएँ अधिनियमों द्वारा निर्धारित नहीं की जा सकतीं। श्लील और अश्लील की विभाजन-रेखा सदा ही क्षीण रही है। गुणवत्ता शासन के आदेश से प्रोत्साहित नहीं की जा सकती। शासन का निर्णय समय का निर्णय नहीं होता।

देशकाल के सदंर्भ में उचित और अनुचित की परिभाषा का आधार सांस्कृतिक होता है। कई पश्चिमी समाजों और अमेरिका में सामान्य और अप्राकृतिक यौन संबंधों की 'ब्लू फिल्में' वयस्कों को दिखायी जा सकती हैं। दक्षिण-पूर्व एशिया के कुछ देशों में भी इस प्रवृत्ति का अनुकरण हो रहा है। वहाँ स्पष्ट सेक्स अन्य वयस्क फिल्मों में स्वीकृत है। भारत में यह संभव नहीं है। कथानक और कला की आवश्यकता ही यह निशिचित करेगी कि शरीर का कितना प्रदर्शन हो और शारीरिक क्रियाएँ किस सीमा तक दिखायी जायें। अपराध और सशक्त मादक पदार्थों के सेवन को बढ़ावा देनेवाली फिल्मों पर भी अंकुश जरूरी है। अपरिपक्व मस्तिष्कों को भटकानेवाले दृश्यों को जन-संचार के माध्यमों से दूर रखने में ही बुद्धिमत्ता है। इस संबंध में दृष्टिकोण धीरे-धीरे बदल रहा है, परंतु कुत्सित चित्रण सदा नियंत्रण की परिधि में रहना चाहिए।

साहित्य और रूपंकर कलाओं के मानदंड दूसरे हैं। इनका प्रभाव-क्षेत्र अपेक्षाकृत सीमित होने के कारण इनमें अभिव्यक्ति की अधिक स्वतंत्रता संभव है। यहाँ भी कुत्सित, जुगुप्सा पैदा करनेवाले, धार्मिक-क्षेत्रीय-भाषाई द्वेष फैलानेवाले और अपराधवृत्ति को बढ़ावा देनेवाले प्रसंगों का परिसीमन आवश्यक है।

सामाजिक आवश्यकताओं का दबाव और अनपेक्षित परिणामों का पूर्वानुमान हमारा दिशानिर्देश कर सकते हैं। सत्ता को निरंकुश नियंत्रण से बचना चाहिए।

## संस्कृति की राजनीति

राजनीति द्वारा संस्कृति के उपादानों और प्रतीकों का उपयोग लंबे समय से होता आया है। ये समर्थन जुटाने और राजनीतिक उपयोग के लिए समुदाय को समाकलित करने में उपयोगी सिद्ध हुए हैं। संस्कृति के साथ, स्थिति के अनुसार, जातीयता, क्षेत्रीयता, धर्म और भाषा के प्रश्न भी जोड़ दिये जाते हैं। राजनीति की व्यूह-रचना में संस्कृति का खुलकर उपयोग किया गया है, कभी शुद्ध सांस्कृतिक उद्देश्यों के लिए, कभी राजनीतिक लाभ—सत्ता की प्राप्ति—के उद्देश्य से। अधिकांशतः दोनों प्रकार के उद्देश्य मिश्रित होते हैं।

संस्कृति की रक्षा और संवर्धन, संस्कृति का पुनरुत्थान और उसकी जीवनी शक्ति की अभिवृद्धि, परंपरा की ओर प्रत्यावर्तन और परंपरा का पुनर्मूल्यन आदि संस्कृति की राजनीति के मुख्य आधार रहे हैं। इनका उपयोग एकीकरण की राजनीति के लिए किया गया है और विघटन की राजनीति के लिए भी। परिवर्तन की राजनीति भी अपने निहितार्थ में संस्कृति की राजनीति है। इस राजनीति के साथ परंपरा के पुनर्मूल्यांकन और विकल्पों की तलाश के प्रश्न जुड़े हैं। परंपरा और परिवर्तन के विपरीत आकर्षणों में सामंजस्य स्थापित करना सत्ता के सम्मुख निर्णय का बीज-प्रश्न होता है, क्योंकि समाज के लिए दोनों की आवश्यकता है।

पिछले दशक में संस्कृति के क्षेत्र में सत्ता की क्रियाशीलता बहुत बढ़ी है। सत्ता से जुड़े कुछ केंद्रीय व्यक्तित्वों ने इस दिशा में न केवल रुचि दिखायी, वरन् उदार आर्थिक समर्थन से संस्कृति-संबंधी योजनाओं का क्रियान्वयन संभव बनाया। इनमें से कुछ को प्रतिबद्ध संस्कृतिकर्मियों का सहयोग मिला, जिनकी उपलब्धियाँ विवादास्पद होने के बावजूद प्रभावशाली थीं। विवादों का न होना आश्चर्य का विषय होता, क्योंकि एक ओर सरकार के अनुदान से चलनेवाली संस्थाओं में दखल देना राजनीति से जुड़ा हर छोटा-बड़ा व्यक्ति अपना जन्मसिद्ध अधिकार मानता है तो दूसरी ओर साहित्य और रूपंकर प्रदर्शनकारी कलाओं में सक्रिय लोग अपनी अतिसंवदेनशीलता और पल-पल बदलते तेवर और अदाओं के लिए मशहूर हैं। कुछ अपवादों को छोड़ दें तो जोड़-तोड़ और साँठ-गाँठ की राजनीति भी इन्हें खूब आती है। सफल प्रयोगों के अनुकरण एक के बाद एक बहुत हुए, क्योंकि संस्कृति का उन्नयन एक संक्रामक रोग की तरह फैल गया। कई संगठन और राज्यों में यह कल्पनाहीन नित्यकर्म बन गया। गद्दियों पर बैठे लोगों ने संस्कृति को आश्रयदान का साधन बनाया। इससे उनकी छवि बनी, प्रशंसा भी मिली। कई सांस्कृतिक संस्थाओं का नेतृत्व संदिग्ध योग्यता के अविश्वसनीय व्यक्तियों के हाथ में पहुँच गया। संस्कृति के लिए उपलब्ध साधनों की बंदर-बाँट 'अपने लोगों' में होने लगी। कार्यक्रमों और पुरस्कारों के लिए चयन में

गुणवत्ता को पीछे धकेलकर चाटुकारिता और गुटबंदी आगे आयीं। संस्कृति-सामंतों, उनके मनसबदारों और बिचौलियों ने पर्यावरण को प्रदूषित कर दिया।

विदेश में होनेवाले महोत्सवों के उद्देश्य अस्पष्ट थे, उनमें की गयी प्रस्तुतियों के चयन में तार्किक आधार और सुसंगति की कमी थी। वे चकाचौंध उत्पन्न करने में तो समर्थ थे, पर उनमें विदेशों में भारत की छवि स्थायी रूप से बदलने की क्षमता नहीं थी। उल्काओं की तरह संस्कृति के नये ज़ार और ज़ारीना कुछ समय तक अपनी चमक दिखाकर लुप्त हो गये। प्रदर्शन के कुछ हिस्से चमत्कृत करनेवाले थे, किंतु उनके अभिप्राय के संबंध में अधिकांश दर्शकों में विभ्रांति रही।

देश में हुए उत्सवों और समारोहों से संस्कृति राष्ट्रीय मंच के केंद्र में अवश्य आंयी, किंतु यह कह सकना कठिन है कि उससे सांस्कृतिक चेतना का विस्तार कितना हुआ। यह भी नहीं कहा जा सकता कि राष्ट्रीय ऊर्जा विघटन की योजनाओं से हटकर संस्कृति के रचनात्मक कार्यक्रमों पर केंद्रित हो गयी। निश्चित है कि ये रंग-बिरंगे कार्यक्रम बहुत समय तक जनता का ध्यान गरीबी, बेरोजगारी, अशिक्षा, सार्वजनिक स्वास्थ्य के स्तर आदि से नहीं हटा सकेंगे। संस्कृति भी एक आधारभूत आवश्यकता है, पर वह रोटी और आश्रय के पहले नहीं आती।

## प्रदर्शन से जुड़े प्रश्न

भारत की सांस्कृतिक धरोधर के प्रदर्शन के विराट् उपक्रम कई आशंकाएँ और प्रश्न उत्पन्न करते हैं।

यह स्वीकार किया जा चुका है कि भारत उत्सवों में विदेशों में भेजी गयी उत्कृष्ट मूर्तियों में से कई क्षत-विक्षत हालात में वापस आयीं। इनमें दीदारगंज की यक्षी की प्रसिद्ध मूर्ति भी है। क्या हम अपनी प्रदर्शनप्रियता के उत्साह में अपनी अनमोल कलानिधियों की बलि देने को तैयार हैं ? सचेतन विशेषज्ञों ने चेतावनी दी है कि कला की अप्रतिम उपलब्धियों को देश के बाहर नहीं भेजना चाहिए। इनकी सूची में हरिदास स्वाली, सदाशिव गोरक्षकर और देवांगना देसाई जैसे विद्वानों के नाम हैं। इस विषय पर नीति कब निर्धारित होगी ? और किसके द्वारा ?

दूसरा प्रश्न है : प्रदर्शन के लिए विधाओं, कलाकारों और कलाकृतियों के चुनाव का आधार क्या है ? क्या वे अपनी उत्कृष्टता और प्रतिनिधि चरित्र के लिए चुनी जाती हैं ? या विदेशों में उनके लोकप्रिय होने के पूर्वानुमान पर ? उनका चुनाव कौन करता है ? क्या एक छोटी-सी चुनाव समिति सभी विधाओं, कलाकारों और कृतियों से चुनाव की योग्यता रखती है ?

तीसरा प्रश्न है : क्या हमने गंभीर विचार किया है कि कलाकारों पर, विशेषकर लोक-कलाकारों पर, विदेश-यात्राओं का और देश के कला-केंद्रों की बार-बार की

यात्राओं का क्या प्रभाव पड़ता है ? उनमें अनुकरण और मिश्रण की प्रवृत्ति बढ़ सकती है। इसका अपने-आप में त्रासद होना अनिवार्य नहीं है, किंतु हमें इस खतरे का भी ध्यान रखना चाहिए कि कई कलारूप अपनी परंपरागत शुद्धता खो बैठेंगे और अनेक प्रभावों की बेमेल खिचड़ी बन जायेंगे।

आखिरी प्रश्न विशेष रूप से आदिवासी और लोक-कलाओं से संबंधित है। चित्रकला, मूर्तिकला, संगीत और थियेटर स्वतंत्र रूप से प्रस्तुत किये जा सकते हैं, किंतु लोक-कलाएँ जीवन के व्यापक संदर्भों से जुड़ी होती हैं और समग्र संस्कृति की पृष्ठभूमि में अर्थ पाती हैं। प्रदर्शनकारी कलाओं के रूप में उनकी प्रस्तुति उनका अर्थ ही बदल देती है। उनके परंपरागत विस्तार का प्रदर्शन की सीमाओं में संक्षिप्तीकरण उनके रूप को विकृत करता है। उन्हें प्रदर्शन योग्य बनाने के प्रयत्न, जिसका प्रबल मोह अधकचरे संस्कृति ज्ञानवाले मध्यस्तर के प्रशासक संस्कृतिकर्मियों में होता है, कभी-कभी उन्हें हास्यास्पद बना देते हैं।

इन प्रश्नों के उत्तर मिलने शेष हैं। सत्ता समाधानकारक उत्तर दे सकने में असमर्थ है।

## सांस्कृतिक नीति की ओर

वैकासिक कार्यक्रमों में संस्कृति की उपेक्षा के परिणाम अब स्पष्ट होते जा रहे हैं। सांस्कृतिक कारकों से यदि कुछ योजनाओं को सहायता मिली है तो उनकी अवहेलना से अनेक उपक्रम निष्प्रभावी हो गये हैं। अर्थशास्त्री भी अब यह स्वीकार करने लगे हैं कि आर्थिक-प्राविधिक नियोजन और सांस्कृतिक नियोजन में सामंजस्य और तालमेल जरूरी है। व्यापक सांस्कृतिक नीति की आवश्यकता अब तर्कों का समर्थन नहीं चाहती, वह बहुस्वीकृत हो चुकी है। साथ ही इस सत्य को रेखांकित करना भी आवश्यक है कि संस्कृति का विकास नीति के घेरे में अवरुद्ध नहीं किया जा सकता, संस्कृति की अंतःप्रतिक्रियाएँ उसकी गति और दिशा को निर्धारित करती हैं। नीति दिशासूचक हो सकती है, कार्यक्रम की विशद रूपरेखा नहीं। सांस्कृतिक नीति आदेशात्मक रुख नहीं अपना सकती। इसके अंतर्गत सभी कार्यक्रम समयबद्ध भी नहीं हो सकते, क्योंकि संस्कृति के अनेक पक्ष असंलक्ष्य होते हैं और परिणामों की नियति के संबंध में पूर्वज्ञान असंभव प्राय है।

सांस्कृतिक नीति के मुख्य तत्त्व क्या हों ? यहाँ उसके कतिपय प्रमुख बिंदुओं का स्पर्श मात्र ही किया जा सकता है।

सांस्कृतिक नीति का बहुआयामी होना ही उसे नीति का सच्चा अर्थ देगा। विज्ञान और प्रविधि भी संस्कृति के अंग हैं। समसामयिक संदर्भ में उनकी उपेक्षा नहीं की जा सकती। इसी तरह कलाओं को विलास की वस्तु नहीं माना जा सकता।

सांस्कृतिक नीति में विज्ञान की संस्कृति और कला की संस्कृति का कल्पनाशील अंतर्ग्रंथन स्थिति की अनिवार्यता है। उसे परिवर्तन और विकास की नीतियों से जोड़ना उसे नये अर्थ देगा।

संस्कृति के क्षेत्र में सत्ता का बढ़ता वर्चस्व अनेक आशंकाओं को जन्म देता है। राज्य की भूमिका महत्त्वपूर्ण है, किंतु केंद्रीकरण और एकाधिकार की प्रवृत्ति एक नये सांस्कृतिक सामंतवाद को जन्म दे सकती है। ऐसा न हो कि स्वैच्छिक संगठन अशक्त होकर कुंठाग्रस्त हो जायें। सत्ता से जुड़े और स्वैच्छिक संगठनों में सहयोगी संबंधों का विकास सांस्कृतिक नीति का एक लक्ष्य होना चाहिए।

सांस्कृतिक नीति का एक प्रयोजन यह भी हो कि संस्कृति की पहुँच बढ़े। कलाएँ एक सीमित अभिजात और प्रबुद्ध वर्ग के संकुचित विशेषाधिकार न बन जायें। यह तभी संभव होगा जब सांस्कृतिक नीति कला की समझ बढ़ाने के लिए आवश्यक प्रयत्न और नवाचार करेगी। कला की पहुँच बढ़ाने के लिए साधनों और सुविधाओं का विस्तार भी करना होगा।

परंपरा का मोह संस्कृति की स्वतःस्फूर्त स्वाभाविक धारा को अवरुद्ध कर सकता है। परंपरा का मूल्यांकन भी सांस्कृतिक नीति का आवश्यक अंग होना चाहिए। प्रयोग के प्रति संस्कृति के नियामकों का दृष्टिकोण यदि सहिष्णु और संवेदनशील नहीं हुआ तो संस्कृति में रुग्ण जड़ता आ सकती है। शास्त्रीय शुद्धता एक सीमा तक अपेक्षित है, परंतु असहमति, विरोध और विद्रोह की सर्जनात्मक भूमिका भी संस्कृति के उन्नयन में कम महत्त्व की नहीं रही है। सांस्कृतिक नीति इस लक्ष्य को भूल नहीं सकती।

संस्कृति की गतिशीलता के लिए प्रयत्नों का सहयोग और समायोजन आवश्यक है। साथ ही विरोधी विचारधाराओं में निरंतर संवाद भी उसकी एक शर्त है। सांस्कृतिक नीति को इन तत्त्वों को अपनी परिधि में उचित स्थान देना होगा।

अपसंस्कृतियों का उदय मानवीय अस्मिता और मूल्यों को चुनौती है। उसके विरुद्ध सप्रयोजन युद्ध का सांस्कृतिक नीति में समावेश होना ही चाहिए।

सत्ता को संस्कृति से अलग नहीं रखा जा सकता, प्रयत्न यह होना चाहिए कि वह अपने हस्तक्षेप की मर्यादाएँ स्वयं निर्धारित करे और उनका सम्मान करे। सजग जनमत संस्कृति के स्वस्थ और स्वतंत्र विकास का अनिवार्य आधार है।

# यह विष का लावा कहाँ से फूटा ?

भारत। बीसवीं सदी के आठवें दशक का अंतिम चरण। पर्यावरण में प्रदूषण की अंतहीन परतें। बढ़ती हिंसा के गहरे स्याह कुहरे में सदियों के प्रयत्न से विकसित देश की आत्मछवि धूमिल, अदृश्य-प्राय।

क्या यह वही देश है जिसके दर्शन ने व्यक्तिमात्र को ब्रह्म का प्रतिरूप माना था? वह देश, जहाँ नारी शक्ति मानी जाती थी और जिसकी पूजा को एक सामाजिक आदर्श बनाया गया था ? क्या यह वही देश है जहाँ वर्द्धमान महावीर ने जीव-दया का सिद्धांत प्रतिपादित किया था और अहिंसा को परम धर्म के रूप में प्रतिष्ठित किया था ? वह देश, जिसमें गौतम बुद्ध का महाकरुणा का सिद्धांत जन्मा और पल्लवित-पुष्पित हुआ था ? क्या यह वही देश है जहाँ के दरिद्र समुदाय में गांधी ने नारायण के दर्शन किये थे ? आज तो सब कुछ बदला-बदला नजर आता है, पुराना कुछ पहचाना ही नहीं जाता। हिंसा मनोरंजन बन गयी है, क्रूरता उसका अलंकरण। ब्रह्म को ब्रह्म क्षत-विक्षत कर रहा है, खा रहा है। नारी के प्रति आदर छेड़-छाड़ में अभिव्यक्त होता है, उसका चरम है बलात्कार। कम दहेज को निमित्त बनाकर कितनी स्त्रियाँ रुलाई जाती हैं, जलायी जाती हैं ? यही है नारी का सम्मान, उसकी पूजा ? हिंसा के बढ़ते ज्वार ने जीवदया और करुणा के प्रकाश-स्तंभों को ध्वस्त कर दिया है। हिंसा को अब धर्म का बहाना नहीं चाहिए, परंपरा का सहारा भी नहीं। यह नंगी, क्रूर हिंसा का युग है, जो सामाजिक नैतिकता का मुहावरा बदल रही है। दरिद्रता अभिशाप थी, आज भी है; शोषण के साथ उत्पीड़न के नये आयाम उसके साथ जुड़ गये हैं। आबाद बस्तियाँ उजड़ती हैं, उजड़ें। वहाँ गरीब रहते हैं। हरिजन जलाये जाते हैं, उनका अंग-विच्छेद किया जाता है, उनकी निर्मम हत्या की जाती है। ठीक है, सब चलता है। गांधी ने इन अछूतों का दिमाग खराब कर दिया था।

बात यहीं खत्म नहीं होगी। यह जंगल की आग है, कल इसकी लपटें समाज के दूसरे अंगों को भी अपनी लपेट में ले लेंगी। यह झूठे संतोष का समय भी नहीं है,

हृदय-मंथन का समय है। आज की निष्क्रियता कल हमारे अस्तित्व का विराट् प्रश्न बन जायेगी।

यह विष का लावा कहाँ से फूटा ? राष्ट्रीय स्वतंत्रता के चौथे दशक में, अपनी सीमित आर्थिक-प्राविधिक उपलब्धियों के बावजूद, हम नैतिक रूप से एकाएक अपंग क्यों हो गये ? सांस्कृतिक विघटन की प्रक्रिया चुपचाप चलती रही, हमें उसका अहसास तब हुआ जब उसने अपने एक तेज झटके से हमारी मूल आशाओं और मान्यताओं को ही तहस-नहस कर दिया। खंडित परंपराओं और विशृंखलित मूल्यों के अवशेषों को सहेजते हुए हम सोच रहे हैं, यह क्या हो गया, कैसे हो गया ?

इस संदर्भ में एक साथ कई प्रश्न उठते हैं। क्या भारतीय संस्कृति का वास्तविक रूप वही था जो उसके आदर्श रूप में चित्रित किया जाता है ?

भारतीय समाज-व्यवस्था ने अपने विरोधाभासों और अपनी विसंगतियों को किस तरह नियंत्रित किया कि उसका बाह्य रूप और आंतरिक सामंजस्य कई हज़ार वर्षों तक प्रायः जैसा-का-तैसा बना रहा ?

स्वाधीनता-प्राप्ति के बाद माहौल इतनी तेज़ी से क्यों बदला ? तीन हज़ार वर्षों की परंपराएँ तीस वर्षों में अवमूल्यित कैसे हो गयीं ? हिंसा के विस्फोट के साथ लिप्सा और स्वार्थ का तांडव किस तरह आरंभ हुआ ?

भारतीय परंपरा और संस्कृति के संतुलित मूल्यांकन के लिए एक आत्मस्वीकृति आवश्यक है।

भारत में सच्ची ऐतिहासिक दृष्टि कभी भी पूरी तरह विकसित नहीं हुई और इसके अभाव में हमारी संस्कृति का आकलन एकांगी रहा है। इतिहास और मिथक लंबे अरसे तक एक-दूसरे से घुले-मिले रहे, उनके सीमांकन के प्रयास ही नहीं किये गये। लोक-मानस पर इतिहास के जिस रूप की छाप है उसमें मिथकों और जनश्रुतियों का प्रभाव अब भी शेष है। हमारी नजरों में वे आज भी इतिहास के अंग हैं। दूसरे, हमारे इतिहास का एक महत्त्वपूर्ण स्रोत है राजा-महाराजाओं की विरुदावलियाँ और उन पर समकालीन 'इतिहासकारों' द्वारा लिखी गयीं 'प्रशस्तियाँ'। यह चारण धर्म का पालन स्थितियों और तथ्यों के साथ न्याय करने में बाधक हुआ। इस कोटि के इतिहास में उन आर्थिक, सामाजिक और सांस्कृतिक शक्तियों और धाराओं का

विश्लेषण नहीं हुआ जो इतिहास को नये मोड़ देती हैं। पश्चिम की बौद्धिक परंपराओं से साक्षात्कार ने इतिहासलेखन की प्रवृत्ति को नया बल दिया। इस संपर्क से प्रभावित इतिहास में दो विपरीत धाराएँ लक्षित होती हैं—एक में पश्चिम की सांस्कृतिक श्रेष्ठता और उसकी तुलना में भारत की हीनता को स्वीकार किया गया था, दूसरी में, इसके विपरीत, यह दर्शाने का प्रयत्न किया गया था कि पश्चिम की उपलब्धियाँ प्राचीन भारत के लिए नयी नहीं थीं। पश्चिम के प्राच्यविदों, विशेषकर भारतविदों ने भारतीय संस्कृति का जो रूप प्रस्तुत किया, उसे हमने प्रायः बिना तर्क और विश्लेषण के स्वीकार कर लिया, क्योंकि इसमें हमारे अतीत का उज्ज्वल पक्ष उभरकर आया था और यह छवि पराजय की पीड़ा को कम करने में सहायक थी। यह चित्र धर्म और दर्शन ग्रंथों से चुने गये आदर्शों से बनाया गया था, साधारण जन की जीवित संस्कृति से उसका बहुत थोड़ा संबंध था। समसामयिक सांस्कृतिक जड़ता और पिछड़ेपन से उत्पन्न हीनभाव को दूर करने के प्रयत्नों में हम अतीतजीवी बनते गये और इस प्रवृत्ति को समर्थन मिला भारत विद्या की एकांगी ऐतिहासिक दृष्टि से। इस प्रक्रिया में यदि एक ओर हमारी संस्कृति के कुछ महत्त्वपूर्ण पक्ष स्पष्ट हुए तो दूसरी ओर कुछ नये मिथकों का जन्म भी हुआ। हमने अपने सामाजिक अंतर्विरोधों को अनदेखा करना आरंभ कर दिया और इतिहास के अरुचिकर अध्यायों पर झूठे तर्कों का मुलम्मा चढ़ाने लगे।

हिंसा की एक धारा हमारी संस्कृति में हमेशा ही रही है। दर्शन और भक्ति उसका उन्मूलन करने में असमर्थ रहे हैं। समाज के अलग-अलग स्तरों पर अलग-अलग युगों में उसकी अभिव्यक्ति के स्वरूप भी अलग-अलग रहे हैं। बलि प्रथा—जिसमें नर-बलि भी सम्मिलित रही है—हर युग में किसी-न-किसी रूप में पायी गयी है। भारत के बहुविज्ञापित 'सर्व धर्म समभाव' की पृष्ठभूमि भी रक्तरंजित है, संघर्ष और हिंसा की व्यर्थता प्रमाणित हो जाने के बाद ही समाकलन का यह आयाम समाज द्वारा स्वीकृत हुआ। एक काल वह भी था जब 'वैदिकी हिंसा' हिंसा नहीं मानी जाती थी। कई जातियों में—जिनमें कम-से-कम एक उच्चवर्ग भी शामिल है—कई लड़कियाँ जन्म के फौरन बाद ही मार दी जाती थीं। विवेक यह स्वीकार नहीं करता कि सती होनेवाली प्रत्येक स्त्री स्वेच्छा से ही अपने पति के साथ अपनी जीवनलीला समाप्त करती थी। भारतीय संस्कृति के मुख्य रूप से आध्यात्मिक होने की भ्रामक परिकल्पना भी इसी स्रोत से आयी है। जीवन के भौतिक पक्ष इस संस्कृति में कभी गौण नहीं रहे। आर्थिक हितों की लड़ाइयों में प्रकट और छद्‌म हिंसा की सदा एक निश्चित भूमिका रही है। अपनी इच्छा बलपूर्वक दूसरों से मनवाने की परंपरा प्रायः हर युग में रही हैं और उसके साधनों का रूप भी थोड़ा-बहुत ही बदला है। मारण, उच्चाटन, सम्मोहन, वशीकरण भी इसी परंपरा के अंग थे। एकलव्य और द्रौपदी के

प्रतीकात्मक मूल्य को हम भली-भाँति नहीं समझे। न जाने कितने एकलव्यों के अँगूठे काटे गये हैं, न जाने कितनी द्रौपदियाँ बलपूर्वक निर्वसना की गयी हैं ! अवसर और साधन के अनुसार बल प्रयोग और हिंसा का रूप बदलता रहा है। सांस्कृतिक मान्यताओं और मूल्यों ने उन पर अंकुश अवश्य रखा, पर जब भी संस्कृति की नियंत्रण-शक्ति क्षीण हुई, ये पाशविक शक्तियाँ अपने उग्र और हिंस्र रूप में आगे आयीं।

एक कड़वा सच और।

भारतीय समाज-व्यवस्था मूलतः असमतावादी थी और शोषण पर आश्रित थी। वर्ण और जाति का आधार शुचिता की भावना थी, किंतु समाज के स्तरभेद के ऐतिहासिक विकास में शुद्ध-अशुद्ध के विचार के साथ आर्थिक और राजनीतिक शक्ति के समीकरण भी जुड़े थे। सत्ता के आगे समाज-व्यवस्था झुकती थी, संगठित दबाव उसकी कठोरता को कम करते थे। कर्म के समाज दर्शन ने ऊपरी तौर पर सामाजिक ढाँचे को सामान्य स्वीकृति दिलायी, पर उसके कुछ पक्षों के खिलाफ अदंरूनी लड़ाई हमेशा चलती रही। गरीबी की संस्कृति में भाग्यवाद पनपता अवश्य है, किंतु पूरी तरह स्वीकृत शायद ही कभी होता है। कर्मों के फल और भाग्य में लिखे की स्वीकृति एक मजबूरी थी जिनके विरुद्ध असहमति और असंतोष, आक्रोश और विद्रोह के तीव्र स्वर समय-समय पर उभरते रहे हैं। अटूट निरंतरता के मुहावरे में भारतीय संस्कृति का सच्चा रूप प्रतिलक्षित नहीं होता, सनातन माने गये धर्म को भी समय-समय पर कड़ी चुनौतियों का सामना करना पड़ा है। उसके मुख्य तत्त्वों को भी पूरी स्वीकृति कभी नहीं मिली।

यह सच है कि व्यवस्था में आमूल परिवर्तन कभी नहीं हुए। दार्शनिक तर्कों के इंद्रजाल ने परंपरागत ढाँचे के विरोधाभासों को नये-नये अर्थ दिये। भक्ति की भूलभुलैया में सामाजिक आंदोलन दिग्भ्रमित हो गये। सतत प्रयत्नों से कुछ समूहों ने अपनी स्थिति सुधारी और समाज के ऊपरी स्तरों में आ गये। शक्ति और सत्ता के आधार पर कुछ को समाज ने स्वयं ही ऊँचा दर्जा दे दिया। शोषित ऊँचे स्तर पर पहुँचकर खुद शोषक बन गया। यह गतिशीलता समाजव्यापी नहीं थी, नीचे तबके के एक छोटे-से भाग को ही उसका लाभ मिला। छोटी-मोटी रियायतें, जो बहुजन को समय-समय पर मिलीं, उनके अस्थायी संतोष का कारण बनीं। परंपरा ने जो सीमित सुरक्षा निचले स्तर को दी थी, उसका सहारा इस स्तर को अंधकारमय अनिश्चित भविष्य से बचाता था। सहारा तिनके का ही सही, फिर भी सहारा तो था। धर्म और भक्ति एक आशामय भविष्य की संभावना की ओर इशारा करते थे, भले ही वह इस

जन्म के बाद चरितार्थ होनेवाला सुखद स्वप्न ही हो। वर्गहित की सीधी लड़ाई संभव भी नहीं थी, क्योंकि पद और सत्ता दोनों न्यस्त हितोंवाले अल्पसंख्यकों के साथ थे। यही कारण है कि परंपरागत भारत के अधिकांश आर्थिक-सामाजिक आंदोलनों का रूप धार्मिक और सांस्कृतिक था। भक्ति के मलहम ने शोषक और शोषित दोनों को अधिक या कम राहत पहुँचायी। उसके कारण एक के स्वार्थों पर सीधी और कड़ी चोट नहीं हुई, दूसरे को कुछ रियायतों के साथ बहुत सारा क्षणिक संतोष मिला।

आज़ादी पाने के बाद भारत ने प्रजातंत्र, समता और सामाजिक न्याय के आदर्श अपनाये और उन्हें अपने संविधान में समाहृत किया। पश्चिम में ये मूल्य दीर्घकालिक सामाजिक-आर्थिक प्रक्रियाओं की उपज थे, सामाजिक गठन के नये रूपों के साथ उनका क्रमिक विकास हुआ था। इसके विपरीत, भारतीय संदर्भ में इन्हें आरोपित मूल्य ही माना जा सकता है। राजनीतिक नेतृत्व का एक प्रबुद्ध तथा पश्चिम-प्रभावित अंश भारत को अविलंब आधुनिक विश्व का अंग बनाना चाहता था। उसके आग्रह से ही ये आदर्श अपनाये गये। नेतृत्व को भी सही अनुमान नहीं था कि इन्हें व्यावहारिक रूप देने में कौन-सी और कितनी कठिनाइयाँ होंगी। इन आदर्शों की कोई निश्चित परिभाषा भी नहीं थी, अलग-अलग स्तरों ने अपने हितों के अनुकूल उनमें अलग-अलग अर्थ देखे। जब तक ये मूल्य केवल संविधान की शोभा रहे, उनसे किसी को कोई कष्ट नहीं पहुँचा। भाषणों का अलंकरण भी उनसे बेझिझक किया गया। तकलीफ तब शुरू हुई जब उन्हें आर्थिक और सामाजिक कार्यक्रमों का अंग बनाने की कोशिश की गयी। परंपरा-पोषित सामंती मूल्यों और नव-स्वीकृत आधुनिक मूल्यों की टकराहट ने नये संघर्षों को जन्म दिया। धीरे-धीरे हिंसा इन संघर्षों का भाग बनती गयी और उसका रूप उग्र से उग्रतर होता गया। धर्मनिरपेक्षता के सिद्धांत का भी यही हाल हुआ। भारत ने इस सिद्धांत की व्याख्या सर्वधर्म समभाव के रूप में की थी, धर्म-विमुखता के रूप में नहीं। नयी मौखिक संस्कृति का अंग तो यह सिद्धांत आसानी से बन गया, पर धर्म के क्षेत्र में भी हितों की टकराहट की परिणति हिंसात्मक संघर्ष में ही हुई। ओढ़े हुए आदर्शों और सामाजिक यथार्थ के बीच की खाई धीरे-धीरे चौड़ी होती गयी। ये आदर्श समसामयिक भारत की विडंबना बन गये।

सामाजिक परिवर्तन की प्रक्रिया के तीन परिणाम उल्लेखनीय हैं : एक—मूलतः समुदाय-केंद्रित भारतीय समाज धीरे-धीरे व्यक्ति-केंद्रित होता गया। सामूहिकता के ह्रास के साथ सामाजिक उद्देश्यों और साधनों की परिभाषाएँ भी बदलती गयीं। सामूहिक नियंत्रण में पहले ढील आयी, फिर वह अशक्त हो गया। व्यक्तिगत स्वतंत्रता की भावना बलवती होती गयी और धीरे-धीरे ऐसी स्थिति आयी कि वह सामाजिक उत्तरदायित्व से असंपृक्त हो गयी। सामाजिक अनुशासन के अभाव ने उन

रीतियों और नीतियों को क्षीण कर दिया जिनके द्वारा समाज का नियमन होता था। स्वार्थ पर अंकुश कम हुआ। क्रमशः बढ़ती रुग्ण मानसिकता ने हिंसा को हितों की साधना का अस्त्र बना दिया। दूसरा परिणाम था जीवन के प्रायः प्रत्येक पक्ष का राजनीतिकरण। बदलते परिवेश की नयी राजनीतिक संस्कृति में सत्ता साध्य और साधन दोनों बन गयी। सत्ता की लड़ाई में संख्या की भूमिका महत्त्वपूर्ण थी। आस्था और विश्वास के पत्र-पुष्प के रूप में अपने वोट भेंट कर जब तक शोषित समुदाय ने नेतृत्व में अपनी श्रद्धा व्यक्त की तो कोई समस्या नहीं हुई। उलझन तब शुरू हुई जब समाज के इस अंग ने अपनी संख्या की शक्ति को पहचाना और अधिकार की लड़ाई में अपना स्वतंत्र स्वर मुखरित किया। यह वह समय था जब भारतीय राजनीति पर आदर्शों के मुलम्मे की चमक फीकी पड़ चुकी थी और नग्न सत्ता की राजनीति अपना गांधीवादी मुखौटा उतारने को तैयार हो चुकी थी। इस स्थिति में संख्या का नियंत्रण आवश्यक था और इसके लिए यथा अवसर साम, दाम, दंड और भेद की नीतियाँ अपनायी गयीं। दंड ने धीरे-धीरे आक्रामक हिंसा और आतंक का रूप ले लिया। तीसरा परिणाम है धर्म की आस्थाओं और मान्यताओं से अलगाव का। भारत की राष्ट्रीय नीति ने धर्म-विमुखता को कभी प्रोत्साहित नहीं किया, पर आधुनिकीकरण की प्रक्रिया ने धर्म की जड़ों को ही अशक्त कर दिया। धर्म से जो अनुशासन समाज को मिलता था, वह मिलना बंद हो गया, उसके रिक्त स्थान की पूर्ति न आंतरिक अनुशासन से हुई और न संस्थाजनित अनुशासन से। विश्वास का स्थान विकल्प ने लिया, पर विकल्प को समाजोन्मुख करने का कोई योजनाबद्ध प्रयास नहीं हुआ। विवेक के अभाव में विकल्प ने जो मार्ग अपनाया, वह तात्कालिक स्वार्थसाधन का मार्ग था, समन्वित सामाजिक विकास का नहीं। दिशा-निर्देश के अभाव में व्यक्ति-केंद्रित, राजनीति से आक्रांत और धर्मों के अनुशासन से कटा हुआ भारतीय समाज न अपने नये लक्ष्य निर्धारित कर पा रहा है, न उनकी प्राप्ति के लिए उचित साधन। सामाजिक लक्ष्यहीनता और साधनों का अनिश्चय आत्मघाती हिंसा को बढ़ावा दे रहा है।

बदलते परिवेश का एक पक्ष है—सर्वव्यापी हिंसा। समाचारपत्र हत्या और बलात्कार के समाचारों से भरे रहते हैं। कई उन्हें ऐसे रूप में प्रस्तुत करते हैं कि उनसे कुत्सित मानसिकता को भोजन मिले। सत्यकथाओं के नाम पर बेची जानेवाली सामग्री देखिए, उसमें नब्बे प्रतिशत यही सब पायेंगे। अधिक बिकनेवाले विदेशी और देशी कथा-साहित्य में सेक्स और हिंसा का अद्भुत योग मिलता है। एक नज़र लोकप्रिय फिल्मों पर डालिए उनका मसाला बिना मार-पीट, खून-खराबे, बलात्कार और हत्या के अधूरा रहता है। यह ठीक है कि इन सबसे सीधे हिंसा की प्रेरणा नहीं मिलती, पर हम इनके अप्रत्यक्ष प्रभावों को भी नज़रअंदाज नहीं कर सकते। हिंसा के विविध रूपों को गढ़ते और देखते अनजाने ही हम उसे असामान्य न मानकर सामान्य मानने लगते हैं। इन अमानवीय कृत्यों के प्रति जो तीव्र प्रतिक्रिया होनी चाहिए, वह

धीरे-धीरे कमज़ोर हो जाती है, आक्रोश का स्थान एक मौन तटस्थता ले लेती है।

हिंसा की स्वीकृति के कई और रूप हैं। राजनीति की गणित अस्त्र के रूप में हिंसा का उपयोग करती है। कल तक जो गुंडे के रूप में तिरस्कृत था, आज वही राजनीतिक कार्यकर्ता के रूप में सम्मानित है। कितनी ही संस्थाओं का नियंत्रण ऐसे ही तत्त्वों के हाथ में चला गया है। श्रमिक संगठनों और स्थानिक स्वायत्त संस्थाओं पर कई जगह उनके कब्जे की प्रामाणिक कहानियाँ छप चुकी हैं। सम्मानित राजनेताओं के इर्द-गिर्द ऐसे लोग अकसर देखे जा सकते हैं। दूसरों को विधायक और सांसद बनाते-बनाते ये तत्त्व अब स्वयं इन पदों के प्रत्याशी बन गये हैं और कुछ तो इन नयी ऊँचाइयों को छूने में सफल भी हुए हैं। मुख्य न्यायाधीश के रात्रि-भोज में कुख्यात डाकू भी सम्मिलित हो सकता है, शर्त सिर्फ यह है कि वह विधायक बन गया हो। पुलिस से यदि रक्षा नहीं मिलती तो त्रस्त नागरिक असामाजिक तत्त्वों की शरण लेता है। थोड़ी-बहुत सुरक्षा उसे मिलती है पर किस कीमत पर ? गरीबों के प्रति दया की इक्की-दुक्की घटनाएँ किंवदंतियों के रूप में फैलकर भक्षकों को रक्षकों के रूप में प्रतिष्ठित कर देती हैं। इस तरह हिंसात्मक प्रवृत्तियाँ सामाजिक तिरस्कार का विषय न रहकर आदर की अधिकारिणी बन जाती हैं।

सत्ता और संख्या का उभरता समीकरण आज की बढ़ती हिंसा के पीछे है। दर्शन, भक्ति और देशप्रेम अब स्वार्थ के संघर्ष को रोक सकने में असमर्थ हैं। रणनीति के साथ व्यूह रचना भी बदलती है। संप्रदाय, जाति-उपजाति, सवर्ण-अवर्ण, क्षेत्रीयता, भाषा आदि के आधार पर गठबंधन होते हैं, टूटते हैं और नये सिरे से फिर जोड़-तोड़ की जाती है। मूल लड़ाई न्यस्त स्वार्थों और मानवीय अधिकारों की है, पर उसे न उचित दिशा मिली, न उपयुक्त संगठन। अराजक हिंसा इसी का परिणाम है।

संघर्ष और हिंसा के बीज हमारी समाज-रचना और संस्कृति में आरंभ से ही रहे हैं—आंतरिक अंतर्विरोधों के रूप में। पहले उन्हें दर्शन और धर्म ने नियंत्रित किया, बाद में ऐसे सांस्कृतिक आंदोलनों ने, जिनकी परिणति भक्ति के किसी स्वरूप में हुई। नवजाग्रत राष्ट्रीयता या स्वाधीनता के दर्शन और देशभक्ति ने यही भूमिका निभायी आजादी के पहले दो दशकों में। आज का युग है सत्ता और स्वार्थ की लज्जाहीन राजनीति का, जिस पर अंकुश रखने में विघटित होता समाज और विशृंखलित होते मूल्य असमर्थ हैं। प्रशासन असहाय है। उसका भी सामाजिक चरित्र वही है जो सारे देश का। दबी हुई हिंसा की चिनगारियाँ भड़क रही हैं। नेतृत्व का मनोबल अशक्त हो गया है। उसमें न दूरदर्शी विराट् कल्पना है, न सामाजिक साहस। दिशाहीन संक्रमण ने देश को अनिश्चय की घाटियों में धकेल दिया है। हम अपने ही घर में आग लगाकर तमाशा देख रहे हैं।

# संचार और सांस्कृतिक विकास

मानव के सामाजिक और सांस्कृतिक विकास की कहानी अभी अधूरी है; उसके कई अध्यायों का कच्चा और आरंभिक रूपांकन ही हम अब तक कर पाये हैं। इस इतिहास के कुछ पक्ष ऐसे हैं जिनमें हम केवल सतह को ही छू पाये हैं और कई ऐसे हैं जिनमें हमारी जानकारी सिर्फ ऊपरी दो-तीन परतों तक ही सीमित है। हमें यह मालूम है कि मानव की विकास-परंपरा का हर मुख्य मोड़ एक या अधिक क्रांतियों से जुड़ा है, पर इन क्रांतियों के स्रोतों और जटिल अंतःसंबंधों का विश्लेषण जिस बारीकी से होना चाहिए था, वह अभी तक नहीं हुआ। अब तक के इन प्रयत्नों में हम कुछ विशेष क्रांतियों में इतनी बुरी तरह उलझे रहे हैं कि मानव-जीवन को अधिक व्यापक रूप से प्रभावित करनेवाली और उसके आयामों को बदल देनेवाली दूसरी क्रांतियों की ओर हमारा ध्यान ही नहीं गया। उदाहरण के लिए, प्राविधिक नवाचारों से सांस्कृतिक विकास को मिलनेवाली दिशा और गति के बारे में हमारी जानकारी संतोषजनक है, परंतु विचार और संचार की भूमिकाओं के संबंध में हमारा ज्ञान बहुत ही सीमित है। पिछले तीन दशकों में इस महत्त्वपूर्ण पर अँधेरे पक्ष पर कुछ उल्लेखनीय अध्ययन हुए हैं, जिनके कारण संचार का क्षेत्र सामाजिक विज्ञानों के एक नये सीमांत के रूप में उभरा है। संचार की प्रक्रिया तथा उसके प्रभावों और परिणामों, संभावनाओं और सीमाओं को गहराई में जाकर समझना आवश्यक है। अब तक हुए अनुसंधानों से कुछ उपयोगी अवधारणाएँ विकसित हुई हैं, किंतु जब तक उनका परीक्षण विभिन्न सांस्कृतिक परिवेशों में नहीं हो जाता, हम उन्हें मानक सैद्धांतिक स्थापनाओं के रूप में स्वीकार नहीं कर सकते। संचार का क्षेत्र अनेक बौद्धिक चुनौतियों का क्षेत्र है। इस क्षेत्र में हमारी उपलब्धियाँ सैद्धांतिक और व्यावहारिक दोनों दृष्टियों से उपयोगी प्रमाणित होंगी।

जीव-जगत् में मानव अपने-आपको एक विशिष्ट और उच्च कोटि का प्राणी मानता है। यह उसका दंभ नहीं है, क्योंकि उसकी कई क्षमताएँ अद्वितीय हैं। वह विचार कर सकता है, वह अपने विचारों को अभिव्यक्त कर सकता है और उसने विचारों की अभिव्यक्ति के कई ऐसे माध्यम विकसित कर लिये हैं जो उसके विचारों और चिंतन को स्थायित्व दे सकते हैं। ये योग्यताएँ किसी अन्य प्राणी में नहीं हैं; इसी कारण मानव स्वयं अपने-आपको मेधावी कह सकता है। संदेश दे और ले सकने की क्षमता ने मानव के सामाजिक अंतःसंबंधों को एक विशेष स्वरूप दिया है; इस क्षमता का विकास इन संबंधों के क्षेत्र को विस्तारित और पुष्ट करता है। विचारों को स्थायित्व दे सकने की योग्यता जिस गति से विकसित होती गयी, उसी गति से उसकी संस्कृति की विविधता और जटिलता भी बढ़ती गयी। सीमित संचार-साधनों के काल में मानव समाज छोटी-छोटी स्वतंत्र इकाइयों में खंडित रहा। इसके विपरीत, जन-संचार के माध्यमों के अभूतपूर्व विकास ने समसामयिक विश्व को संकुचित कर एक बड़ा-सा गाँव बना दिया है। इन ध्रुवांतों के बीच की स्थितियाँ भी अपने-आपमें बड़ी महत्त्वपूर्ण थीं। उनके प्रत्यक्ष और परोक्ष प्रभावों ने मानव के सामाजिक गठन और उसकी जीवनदृष्टि को नये मोड़ और नये रूप दिये। संचार माध्यमों की हर क्रांति मानव जीवन में गुणात्मक परिवर्तन लायी है। इन परिवर्तनों का सूक्ष्म विश्लेषण और मूल्यांकन अभी तक नहीं हुआ; जो प्रत्यन हुए हैं वे अपने-आपमें महत्त्वपूर्ण होते हुए भी पूरी तरक संतोषजनक नहीं हैं। स्थिति यह है कि प्रश्न अधिक उठे हैं, उनके उत्तर कम मिले हैं। इन प्रश्नों का उठना ही स्वयं एक उपलब्धि है, क्योंकि वे खोजयात्रा की दिशा निर्धारित करते हैं।

क्या संदेश दे और ले सकने की क्षमता केवल मानव तक ही सीमित है ? इस प्रश्न का निर्णयात्मक उत्तर पहले ही दिया जा चुका है। वह है–नहीं। जैविकीय संचार-व्यवस्था पर की गयी पुरानी खोजों के आधार पर यह उत्तर दिया गया था, पर नयी खोजों ने प्रक्रिया के कई अनबूझे रहस्यों को उद्घाटित किया है।

जीव-रचना में ही एक आंतरिक संचार-प्रक्रिया निहित है, कोशिकाएँ स्वयं एक-दूसरे को संदेश देने में समर्थ हैं। इन तथ्यों का सूक्ष्म विश्लेषण संचार-अध्ययनों की एक स्वतंत्र शाखा–कोशिकीय संचार–द्वारा किया गया है। जीवित कोशिकाएँ हार्मोनों और तंत्रिका-तंतुओं द्वारा संवाद करती हैं। यह संचार उस सूचना संकलन पर आधारित होता है जो न्यूक्लीक अम्ल के अणुओं में निहित होता है। ये सूचनाएँ तीन सामान्य वर्गों में विभाजित की जा सकती हैं–आनुवंशिक, उपापचयी या मेटाबोली और तंत्रिकीय। प्रत्येक वर्ग के संवाद (और संचार-प्रक्रियाएँ) अपनी स्वतंत्र संहिताओं

द्वारा अनुशासित होते हैं। यह विषय अपने-आपमें बड़ा रोचक है और इस क्षेत्र में होनेवाले अनुसंधानों से जैविकीय प्रक्रियाओं के कई रहस्यपूर्ण पक्ष स्पष्ट हुए हैं। इस क्षेत्र में होनेवाले समसामयिक अनुसंधान से जो संभावनाएँ उभरी हैं, वे और भी महत्त्वपूर्ण हैं। आप शायद यह सुनकर चौंकें कि कोशिकीय संचार के क्षेत्र में होनेवाले अनुसंधान हमें धीरे-धीरे एक गंभीर दार्शनिक समस्या के हल की ओर ले जा रहे हैं। वह समस्या है—यथार्थ और मन का संबंध। उत्तर से हम अभी भी दूर हैं, पर उसे पाने के प्रयत्न जिस योजनाबद्ध ढंग से हो रहे हैं और उनमें अब तक जो सफलताएँ मिली हैं, उनसे बड़ी आशा बँधती है।

संवाद मनुष्य के अतिरिक्त अन्य जीव भी कर सकते हैं। उनके संवाद के तीन प्रमुख माध्यम होते हैं—रासायनिक द्रव्यों का स्राव, अंग-संचालन या गतियाँ और ध्वनियाँ। स्पष्टीकरण के लिए कुछ उदाहरण लें। न्यू गिनी में उड़नेवाली गिलहरी से मिलता-जुलता और लगभग उसी आकार-प्रकार का एक प्राणी है—शुगर ग्लाइडर। रासायनिक स्रावों से वह अपना संदेश अपनी जाति के दूसरे सदस्यों तक पहुँचा देता है। इस प्राणी के सिर के सामने के भाग में एक ग्रंथि होती है। इस ग्लैंड का स्राव नर और मादा को एक-दूसरे से जोड़ देता है। उसकी गंध से नर अपनी मादा को पहचानता है, मादा नर को। साथ ही, जाति के अन्य सदस्यों के लिए यह गंध चेतावनी भी होती है बने हुए जोड़ों को तोड़ने के विरुद्ध। नर के पैरों, वक्ष और हाथों के समीप अन्य ग्रंथियाँ होती हैं, जिनका स्राव और उसकी लार उसके क्षेत्र को सीमांकित कर देते हैं। इस गंध से वे अपने क्षेत्र को पहचानते हैं; और जाति के दूसरे सदस्यों की क्षेत्र-सीमाओं को जानकर उनसे दूर रहते हैं। दूसरा उदाहरण, संचार की दृष्टि से अच्छी तरह जाँची-परखी गयी मधुमक्खी का है। मधुमक्खी के शरीर से निकले अलग-अलग रासायनिक द्रव्य और उनकी गंध जाति के लिए भिन्न-भिन्न संकेतों का अर्थ रखते हैं। उनकी राजकुमारी जब अपनी सुहागरात की उड़ान पर जाती है तब वह ऐसी भाप छोड़ती जाती है जिसकी गंध पुंमक्षिका—ड्रोन नर—को कामातुर कर उनकी ओर आकृष्ट करती है। उनके एक छत्ते की गंध दूसरे छत्ते की गंध से भिन्न होती हैं, मधुमक्खियाँ 'अपने' और 'दूसरे' छत्तों का अंतर इस गंध से सरलतापूर्वक समझ लेती हैं। अंग-संचालन और गति द्वारा संदेश पहुँचाने के भी अनेक उदाहरण मधुमक्खियों में मिलते हैं। उनका 'वैगल डांस' जैविकी और सामाजिक विज्ञानों में समान रूप से चर्चित रहा है। 1945 में जर्मन जीव-वैज्ञानिक कार्ल फान फ्रिश ने इस नृत्य की अंतर्निहित संकेत-संहिता का विश्लेषण प्रस्तुत किया था। श्रमिक मक्खी कभी-कभी अपने छत्ते के समीप यह नृत्य करती है। इसके दो अर्थ हो सकते हैं। पहला यह कि उसने कोई नया खाद्य भंडार खोजा है और दूसरा यह कि उसे नया छत्ता बनाने के लिए कोई उपयुक्त स्थान दिखा है। इस नृत्य में वह

एक सेकंड में तेरह से पंद्रह बार उड़कर अंग्रेजी 8 का आकार बनाती है। यह क्रम कई बार दुहराया जाता है। बीच-बीच में वह सीधी भी उड़ती है। नृत्य गंतव्य की ओर संकेत करता है, सीधी उड़ान की सीमा छत्ते और गंतव्य की दूरी का बोध कराती है। साथ ही अपनी सखियों को आकृष्ट करने के लिए वह पंखों से एक विशेष प्रकार की ध्वनि भी करती है।

कीट-पतंगों से लेकर बड़े-बड़े पशुओं तक में अंग-संचालन की खास शैलियाँ और विशेष मुद्राएँ कतिपय स्पष्ट अर्थों की अभिव्यक्ति करती हैं। क्रोध, भय, संतोष, काम-पीड़ा आदि की मुद्राएँ आसानी से समझी जा सकती हैं। ये भाव कई प्राणी ध्वनि के माध्यम से भी व्यक्त करते हैं। बहुधा अंग-संचालन और ध्वनियाँ इन दोनों का प्रयोग साथ-साथ संकेत और संदेश देने के लिए किया जाता है। यहाँ यह स्मरण रखना आवश्यक है कि अन्य प्राणियों में संचार के लिए किये गये प्रदर्शनों की संख्या बहुत सीमित होती है। रीढ़वाले सामाजिक प्राणियों में इस प्रकार के प्रदर्शन 30-35 से अधिक नहीं होते; कई प्राणियों में उनकी संख्या इससे भी कम होती है। सामाजिक प्राणियों की संचार-संहिता अधिक जटिल और विकसित होती है, पर मनुष्य की तुलना में वह नगण्य प्रतीत होती है। उसकी शक्ति कुछ सीमित अर्थ अपने सीमित प्रतीकों से व्यक्त करने की होती है।

मानव की संचार-शक्ति के विकास की तुलना में अन्य जीवों में यह शक्ति बहुत ही अप्लविकसित है। उनके पास न मौखिक भाषा है, न उसका लिखा हुआ रूप, पर मनुष्य की संकेत-संहिता में वे सभी तत्त्व हमें आज भी मिलते हैं जो अन्य जीवों को अर्थ की अभिव्यक्ति के लिए प्रकृति से उपलब्ध हैं। मानवीय प्रयत्नों से अन्य प्राणी एक सीमा तक शब्दों का अर्थ समझने लगते हैं। कुछ शब्दों की ध्वनियाँ कुत्तों के लिए स्पष्ट अर्थ रखती हैं। प्रयोगों से यह प्रमाणित हुआ है कि शिंपाजी को न केवल शब्दों या प्रतीकों का अर्थ सिखाया जा सकता है, उन्हें शब्द-क्रम और पद-विन्यास के नियम भी सिखाये जा सकते हैं। इतना ही नहीं, वे स्वयं अपनी ओर से छोटे-छोटे प्रश्नों और वक्तव्यों की रचना भी कर सकते हैं। केलिफोर्निया युनिवर्सिटी के डेविड प्रैमेक ने अपने प्रयोगों में सारा नाम की एक शिंपाजी को 128 शब्द सिखाये, जिनमें मनुष्यों और शिंपाजियों के 8 नाम, 12 क्रियाएँ, 6 रंग, 21 खाद्य-पदार्थ और विविध प्रकार की वस्तुएँ, संबोधन, विशेषण आदि थे। सारा स्वयं बोल नहीं सकती थी, पर मनुष्य द्वारा बोली गयी भाषा को एक सीमा तक समझ अवश्य लेती थी। भाषा के अतिरिक्त अन्य संकेतों और चिह्नों का उपयोग भी उसे अर्थ समझाने के लिए किया जाता था। वह स्वयं इन चिह्नों और प्रतीकों से अपनी बात कह सकती थी। सारा की प्रगति और उपलब्धियाँ बड़ी महत्त्वपूर्ण हैं, क्योंकि उनसे मनुष्य के अतिरिक्त अन्य प्राणियों की संचार-क्षमता के बारे में हमारी मान्यताएँ बहुत कुछ बदली हैं।

मानव से जैविकीय रूप से निकट संबंधित प्राणी भी, सीमित रूप में ही सही, प्रतीकों से संदेश ग्रहण कर सकते हैं और थोड़े से संदेश दे भी सकते हैं। इस संदर्भ में हमें यह याद रखना चाहिए कि सारा और दूसरे शिंपाजियों ने मनुष्य के कठिन और प्रयोगात्मक प्रयासों से भाषा सीखी। इन प्रयत्नों की सफलता सीमित थी, क्योंकि वे बहुत थोड़े-से शब्द और पद-विन्यास ही शिंपाजियों को सिखा सके। बुद्धिमत्ता के आधार पर चुने गये शिंपाजियों का प्रशिक्षण बड़े कृत्रिम परिवेश में हुआ था और अपने प्रशिक्षण के आधार पर वे मनुष्य से संवाद कर सकते थे, सम-जाति प्राणियों से नहीं। मनुष्य अपनी भाषा सम-जाति प्राणियों के सिखाने और सामाजिक वातावरण से सीखता है। सारा जैसी प्रशिक्षित विदुषी भी अन्य शिंपाजियों को भाषा-ज्ञान नहीं दे सकती थी। यह भी संभव था कि मनुष्य-संपर्क से दीर्घ काल तक अलग रखे जाने पर सारा और दूसरे शिंपाजी भाषा पर अपना अधिकार खो बैठते। संभावनाओं के धरातल पर संचार-शक्ति पर मानव का एकाधिकार भले ही न हो, पर भाषा को जितनी संपन्नता वह दे सका है, उतनी कोई अन्य प्राणी नहीं।

अब एक प्रश्न और उठता है। भाषा और प्रमुखतः उसके आधार पर संचार-शक्ति का विकास मानव ही क्यों कर सका ? इस प्रश्न का सही उत्तर पाने के लिए एक ओर तो हमें मानव की जैविकीय रचना की विशेषताओं को समझना होगा और दूसरी ओर उन सांस्कृतिक कारकों की ओर भी ध्यान देना होगा जिनसे उसकी संचार-क्षमता में संपन्नता आयी। विकास-क्रम में जब मानव का उद्भव हुआ, उसकी मस्तिष्क-रचना विशेष प्रकार की थी। सीधे खड़े हो सकने की योग्यता ने इस मस्तिष्क-रचना को विकास की एक निश्चित दिशा दी। मानव तार्किक और बीजगणितीय मनोवृत्ति के साथ जन्मा था। संस्कृति के विकास के हर चरण के साथ उसने इस मनोवृत्तियों और उनकी अभिव्यक्ति को संपन्नता और पूर्णता देने का प्रयत्न किया। इस तरह वह कार्य-कारण-संबंध स्थापित करने के आरंभिक प्रयत्नों में सफल हुआ और प्रतीकों की बोधगम्यता विकसित कर उसने अपने चिंतन और अभिव्यक्ति का क्षेत्र विस्तारित किया। इस क्षेत्र में उसकी सफलता संदिग्ध होती यदि प्रकृति ने उसे ऐसा कंठ न दिया होता जो ध्वनियों को भाषा का रूप देने में सक्षम था। विचार और अभिव्यक्ति एक-दूसरे के सहारे बढ़ते हैं। मानव का मस्तिष्क तार्किक था, उसमें विचार कर सकने की योग्यता थी। साथ ही उसके कंठ की रचना ऐसी थी कि वह भाषा विकसित कर इन विचारों को अभिव्यक्त कर सके। ये दोनों क्षमताएँ एकाएक ही विकसित नहीं हुईं। उनके विकास की प्रक्रिया में बहुत समय लगा। पर जब ये विकसित हुईं तो मानव के सामाजिक जीवन में एक मूलभूत परिवर्तन हुआ। समाज

संचार पर आश्रित होने लगा, 'संवाद की स्थिति में समूह' को समाज का पर्यायवाची माने जाने लगा। लिपि के अभाव में संचार का क्षेत्र सीमित था। मौखिक संवाद बहुत बड़े समूह के साथ संभव नहीं था। इस तरह के संवाद को स्थायित्व देना भी कठिन था, यद्यपि इसके प्रमाण खोजना आवश्यक नहीं है कि मौखिक परंपरा ने न केवल लोक-साहित्य को जीवित रखा, उसने शास्त्रीय साहित्य को भी एक पीढ़ी से दूसरी तक पहुँचाया। यह क्रम कई पीढ़ियों तक चलता रहा। लिपि के आविष्कार के बाद स्थायित्व का माध्यम बदल गया, यद्यपि स्मरण-शक्ति की भूमिका इस स्थिति में भी महत्त्वपूर्ण रही। शब्द प्रतीक होते हैं। उन्हें मौखिक से लिखित रूप देना मनुष्य की एक बहुत बड़ी उपलब्धि थी। मनुष्य की तीक्ष्ण और केंद्रित हो सकनेवाली दृष्टि, उसके अंगूठे की रचना और अंगूठे और शेष उँगलियों के सहयोग से लिपि का आविष्कार और प्रचलन संभव हो पाया। लिपि ने मौखिक भाषा का स्थान नहीं लिया, केवल उसे विस्तारित किया। प्राविधिक विकास की विभिन्न स्थितियों में क्रमशः संचार-क्षेत्र का विस्तार होता रहा।

भाषा का विकास मानवीकरण की प्रक्रिया का एक अंग था। प्राइमेट वर्ग की जिस शाखा ने मानव बनने की राह अपनायी, उसने पूर्ण मानव बनने के पहले ही संस्कृति के कुछ तत्त्वों को विकसित कर लिया था। इन तत्त्वों में प्रतीक-व्यवस्था भी थी, जिसने उसे अभिव्यक्ति की सीमित शक्ति दी। मानव के अध्येताओं को एक भी ऐसा समूह नहीं मिला जो भाषाविहीन हो। ऐसे समूह अवश्य मिले हैं जिनका शब्द-भंडार अढाई सौ-तीन सौ शब्दों से अधिक नहीं था, उनसे भी अधिक ऐसे जिनकी शब्द-संख्या सात-आठ सौ से ऊपर नहीं थी। अमूर्त चिंतन और सूक्ष्म अभिव्यक्ति के लिए यह संख्या भले ही थोड़ी लगे, पर इस सीमित शब्द-संख्या में भी सांस्कृतिक संचार की अद्भुत क्षमता थी। मौखिक संस्कृति ने मानव-जीवन के आयाम बदले और परंपराओं को स्थायित्व देने में आश्चर्यजनक सफलता पायी।

लिपि का आविष्कार संचार के क्षेत्र में दूसरी बड़ी क्रांति थी। ध्वनि पर अवलंबित लिपि के विकास के पूर्व मानव ने, भाषा के अतिरिक्त, अभिव्यक्ति के कई अन्य माध्यमों से प्रयोग किये थे। चित्रलिपि या 'पिक्टोग्राफी' इसी तरह का एक प्रयोग था। यह लेखन-विधि चित्रों की एक शृंखला द्वारा किसी घटना या स्थिति का स्वरूप प्रस्तुत करती थी। चित्रलिपि भाषा से जुड़ी नहीं होती, इसलिए उसकी मौखिक अभिव्यक्ति किसी भी भाषा में संभव होती है। आवश्यक होता है चित्रों को समझना। प्रागैतिहासिक मानव ने संसार के विभिन्न भागों में इस लेखन-शैली का प्रयोग किया। पिक्टोग्राफी के कुछ रूपों ने विकसित होकर 'आइडियोग्राफी' का रूप लिया। यह

चित्रलिपि का संवर्धित रूप था और उसमें स्थितियों और घटनाओं के प्रस्तुतिकरण के साथ-साथ अमूर्त विचारों की अभिव्यक्ति की सीमित शक्ति भी थी। प्रतीक अब केवल वस्तुओं और स्थितियों का चित्रण नहीं करते थे, वे उनसे संबंधित विचारों और संबोधों को भी अभिव्यक्त करते थे। चित्रलिपि में छोटा-सा वृत्त सूर्य का प्रतिनिधित्व करता था; आइडियोग्राफी में, संदर्भ के अनुसार, उससे ताप, प्रकाश और दिन का बोध भी होने लगा। इस लिपि में भी प्रस्तुत प्रतीक और उसके बोले हुए नाम में प्रत्यक्ष संबंध नहीं था, चित्रलिपि की तरह यह भी भाषा-संबद्ध नहीं थी। ध्वनि पर आधारित लिपियों के विकास के पहले कई संक्रमणकालीन लिपियाँ आयीं जो मूलतः आइडियोग्राफी थीं, पर जिनमें धीरे-धीरे ध्वनि आधारित तत्त्व सम्मिलित हो रहे थे। प्राचीन मेसोपोटामिया और क्रीट की तथा हिट्टीआइट लिपियाँ इस वर्ग की हैं। लिपियों के विकास के अगले चरण और भी महत्त्वपूर्ण थे। एक ओर 'लोगोग्राफी' का विकास हुआ जिसमें प्रत्येक शब्द के लिए एक स्वतंत्र चिह्न था। इस लिपि को 'शब्द-लेखन' भी कह सकते हैं। दूसरी धारा थी ध्वनियों के आधार पर लिपियों के विकास की, जिसका चरम उत्कर्ष अक्षरों के आविष्कार में हुआ। इन लिपियों ने लेखन के स्वतंत्र रूप का अंत कर उसे केवल भाषा की अभिव्यक्ति का एक माध्यम बना दिया।

इस क्रांति के प्रभाव बड़े व्यापक थे। लिपिविहीन भाषाओं ने ज्ञान-विज्ञान की परंपरा का वहन किया था, उनमें साहित्य के विभिन्न रूपों की रचना हुई थी और सूक्ष्म दार्शनिक चिंतन भी किया गया था। उस साहित्य को स्थायित्व देने में कठिनाइयाँ थीं। लिपि ने उन्हें बड़ी मात्रा में दूर किया। पत्तों, मिट्टी की पतली ईंटों, पत्थर, चमड़े, वस्त्र आदि पर लिखकर मनुष्य ने अपने संचित ज्ञान को आनेवाली पीढ़ियों के लिए बचाने का यत्न किया। लिपि एक रहस्यमय और चमत्कारी शक्ति थी, जिस पर अधिकार रखनेवाले थोड़े से लोगों को समाज में ऊँचा स्थान मिला। ज्ञान, इस तरह, एक छोटे-से वर्ग के हाथ में आ गया, जिसने उसका उपयोग बहुत कुछ अपने हितों में किया। यह दूसरी बात है कि आगे चलकर इसी ज्ञान का व्यापक प्रसार हुआ।

यह स्थिति संचार की चौथी क्रांति ने बदली, जिसे कागज और मुद्रण की संयुक्त क्रांति मानना उचित होगा। कागज का आविष्कार मुद्रण के आविष्कार के बहुत पहले हो गया था, पर क्रांतिकारी सामाजिक परिणाम उसी समय स्पष्ट हुए जब कागज और छपाई का मिलन हुआ। कागज के आविष्कार का श्रेय चीन के सा'ई लुन को दिया जाता है, जिसने ईसा के बाद सन् 105 में वृक्षों की कूटी हुई छाल, सन, पुराने कपड़े और पुराने मछली के जालों के मिश्रण से कागज बनाया। पांच सौ वर्षों तक यह शिल्प चीन में ही रहा। सातवीं शताब्दी के आरंभ में यह कला जापान पहुँची और बौद्ध भिक्खुओं ने मलबरी वृक्ष की छाल से कागज बनाना आरंभ किया। इसी देश में

सन् 770 में साँचों से मुद्रण का आरंभ हुआ। सम्राज्ञी शोटोकु की आज्ञा से दस लाख प्रार्थना पत्रक छापे गये। इस योजना को पूरा करने में 6 वर्ष का समय लगा। ज्ञान को सर्वसुलभ बनाने की प्रक्रिया का आरंभ इसी प्रकार के प्रयत्नों से हुआ। धीरे-धीरे छपाई के प्राथमिक रूप संसार के दूसरे भागों में भी पहुँचे। कागज बनाने की कला वहाँ पहले ही जा चुकी थी। चल-टाइप के आविष्कार ने मुद्रण को नया स्वरूप दिया। इसका श्रेय जर्मनी के गटेनबर्ग को दिया जाता है। जिसने संभवतः सन् 1400 और 1468 के बीच चल-टाइप का आविष्कार किया। उसकी 42 पंक्तियों की बाइबल–गटेनबर्ग बाइबल–को कई विद्वान् दुनिया की पहली छपी हुई पुस्तक मानते हैं। वैसे यह दावा दूसरी पुस्तकों के लिए भी किया गया है। संभवतः सन् 1300 के आसपास छपी एक कोरियाई धार्मिक पुस्तक अब तक उपलब्ध पुस्तकों में सबसे पुरानी हो। इस पुस्तक में चल-टाइप का उपयोग नहीं हुआ था।

मुद्रण के आविष्कार से पुस्तकों और समाचार-पत्रों के प्रकाशन का रास्ता खुला। इस तरह ज्ञान के प्रसार और स्थायित्व की संभावनाएँ बढ़ीं। ज्ञान अब तक एक छोटे-से वर्ग के हाथ में था। पुस्तकों और समाचार-पत्रों ने उसका दायरा बढ़ाया और वह क्रमशः सर्वसुलभ होने लगा। मुद्रण की क्रांति विचारों की क्रांति की शुरुआत थी।

संचार के क्षेत्र में इसके बाद की क्रांतियाँ अपेक्षाकृत नयी हैं। उदाहरण के लिए रेडियो ने अभी अपनी पहली जन्म शताब्दी नहीं मनायी। आपको शायद याद हो कि मारकोनी ने सन् 1895 में बिना तार के संकेत भेजने और उन्हें ग्रहण करने का सफल प्रयोग किया था और 1896 में लन्दन में रेडियो का पेटेंट लिया था। इंग्लैंड के बेयर्ड और अमरीका के जेनकिंस ने 1923 में टेलीविजन के माध्यम से चित्र-सम्प्रेषण का एक कच्चा प्रयास किया था, जिसके दो वर्ष बाद 1925 में उन्हें ऐसा कर सकने में अपेक्षाकृत अधिक सफलता मिली। तब से अब तक संचार की इन विधाओं ने आश्चर्यजनक प्रगति की है।

इस संक्षिप्त-सी रूपरेखा में संचार के अन्य कई साधनों का उल्लेख नहीं किया गया, जैसे तार, टेलीफोन, कैमरा, टेपरिकॉर्डर आदि। जिनकी चर्चा की गयी है, उनमें भी प्रत्येक दशक में उल्लेखनीय परिवर्तन हुए हैं और वे अपने प्राथमिक रूपों से बहुत अधिक विकसित हो चुके हैं। आज प्रविधि और संचार एक-दूसरे के अविभाज्य अंग बन गये हैं और मानव की शारीरिक और मानसिक क्षमताओं को दिन-प्रतिदिन विस्तारित करते जा रहे हैं। समसामयिक समाज में संचार ने एक नयी महत्त्वपूर्ण सामाजिक भूमिका ग्रहण कर ली है।

आइए, अब हम संचार की सामाजिक भूमिका पर संक्षेप में विचार करें।

संचार समाजीकरण का प्रमुख माध्यम है। संचार द्वारा सामाजिक और सांस्कृतिक परंपराएँ एक पीढ़ी से दूसरी पीढ़ी तक पहुँचती हैं। संचार की विभिन्न विधाओं के बिना सामाजिक निरंतरता बनाये रखने की कठिनाइयों का अनुमान सहज ही किया जा सकता है। समाजीकरण की प्रत्येक स्थिति और उसका हर रूप संचार पर आश्रित है। मनुष्य जैवकीय प्राणी से सामाजिक प्राणी तब बनता है जब वह संचार द्वारा सांस्कृतिक अभिवृत्तियों, मूल्यों और व्यवहार-प्रकारों को आत्मसात् कर लेता है। विसमाजीकरण (अथवा पहले अपनायी गयी रीति-नीति का अवमूल्यन) और पुनर्समाजीकरण (या उनके स्थान पर नयी मान्यताओं और मूल्यों का ग्रहण)—दोनों के लिए संचार आवश्यक होता है। इस तरह सांस्कृतिक निरंतरता और परिवर्तन—समाज की दो अनिवार्य प्रक्रियाएँ—संचार पर आधारित होती हैं।

संचार के साधनों का विकास और उसके संदेशों की सुलभता यदि एक ओर सामाजिकता की परिभाषा को प्रभावित करते हैं तो दूसरी ओर उनके द्वारा समाजीकरण की प्रक्रिया में अनेक मूलभूत परिवर्तन होते हैं। जब मनुष्य के पास केवल मौखिक संचार की सीमित शक्ति थी, व्यक्ति का समाजीकरण परिवार और प्राथमिक समूह के सीमित दायरे में होता था। लिपि के आविष्कार और प्रसार के बाद एक संस्थागत क्रांति हुई, सिखाने का काम स्कूल जैसी संस्थाएँ भी करने लगीं। इस तरह समाजीकरण का स्वरूप बदला, व्यक्ति को दो भिन्न धाराओं से संदेश मिलने लगे। परिवार और अन्य प्राथमिक समूहों का कुछ उत्तरदायित्व इस क्षेत्र में अब भी रहा, परंतु नयी संस्थाओं की साझेदारी उन्हें स्वीकार करनी पड़ी। आश्रमों और पाठशालाओं में हाथ से लिखी पोथियों का उपयोग होता था। अपनी सीमित संख्या और दुर्लभता के कारण ये पुस्तकें विस्मय और श्रद्धा की मिली-जुली भावना को जन्म देती थीं। मुद्रण के आरंभ के बाद पुस्तकें सहज ही उपलब्ध होने लगीं। उनका रहस्य और उनकी पूजनीयता धीरे-धीरे कम होने लगी। परिवार, प्राथमिक समूह और स्कूल के अतिरिक्त सुलभ पुस्तकें सीखने का एक वैकल्पिक साधन बनीं। जन-संचार के साधनों ने संदेशवाहकों की संख्या में आश्चर्यजनक वृद्धि की। आज के संदर्भ में समाजीकरण के स्रोतों के संबंध में निश्चयात्मक ढंग से कुछ कह सकना कठिन हो गया है। परिवार, सम-रुचि समूह और स्कूल के अतिरिक्त दैनिक अखबार, पत्र-पत्रिकाएँ, रेडियो, सिनेमा और टेलीविजन भी अपने संदेशों से उभरते व्यक्तित्वों को प्रभावित करते हैं। अलग-अलग स्रोतों से आये संदेश हमेशा एक-दूसरे के पूरक नहीं होते। वे एक-दूसरे के विरोधी भी हो सकते हैं। संचार-संदेश का यह अंतर्विरोध यदि एक ओर कुछ समस्याओं को जन्म देता है तो दूसरी ओर उससे ज्ञान-विज्ञान के नये सीमांतों की खोज की प्रेरणा भी मिलती है। यहाँ यह स्मरण रखना आवश्यक है

कि संचार परंपरागत मान्यताओं को केवल पुष्ट ही नहीं करता, उनके संबंध में संवाद का आरंभ कर उनका मूल्यांकन करने की स्थिति को जन्म देता है। समय की कसौटी पर कुछ मान्यताएँ खरी उतरती हैं, पर अनेक इस प्रक्रिया में अवमूल्यित हो जाती हैं और उनके स्थान पर नये प्रतिमान उभरते हैं, नयी मान्यताएँ प्रतिष्ठित होती हैं।

संचार-व्यवस्था का दूसरा मुख्य उत्तरदायित्व है—सामाजिक गतिविधियों की निगरानी करना। जब संचार का आधार केवल मौखिक था या जिन समाजों में संचार अभी भी मुख्यतः मौखिक है, उनमें भी वह केवल परंपरा का वहन ही नहीं करता, वह सामाजिक आलोचना को भी स्वर देता है और इस रूप में सामाजिक नियंत्रण का साधन बनता है। जन-संचार के साधन भी, अपनी शैली में, यही कार्य करते हैं। इस तरह हम पाते हैं कि एक ओर संचार-व्यवस्था यदि शिक्षक का काम करती है तो दूसरी ओर उसे सामाजिक महानिरीक्षक का उत्तरदायित्व भी ग्रहण करना पड़ता है।

कोई भी समाज-व्यवस्था अपने आपमें पूर्ण नहीं होती, उसके पास हर सामाजिक प्रश्न और समस्या का उत्तर नहीं होता। सामाजिक और मानसिक पर्यावरण में होने वाले परिवर्तन नये प्रश्नों और नयी समस्याओं को जन्म देते रहते हैं, जिनके समाधान परंपरा की परिधि में पा सकना कभी-कभी कठिन होता है। प्रत्येक समाज के जीवन में ऐसी घड़ियाँ आती हैं जब उसे सामाजिक लक्ष्यों और उन्हें पाने के साधनों के बारे में नये सिरे से न्यूनतम सामाजिक सहमति आवश्यक होती है। सहमति का वातावरण निर्मित करने में संचार का योगदान महत्त्वपूर्ण होता है। जन-संचार के माध्यमों से की गयी चर्चा से स्थितियों और समस्याओं को उनके व्यापक सामाजिक परिदृश्य में समझने में सहायता मिलती है और उनके विस्तार, स्वरूप और आयामों के संबंध में सामूहिक विवेक उत्पन्न होता है। यह विवेक इन समस्याओं के संभव हल के संबंध में सामाजिक सहमति और प्रयत्नों को जन्म देता है।

संचार का चौथा महत्त्वपूर्ण कार्य है—व्यक्ति और समाज के संज्ञानात्मक मानचित्र का विस्तार। नयी सूचनाएँ मानसिक क्षितिजों को विस्तारित करती हैं और आकांक्षाओं के धरातल को उठाती हैं। उनके कारण नयी अभिरुचियाँ उत्पन्न होती हैं, समस्याओं और उनके संभव समाधानों पर ध्यान केंद्रित होता है और प्रयोग की प्रवृत्ति जाग्रत होती है।

संचार के दो और कार्यों का उल्लेख आवश्यक है। पहला है—मनोरंजन। जन-संचार के कतिपय साधनों का उपयोग मुख्यतः मनोरंजन के लिए ही किया जाता है। इस कारण जन-साधारण की दृष्टि में वे मनोविनोद के साधन-मात्र होकर रह गये हैं, नये सिर से उनका शैक्षिक उपयोग करने में कठिनाइयों का अनुभव हो सकता है। वैसे मनोरंजन के बहुत थोड़े स्वरूप ही ऐसे हैं जिनका उद्देश्य मनोरंजन मात्र हो और जिनमें प्रत्यक्ष अथवा परोक्ष, प्रगट अथवा अंतर्निहित रूप से दूसरे उद्देश्य घुले-मिले न

हों। नानी की कहानियों और कठपुतलियों के नाच तक में एक सबक होता था। आज की कथा में सशक्त सामाजिक आलोचना संभव है। सिनेमा, रेडियो और टेलीविजन के मनोरंजन के उद्देश्य से प्रस्तुत किये गये कार्यक्रम अनेक ऐसे संदेशों का वहन कर सकते हैं जिनकी कल्पना संभवतः उनके प्रस्तुतकर्त्ताओं को भी न हो। मानस की गहराई में उनके प्रभावों का विश्लेषण अब होने लगा है। इस नयी समझ का उपयोग अधिकांशतः व्यावसायिक हितों की दृष्टि से किया गया है। सामाजिक नव-निर्माण और विकास के क्षेत्र में उसकी संभावनाओं का सार्थक उपयोग किया जा सकता है, पर अभी बड़े पैमाने पर ऐसा किया नहीं गया।

दूसरा, संचार-क्षमता और संचार-साधन दोनों में सामाजिक प्रतिष्ठा बढ़ाने का गुण है। व्यक्ति चाहे प्रभावशाली वक्ता हो या मनोरंजक ढंग से कहानी कहनेवाला, कुशल अभिनेता हो या सशक्त लेखक, अपनी विशिष्ट संचार-विधा में उसकी क्षमता उसकी प्रतिष्ठा बढ़ाती है। जन-संचार के नये साधन व्यक्ति और विचार दोनों का सामाजिक आदर बढ़ा या घटा सकते हैं। इस युग के बड़े-बड़े शक्ति-सामंत भी समाचार-पत्रों, रेडियो और टेलीविजन की इस शक्ति को स्वीकार करते हैं और उसके सामने झुकते भी हैं। नयी अभिवृत्तियों और मूल्यों को पुरस्कृत कर संचार के साधन सामाजिक नवनिर्माण की दिशा में महत्त्वपूर्ण कार्य करते हैं।

सामाजिक विकास और आधुनिकीकरण के संदर्भ में यदि संचार के इन प्रकार्यों पर हम विचार करें तो इस क्षेत्र में उसकी कई संभावनाएँ स्पष्ट होंगी। संचार-साधनों को उचित दिशा देकर नये मूल्य प्रतिष्ठित कराये जा सकते हैं; समाज को परंपरा से प्रगति की ओर मोड़ा जा सकता है। उनकी सहायता से जनमानस को आधुनिकीकरण के लक्ष्यों और कार्यक्रमों को स्वीकार करने के लिए प्रेरित किया जा सकता है। जन-संचार के साधन उनके सम्मुख नये जीवन का एक आकर्षक विकल्प प्रस्तुत कर उन्हें जड़ता का मार्ग छोड़ सक्रियता की राह अपनाने की प्रेरणा दे सकते हैं। जाग्रत जनमत प्रगति की अनिवार्य शर्त है और इसे तैयार करने में जन-संचार के साधनों की बड़ी ही महत्त्वपूर्ण भूमिका है। मनोरंजन के साथ-साथ विकास का संदेश बड़े सशक्त ढंग से जन-साधारण तक पहुँचाया जा सकता है।

इन प्रभावशाली संभावनाओं के साथ संचार की सीमाओं पर ध्यान रखना भी आवश्यक है। संचार एक अस्त्र है, उसका उपयोग हो सकता है, दुरुपयोग भी। मूल प्रश्न हैं : यह अस्त्र किसके हाथ में है ? उस पर नियंत्रण करनेवालों के सामाजिक लक्ष्य और न्यस्त हित क्या हैं ? क्या उनमें इन साधनों का कल्पनाशील और सार्थक उपयोग करने की क्षमता है ? दूसरे शब्दों में इन साधनों का उपयोग कौन, किस उद्देश्य से और कितनी क्षमता से कर रहा है ? कुछ हाथों में यदि संचार प्रगति का प्रेरक बन सकता है तो दूसरे हाथ उसे परंपरा का पोषक बना सकते हैं। उनका

उपयोग देश का ध्यान महत्त्वपूर्ण समस्याओं से हटाकर अर्थहीन प्रश्नों में उलझाये रखने के लिए भी किया जा सकता है। इन संचार-साधनों पर गायी हुई लोरियाँ राष्ट्र को सुला भी सकती हैं। कभी-कभी संचार प्रगति का स्थान ले लेता है, वास्तविक प्रगति कम होती है पर उसे और काल्पनिक प्रगति को संचार के साधन इतने आकर्षक ढंग से प्रस्तुत करते हैं कि जनता शब्दों के मोहक इंद्रजाल में दिशा भ्रमित हो जाती है। इसके विपरीत अयोग्य संचारकर्ता आशायुक्त संदेशों को कल्पनाहीन तथा अनाकर्षक ढंग से प्रस्तुत कर उनकी हत्या कर सकते हैं। संचार वस्तुतः दो धारोंवाला अस्त्र है, जिसका उपयोग बड़ी ही सावधानी से होना चाहिए।

अंत में मैं कुछ अन्य नैतिक प्रश्नों का उल्लेख करूँगा जो संचार-साधनों के विकास और उपयोग के साथ अविभाज्य रूप से जुड़े हैं।

आज का युग संदेश-विस्फोट का युग है। अनेक धाराओं से अनेक प्रकार के संदेशों की बौछार समसामयिक मानव पर हो रही है। उसकी व्यक्तिगत विचार-प्रक्रिया पर इसका क्या प्रभाव पड़ता है, यह प्रश्न विचारणीय है। अब तक हुए अनुसंधानों के निष्कर्ष चिंताजनक हैं। आज का मानव बाह्य-निर्देशित होता जा रहा है; वह अपनी विचार-क्षमता पर कम भरोसा करता है, उन विचारों पर अधिक जो उसे जन-संचार के साधनों से मिलते हैं। दूसरे शब्दों में, संदेश विचार और चिंतन का स्थान ले रहे हैं।

समस्या का एक और पहलू उल्लेखनीय है। आज का मानव अपने स्वयं-प्रतिमान जन-संचार द्वारा पुरस्कृत प्रतिमानों के आधार पर बनाता है और अपनी उपलब्धियों और असफलताओं का लेखा-जोखा जन-संचार द्वारा समर्थित मानदंड से करता है। निश्चित रूप से संस्कृति में रूढ़ दृष्टिवाद पनप रहा है—पुरानी या नयी लीकों पर चलने की वृत्ति बढ़ रही है, उनसे हटकर स्वतंत्र विचार और व्यवहार का आग्रह घट रहा है। क्या ये लक्षण शुभ हैं ?

सामाजिक धरातल पर समस्या का एक और पक्ष विचारयोग्य है। समुदाय को एक साथ अनेक संदेश मिलते हैं; इनमें न सामंजस्य होता है, न तारतम्य। कई संदेश परस्पर विरोधी होते हैं। यह स्थिति संज्ञानात्मक भ्रम को जन्म देती है। जो कहा जा रहा है, उसमें किस पर विश्वास किया जाये और किस पर नहीं ? इस कारण निश्चय की प्रक्रिया भी गड़बड़ा जाती है। समृद्ध और असमृद्ध दोनों प्रकार के समाजों ने इस समस्या का बड़ी तीव्रता से अनुभव किया है।

सूचनाओं का विस्फोट एक व्यावहारिक समस्या को भी जन्म देता है। प्रत्येक सूचना की कुछ-न-कुछ सामाजिक प्रतिक्रिया होती है, कभी-कभी ये प्रतिक्रियाएँ समय के पर्याप्त व्यवधान के बाद व्यक्त होती हैं। शासन-तंत्र सूचनाओं के प्रभावों और परिणामों का, अल्पकालिक और दीर्घकालीन, संदर्भों में, मूल्यांकन किस तरह करे ?

संचारकर्ता अपने संदेश पहुँचाने में कुशल होता है, पर उसे अपने पाठकों, श्रोताओं और दर्शकों के प्रतिक्रिया-संदेश उतनी आसानी से नहीं मिलते। अनियंत्रित संदेश प्रशासन के लिए कई समस्याएँ पैदा करते हैं। वे जनता की आकांक्षाओं और अपेक्षाओं को सरलता से बढ़ा सकते हैं, पर उनकी पूर्ति के लिए जिस तरह की सामाजिक तैयारी आवश्यक है, उसे उत्पन्न करना या तो उनके सामर्थ्य-क्षेत्र के बाहर है या इस पक्ष में वे अधिक सक्षम नहीं हैं।

संचार मानव की एक बड़ी शक्ति है, पर उसकी अन्य शक्तियों की तरह यह भी समस्याहीन नहीं है। उसकी सीमाओं को समझना, उसकी संभावनाओं का पूरी तरह उपयोग कर सकने के लिए आवश्यक है। अनिश्चित भविष्य की अनेक चुनौतियों का सामना करने के लिए हमें इस अस्त्र का सफल और सार्थक उपयोग करना होगा। आनेवाले कल के लिए यदि हम एक सूझयुक्त संचार-नीति आज ही न बना सके तो संभव है कि हमारी समस्याएँ और भी उलझ जायें और हम इस उपयोगी अस्त्र का फलप्रद उपयोग न कर सकें।

दूसरे महायुद्ध के बाद जिस समस्या ने दुनिया का ध्यान बड़ी तीव्रता से अपनी ओर आकृष्ट किया वह थी विकास की समस्या। इस काल में संसार के राजनीतिक मानचित्र में बड़े-बड़े परिवर्तन हुए। अनेक देश जो सदियों तक विदेशी दासता के बंधनों में जकड़े थे, स्वतंत्र राष्ट्रों के रूप में विश्व समुदाय के सदस्य बने। राष्ट्रीय मुक्ति, राजनीतिक धरातल पर एक बड़ी उपलब्धि थी। अपने राजनीतिक संघर्ष में विजय पाकर इन देशों का ध्यान आर्थिक पिछड़ेपन और सामाजिक गतिहीनता की समस्याओं की ओर गया। स्वतंत्रता को सार्थक बनाने के लिए यह आवश्यक था कि इन देशों की औपनिवेशिक अर्थव्यवस्था और सामंतवादी सामाजिक गठन में मूलभूत परिवर्तन हों, सामान्य जनता का जीवन-स्तर ऊँचा उठे। आर्थिक विकास और सामाजिक परिवर्तन के जो आरंभिक प्रयत्न इन देशों ने किये, उनमें उन्हें विशेष सफलता नहीं मिली; झटपट प्रगति के उनके स्वप्न पूरे न हुए। कुछ समय बाद ही वे समझ गये कि समस्या को उन्होंने जितना सरल समझ रखा था, वह उससे कहीं अधिक जटिल थी। इसी बीच आर्थिक और सामाजिक न्याय की माँग सशक्त हुई और यह स्पष्ट हो गया कि विकास के कार्यक्रमों में तेजी लाना आवश्यक है। बहुपक्षीय विकास की नयी व्यूह-रचना उनके उत्तरदायित्वों का सबसे महत्त्वपूर्ण भाग बन गयी। आर्थिक और सामाजिक विकास के संतोषजनक प्रतिरूप की तलाश अभी भी जारी है।

विकास की समस्या पर जो संवाद हुआ है, उसमें उसकी पूर्व-आवश्यकताओं के

दो पक्ष उभरे हैं। पहला पक्ष है अभिवृत्तिक परिवर्तन और चारित्रिक कायापलट का; दूसरा है संस्थागत क्रांति और संगठनात्मक पुनर्रचना का।

विकास की प्रक्रिया का सूत्रपात मनुष्य के मस्तिष्क में होता है। आधुनिकता के लिए किया जानेवाला संघर्ष मूलतः समसामयिक मानव की मान्यताओं, मूल्यों और कार्य-शैलियों को एक नया मोड़ देने का संघर्ष है। अभिवृत्तियाँ और मूल्य व्यवहार-प्रकारों को बदलते हैं; उनमें होनेवाला परिवर्तन समाज के संस्थागत और संगठनात्मक आधार को भी प्रभावित करता है। विकास को दिशा और गति देने के लिए चारित्रिक क्रांति आवश्यक है। इस क्रांति को नये दृष्टिकोण और मूल्यों की अपेक्षा है। आधुनिक व्यक्तित्व का प्रमुख गुण है विवेकशील और तर्कसंगत दृष्टिकोण जो जीवन और उसके बदलते परिवेश को कार्य-कारण संबंधों के आधार पर देख सके। परानुभूति, गतिशीलता, और सक्रियता भी आधुनिक व्यक्तित्व के आवश्यक तत्त्व हैं। यह व्यक्तित्व अतीत-बद्ध नहीं होता, वह परंपराओं का वैज्ञानिक मूल्यांकन करता है और आज और आनेवाले कल की चुनौतियों के प्रति सजग रहता है। उसमें उपलब्धि-आकांक्षा होती है और उसे परिवर्तन की संभावनाओं और आवश्यकता पर अटूट विश्वास होता है। श्रम, संपत्ति और बचत के संबंध में इस व्यक्तित्व में एक नया दृष्टिकोण होता है। वह श्रम से दूर नहीं भागता, झूठी आध्यात्मिकता उसे जीवन के भौतिक पक्षों से असंयुक्त नहीं करती, वह आगे आनेवाले कल के लिए तात्कालिक तृप्ति को रोक सकता है और जाँच-तौलकर साहसिक कदम उठाने से घबराता नहीं है। हर नयी चुनौती उसके लिए एक प्रेरणा होती है, क्योंकि समस्याओं का समाधान खोज सकने की अपनी क्षमता में उसे अदम्य विश्वास होता है। विशेष स्थितियों में वह अनिवार्य से समझौता कर लेता है, पर ऐसे समझौते उसे प्रगति के नये रास्ते खोजने से नहीं रोकते। यह व्यक्तित्व भीड़ का अंग तो नहीं बनता, पर वह शेष समाज से सावयवी संबंध भी विकसित करता है, क्योंकि उसे सामूहिक शक्ति और नैतिकता पर विश्वास होता है।

ये अभिवृत्तियाँ और मूल्यों में परिवर्तन एक नया सामाजिक चरित्र विकसित करते हैं जो संस्थागत और संगठनात्मक परिवर्तनों की आधारिक संरचना बनता है। नये सामाजिक संगठन का उद्देश्य मूलतः तीन प्रकार की क्षमताओं को विकसित और पुष्ट करना होता है : साहचर्यात्मक, प्रशासन-प्रबंध संबंधी, और अनुसंधान-मूल्यांकन संबंधी। यह साफ है कि सामूहिक क्षमता के बिना न विकास संभव है, न आधुनिकीकरण। विकास के लिए न्याय और व्यवस्था का वातावरण अपेक्षित है, जो समर्थ, सुप्रशिक्षित और ईमानदार लोक-प्रशासन द्वारा संभव है। नियोजन अपने आपमें एक कला है, जो धीरे-धीरे विज्ञान का रूप लेती जा रही है। नियोजन निपुणता तथा साधनों और मानवीय संबंधों का प्रबंध भी विकास के लिए अनिवार्य है। अनुसंधान

क्षमता इसलिए आवश्यक है कि विकास-क्रम में उठनेवाली समस्याओं के समाधान बिना विलंब के खोजे जा सकें। विकास की जो योजनाएँ चल रही हैं, समय-समय पर उनका मूल्यांकन भी जरूरी होता है ताकि उनके तात्कालिक और दीर्घकालिक हानि-लाभ का लेखा-जोखा होता रहे और उनमें होनवाले गतिरोधों का भी विश्लेषण किया जा सके। इन क्षमताओं की अभिव्यक्ति के लिए राजनीतिक, आर्थिक, सामाजिक, शैक्षिक और वैज्ञानिक संस्थाओं की एक ऐसी शृंखला आवश्यक होती है जो राष्ट्रीय विकास के विभिन्न पक्षों की माँगों को पूरा कर सके।

नियोजन का तकनीकी और प्रायोगिक पक्ष अपने-आपमें बड़ा महत्त्वपूर्ण है। विकास के लक्ष्यों को निर्दिष्ट करना, प्राकृतिक और मानवीय साधनों का निर्धारण, विकास-कार्यक्रमों की पूर्वताओं संबंधी निर्णय, लागत-लाभ विश्लेषण के आधार पर पूँजी लगाने के बारे में निश्चय योजनाओं में अंतरावलंबन और पूरकता विकसित करना तथा मूल्यांकन आदि नियोजित विकास के आवश्यक अंग हैं। यदि मैंने आधारिक संरचना पर जोर दिया है तो वह केवल इसलिए कि अनुभव यह बताता है कि प्राविधिक रूप से पूर्ण और निर्दोष योजनाएँ भी मानवीय प्रयोजन के अभाव में असफल हो जाती हैं। मुझे ऐसा कोई भ्रम नहीं है कि अभिवृत्तियाँ और मूल्य या सामाजिक संगठन किसी जादू की छड़ी को घुमाने से ही बदल जाते हैं। मानव के पास, दुर्भाग्य से, ऐसे जादू की छड़ी नहीं है। नियोजन के परिणाम, बहुत अंशों में, एक नये मनोवैज्ञानिक और सामाजिक परिवेश को जन्म देते हैं। यह कहना हास्यास्पद होगा कि विकास की योजनाएँ तभी शुरू की जायें जब उनके अनुकूल अभिवृत्तिक वातावरण बन जायें। आवश्यक यह है कि प्रारंभिक योजनाओं का निविष्ट-निर्धारण करते समय हम उन कार्यक्रमों का भी समर्थन करें जो प्रगति-प्रेरक पर्यावरण बनाने में सहायक हों। कल्पनाशील और उद्देश्यपूर्ण संचार-व्यवस्था के विकास को इन योजनाओं में प्राथमिकता मिलनी चाहिए।

विकास के लिए संचार आवश्यक है पर वह अपने-आपमें पर्याप्त नहीं है। उसकी अग्रगामी और पूरक भूमिकाएँ विकास के लिए अनुकूल वातावरण तैयार करती हैं और योजनाओं के कार्यान्वयन में अनेक रूपों में सहायक होती हैं।

पहले हम संचार की वैकासिक संभावनाओं पर विचार करें।

विकास की योजनाएँ छोटी हों या बड़ी—स्थानीय हों या क्षेत्रीय—उन्हें राष्ट्रीय संदर्भों से अलग नहीं किया जा सकता। इस प्रकार की योजनाओं के पोषण के लिए व्यापक राष्ट्रीय योजनाएँ भी आवश्यक होती हैं। भावात्मक एकता और राष्ट्रीय समाकलन का प्रत्यक्ष प्रभाव इन योजनाओं पर पड़ता है। विकासशील देशों में

राष्ट्र-निर्माण और आर्थिक विकास प्रायः एक-दूसरे के पर्यायवाची हैं। संचार राष्ट्रीयता की भावना विकसित कर सकता है, नागरिकों को राष्ट्रीय हितों के संबंध में जागरूक बना सकता है और विघटनकारी प्रवृत्तियों के संबंध में उन्हें सचेत कर सकता है। विकास के लिए आवश्यक है कि राष्ट्रीय आत्मविश्वास सशक्त हो और सामान्य नागरिक को राष्ट्रीय संस्थाओं के प्रति आदर हो। संचार द्वारा यह आत्मविश्वास और आदर पैदा कराया जा सकता है।

विकास-संबंधी अधिकांश निर्णय राजनीतिक होते हैं। राजनीतिक व्यवस्था के विभिन्न धरातलों और अंगों में संचार की सुलभता पर सही निर्णयों का समय पर लेना निर्भर होता है। उनके बीच का संचार-अंतराल अनेक समस्याओं को जन्म दे सकता है। एक ओर जहाँ यह आवश्यक है कि ऊँचे धरातल से संदेश बिना विकृत हुए नीचे के धरातल तक पहुँचते रहें, दूसरी ओर यह भी जरूरी है कि ऊँचे धरातल को नीचे होनेवाली प्रतिक्रियाओं का पता चलता रहे—सामान्य राजनीतिक कार्यकर्ताओं और जनता की प्रतिक्रियाएँ ऊपर तक पहुँचती रहें। यही बात प्रशासन-व्यवस्था पर लागू होती है। प्रशासनिक गतिरोध, कई स्थितियों में, दोषपूर्ण संचार के कारण होता है। विकास के विभिन्न पक्षों के लिए उत्तरदायी विभागों में बहुधा पर्याप्त संवाद नहीं होता और ऊपर से नीचे की ओर संदेश बड़ी धीमी गति से और प्रायः क्षत-विक्षत होकर पहुँचते हैं। यहाँ भी विभिन्न धरातलों से प्रतिक्रिया न मिलने के कारण योजनाओं में जड़ता और एकरूपता बनी रहती है, स्थिति के अनुसार उनका परिमार्जन नहीं हो पाता। योजनाओं के सफल और सुचारु कार्यान्वयन के लिए संचार के इस पक्ष पर ध्यान अपेक्षित है।

जन-सहमति और जन-सहयोग विकास-योजनाओं की सफलता के लिए अनिवार्य हैं। राष्ट्रीय लक्ष्य और उनकी प्राप्ति के साधन इन दोनों पर न्यूनतम सहमति के बिना विकास-योजनाओं का क्रियान्वयन यदि असंभव नहीं तो कठिन जरूर होता है। जन-सहयोग की भावना विकसित करके ही साधनों और जनशक्ति का समुचित संगठन किया जा सकता है। संचार-साधनों के योजनाबद्ध उपयोग से जनता का ध्यान विकास-योजनाओं पर केंद्रित किया जा सकता है और उसकी रुचि इन योजनाओं में जाग्रत की जा सकती है। जनशक्ति और साधनों का संगठन ऐसी स्थिति में अपेक्षाकृत सरल होता है।

विकास के लिए अभिवृत्तिक परिवर्तन की आवश्यकता पर बहुत कुछ कहा जा चुका है। एक अन्य संदर्भ में संचार द्वारा इस प्रकार के परिवर्तन लाने की कठिनाइयों के बारे में भी मैं कुछ कहूँगा। यहाँ इतना कहना ही काफी होगा कि कोई किसी दूसरे के कहने मात्र से ही अपना दृष्टिकोण और अपनी मान्यताएँ नहीं बदल लेता। संचार-कर्मी इस तथ्य से भली-भाँति परिचित हैं। जहाँ आदेश विफल होता है, प्रयोग

और निदर्शन सफल हो जाते हैं। अल्पकालिक समय परिप्रेक्ष्य में अभिवृत्तियाँ बदलने में संचार की शक्ति निश्चित रूप से सीमित है, पर प्रयोग की प्रवृत्ति जाग्रत करने में वह अधिक सक्षम है। निदर्शन संचार की एक उपयोगी विधा है। यदि प्रयोग और निदर्शन सफल हुए तो वे अभिवृत्तियों को नया और अपेक्षित मोड़ देते हैं। संचार के अध्ययनों से यह भी ज्ञात होता है कि जन-संचार के साधनों का शैक्षिक प्रयोग तकनीक और विधि सिखाने के लिए, अभिवृत्ति बदलने की तुलना में, अधिक सफलता से किया जा सकता है। प्राविधिक परिवर्तन की दृष्टि से यह तथ्य अपने-आपमें महत्त्वपूर्ण है, पर वह इसलिए भी उल्लेखनीय है कि नयी विधियों पर अधिकार अभिवृत्ति-परिवर्तन को सरल बना देता है।

अब तक मैंने आपके सामने संचार की विकास-संबंधी संभावनाओं को जिस तरह रखा है, उससे यह भ्रम हो सकता है कि संचार की प्रक्रिया बहुत सरल है और संदेश, बिना किसी कठिनाई के, अपेक्षित प्रभाव उत्पन्न कर लेते हैं। संभावनाएँ सब अपने स्थान पर ठीक हैं, पर प्रक्रिया बहुत ही जटिल है। संदेश और परिणाम के बीच अनेक समस्याएँ हैं। उसकी जटिलता को समझने के लिए संचार-प्रक्रिया के मुख्य तत्त्वों और उनसे संबद्ध समस्याओं का विश्लेषण जरूरी है।

इस प्रक्रिया के मुख्य तत्त्व हैं :

(1) संदेश का स्रोत; (2) संदेश की विषय-वस्तु; (3) उद्दिष्ट श्रोता-दर्शक-पाठक; (4) संदेश संचार का माध्यम; और (5) संदेश का प्रभाव।

संदेश को उसके स्रोत से अलग करके नहीं देखा जा सकता। इस संदर्भ में दो प्रश्न उठते हैं। पहला संदेश-स्रोत की निपुणता और उसकी धारणा की प्रबलता के बारे में, दूसरा श्रोताओं-दर्शकों-पाठकों में उस पर विश्वास के बारे में। संचारकर्ता अपने श्रोताओं-दर्शकों-पाठकों की रुचि कितनी जाग्रत करता है और कब तक उसे बनाये रखता है ? जो संदेश वह दे रहा है, उसके संबंध में स्वयं उसकी धारणा कितनी दृढ़ है और वह किस दृढ़ता और लगन से अपना अभिप्राय अभिव्यक्त करता है ? श्रोताओं-दर्शकों-पाठकों की नजर में उसकी कीमत क्या है ? वे उसके उद्देश्यों का मूल्यांकन किस तरह करते हैं ? क्या वे उस पर विश्वास करते हैं ? संचार का प्रभाव बहुत कुछ इन प्रश्नों के उत्तरों पर अवलंबित होता है।

विकास संदेशों की विषयवस्तु के बारे में भी इसी तरह के सवाल उठते हैं। क्या संचार अर्थ का संप्रेषण सफलता से करता है ? दूसरे शब्दों में, जो अर्थ संचारकर्ता प्रेषित करना चाहता है, क्या ठीक वही अर्थ श्रोता-दर्शक-पाठक द्वारा ग्रहण किया जाता है ? या, संचार-प्रकिया में अथवा सांस्कृतिक परिवेश की भिन्नता के कारण उसमें अर्थ-विकृति उत्पन्न हो जाती है ? इस महत्त्वपूर्ण प्रश्न के साथ कई व्यावहारिक प्रश्न भी जुड़े हैं। क्या संदेश श्रोताओं-दर्शकों-पाठकों की अपेक्षाओं और

सांस्कृतिक पृष्ठभूमि में प्रासंगिक है ? संदेश में जो नये व्यवहार-प्रकार सुझाये जाते हैं, उनमें और श्रोताओं-दर्शकों-पाठकों की मान्यताओं और परंपरा में कितनी संगति या विसंगति है ? क्या वे व्यवहार-प्रकार संस्कृति के तात्कालिक संदर्भ में स्वीकार किये जा सकते हैं ? अर्थ का सही संप्रेषण आवश्यक है। साथ ही यह देखना भी जरूरी है कि संप्रेषित व्यवहार-प्रकारों का स्वरूप ऐसा न हो कि उनमें और स्थापित मान्यताओं में तालमेल होने के बजाय संघर्ष हो जाये।

संचार-प्रक्रिया की चर्चा करते समय दर्शकों-श्रोताओं-पाठकों की प्रकृति को नहीं भुलाया जा सकता। अंतर वैयक्तिक संचार में श्रोता या दर्शक की स्थिति, रुचि और अभिवृत्ति के अनुकूल संदेश को ढाला जा सकता है, पर जन-संचार सामान्यतः मिले-जुले समूह को संदेश देता है। अभिवृत्ति और मूल्यों को बदलने के ध्येय से प्रेरित संचार भी अपने श्रोताओं, दर्शकों और पाठकों की अभिवृत्तियों और मूल्यों की अवहेलना नहीं कर सकता। ऐसा करने के विपरीत परिणाम हो सकते हैं। श्रोताओं, दर्शकों और पाठकों की प्रस्थिति, सामाजिक संस्तरण में उनका स्थान और उनके न्यस्त हित, संदेश के प्रति उनकी प्रतिक्रिया को स्वरूप देने में निर्णायक सिद्ध होते हैं। बहुत थोड़े संदेश ऐसे होते हैं जो सीधे मत-परिवर्तन में सफल हों। इस क्षेत्र में नेतृत्व और समस्थिति समूह की मध्यस्थ भूमिका भी महत्त्वपूर्ण होती है। वे प्रस्तावित परिवर्तनों के संबंध में व्यक्तियों और समुदाय के निर्णय को प्रभावित करते हैं।

संचार-माध्यमों की प्रकृति और प्रभावों के संबंध में पिछले दशक में बहुत चर्चा हुई है। इसका बहुत कुछ श्रेय मार्शल मेकलुहान को है जिन्हें कई लोग इस युग का एक मसीहा मानते हैं। उनकी एक प्रसिद्ध उक्ति है 'माध्यम ही संदेश है।' इसके दो अर्थ हैं : एक यह कि माध्यम का स्वरूप अपनी संभावनाओं और सीमाओं को स्वयं ही निर्धारित करता है और दूसरा यह कि प्रत्येक माध्यम अपने कई ऐसे भक्त बना लेता है जो उसकी विषयवस्तु की अपेक्षा स्वयं उससे अधिक प्यार करते हैं। उनकी पहली बात अंशतः मानी जा सकती है। समाचारपत्र को व्यक्ति अपनी सुविधा के समय पढ़ सकता है और उसमें अपनी रुचि के विषयों को एक से अधिक बार भी पढ़ सकता है। इसके विपरीत रेडियो और टेलीविजन के विशेष कार्यक्रम खास समय पर ही सुने-देखे जा सकते हैं; व्यक्ति अपनी इच्छा के अनुसार उन्हें कई बार सुन और देख नहीं सकता। चलचित्रों को देखने के लिए व्यावसायिक सिनेमाघरों में खास समय पर जाना जरूरी होता है। वहाँ भी अपने इच्छित दृश्य बार-बार नहीं देखे जा सकते। दूसरी बात मानना कठिन है, क्योंकि माध्यम का उसकी विषयवस्तु से असंबद्ध कोई स्वतंत्र अस्तित्व नहीं होता। आप रेडियो क्यों सुनते हैं ? सिर्फ इसलिए कि आपको रेडियो से प्यार है ? या इसलिए कि उसके एक या अधिक प्रकार के कार्यक्रमों में आपकी रुचि है ? मान लीजिए कि रेडियो पर कुछ दिनों तक समाचार,

संगीत, चर्चाओं और वार्ताओं के कार्यक्रम बंद हो जायें और उनके स्थान पर कुत्तों के भौंकने का एकरस रिकॉर्ड बजाया जाने लगे। क्या तब भी आपको माध्यम से प्यार रहेगा और मेकलुहान के स्वर में स्वर मिलाकर आप कहेंगे—माध्यम ही संदेश है ? अखबार भी आप केवल दृष्टिसुख या स्पर्शसुख के लिए नहीं पढ़ते। प्रत्येक माध्यम से विशिष्ट प्रकार की विषयवस्तु अपेक्षित रहती है। इन अपेक्षाओं का कारण या तो माध्यम के ऐतिहासिक विकास में देखा जा सकता है, या माध्यम द्वारा विकसित और प्रसारित स्वयं प्रतिमान में, या विशेष घटनाओं और स्थितियों के संदर्भ में। अधिकांश माध्यम एक से अधिक प्रकार की रुचियों और विषयवस्तु संबंधी अपेक्षाओं का ध्यान रखते हैं। ये रुचियाँ और अपेक्षाएँ कालांतर में बदलती भी हैं और बदली भी जा सकती हैं। भिन्न-भिन्न सांस्कृतिक परिवेशों और सामाजिक व्यवस्थाओं में संचार की शैलियाँ अलग तरह की होती हैं क्योंकि उनमें माध्यमों से भिन्न प्रकार की अपेक्षाएँ की जाती हैं। मेकलुहान के इस विचार से सहमत होना कठिन है कि संचार की विषयवस्तु का विश्लेषण और उसके प्रभावों का अध्ययन विशेष रूप से उपयोगी नहीं है, क्योंकि उसके स्वरूप और गुणों में ही उसका संदेश और उसका प्रभाव निहित है।

संचार-साधनों की अपनी सीमाएँ होती हैं। एक सीमा से अधिक उनका वैकासिक उपयोग नहीं किया जा सकता। इन सीमाओं को समझ लेना जरूरी है, क्योंकि उन्हें समझकर हम साधनों से असंभव अपेक्षाएँ नहीं करेंगे। उनकी सीमाओं से हमें चिंतित नहीं होना चाहिए, क्योंकि इन साधनों की क्षमता और संभावनाओं का पूरा उपयोग अभी नहीं किया गया है। संचार-साधनों की संभावनाओं के पूर्ण उपयोग के दो प्रमुख अवरोधक हैं—साधन के बारे में श्रोता, दर्शक और पाठक का रूढ़ प्रतिमान और संदेशवहन का रूढ़ स्वरूप। प्रत्येक साधन का ऐतिहासिक विकास उसके संबंध में कुछ खास अपेक्षाएँ विकसित कर देता है। साधन का उपयोग यदि किसी अन्य लक्ष्य के लिए किया जाये तो श्रोताओं, दर्शकों और पाठक की ओर से प्रतिरोध होता है। वे मानसिक रूप से उसके नये प्रयोजन को स्वीकार नहीं करते। दैनिक पत्रों से समाचारों और कुछ अंशों में वैचारिक विश्लेषण की अपेक्षा की जाती है। रेडियो मुख्यतः सूचना और मनोरंजन का साधन माना जाता है। सिनेमा से अधिकांशतः मनोरंजन की ही अपेक्षा की जाती है। ये रूढ़ प्रतिमान एकाएक नहीं बदले जा सकते। उन्हें बदलने के लिए समय और कल्पनाशील प्रयोग जरूरी होते हैं। अधिकांश संचार-साधनों के संदेश और उनको वहन करने के तरीके भी रूढ़ हो गये हैं। ये तरीके नये वैकासिक संदेश सफलतापूर्वक जनता तक पहुँचाने में समर्थ नहीं होते। उनमें न जनजीवन के मुहावरे की पकड़ होती है और न अपने दर्शकों, श्रोताओं और पाठकों की रुचि को जाग्रत रखने की शक्ति। वे विषयवस्तु को कभी-कभी उन प्रतीकों से प्रस्तुत करते हैं जो सामान्य जन के सांस्कृतिक अनुभव क्षेत्र से जुड़े नहीं

होते। यदि संचार-व्यवस्था इस स्थिति में अपने उद्देश्य की प्राप्ति में पूरी तरह सफल नहीं होती तो दोष साधनों का नहीं होता, उनके कल्पनाहीन उपयोग का होता है।

संचार-प्रक्रिया का अंतिम और सबसे अधिक महत्त्वपूर्ण तत्त्व है उसका प्रभाव। यदि संचार अपेक्षित प्रभाव उत्पन्न करने में विफल हुआ तो पूरा संचार-प्रयत्न ही व्यर्थ होता है। कभी-कभी संचार विचारों और व्यवहार-प्रकारों में अपेक्षित परिवर्तन लाने में सफल होता है, पर इस प्रभाव की हर स्थिति में अपेक्षा नहीं करनी चाहिए। संचार का सुप्त प्रभाव भी कम महत्त्व का नहीं होता। इस प्रभाव के अंतर्गत नये विचार जड़ तो पकड़ लेते हैं, पर उसका परिणाम कुछ समय बाद स्पष्ट होता है। निदर्शन-परिणाम अनुमोदित व्यवहार-प्रकार की व्यावहारिकता प्रमाणित कर देता है। यह आवश्यक नहीं कि उसके कारण तत्काल ही व्यवहार-परिवर्तन भी हो। कभी-कभी ऐसा भी होता है कि व्यक्ति अपने व्यवहार में स्वयं ही परिवर्तन करना चाहता है पर समर्थन के अभाव में वह ऐसा कर नहीं सकता। संचार इस स्थिति में उसे समर्थन देकर परिवर्तन को संभव बनाता है। संचार के संगठित और लगातार प्रयत्नों से एक ऐसा वातावरण बनाया जा सकता है कि लोगों को यह लगने लगे कि परिवर्तन की आँधी आयी है और सभी अपना व्यवहार बदल रहे हैं। बहुत से लोग पिछड़ जाने के भय से नये व्यवहार-प्रकार अपनाने को तत्पर हो जाते है। इन प्रभावों को हम परिवर्तन के लिए उपयोगी मान सकते हैं।

संचार कुछ विपरीत प्रभाव भी उत्पन्न कर सकता है। कभी-कभी वह विचार और व्यवहारों को बदलने के बजाय पूर्वाग्रहों को सशक्त करता है और कभी-कभी वह जिन समस्याओं पर ध्यान केंद्रित होना चाहिए, उनसे समुदाय का ध्यान हटा देता है। विकास-योजनाओं का मार्ग प्रशस्त करने के उद्देश्य से किये गये संगठित संचार-प्रयत्न अपने विपरीत प्रभावों के कारण उनकी सफलता की संभावना को ही नष्ट कर देते हैं। इस कोटि के प्रभावों का अध्ययन गहराई में जाकर किया गया है। मैं यहाँ विपरीत फलदायिनी कुछ प्रतिक्रियाओं का उल्लेख करूँगा। संचार कहता है, "दूसरे सब अपने तरीके बदल रहे हैं, तुम भी बदलो ।" प्रतिक्रिया होती है, "सब तो बदल ही रहे हैं, मैं यदि न बदलूँ तो क्या बिगड़ेगा ?" संचार द्वारा जनित तुलना का दबाव कभी-कभी ऐसी दिशा में और इस प्रकार के परिवर्तनों की प्रेरणा देता है जो या तो संभव के सीमा-क्षेत्र में नहीं होते या विकास की प्रक्रिया पर जिनके विघटनकारी प्रभाव होते हैं। भारत यदि चाहे भी तो पाँच या दस वर्षों में पश्चिम के संपन्न देशों का समृद्धि स्तर नहीं पा सकता, पर तुलना के दबाव में कुछ लोग अपना ध्यान इसी स्तर पर केन्द्रित किये रहते हैं। अनुकरण की संस्कृति, उपभोक्तावाद जिसका विशेष गुण है, विकास के उद्देश्यों से जनता के एक अंग को विमुख करती है। संचार झूठे आत्मसंतोष—झूठे इत्मीनान—को भी जन्म दे सकता है। यह तब होता

है जब प्रतिक्रिया होती है, "जो कुछ किया जाना चाहिए, किया ही जा रहा है। जो होगा, ठीक होगा। मैं क्यों चिंता करूँ ?" इसके विपरीत, वह कभी-कभी चिंता को इतना बढ़ा देता है कि व्यक्ति अपने-आपको असहाय मानकर निष्क्रिय हो जाता है। संचार की एक प्रतिक्रिया यह भी हो सकती है कि व्यक्ति संसार और देश की उलझनों से घबराकर अपनी एक सीमित व्यक्तिगत दुनिया में सिकुड़ जाये। संचार के दो निपुण अध्येताओं–मर्टन और लाजर्सफेल्ड–ने संचार के एक चिंताजनक पक्ष की ओर हमारा ध्यान आकृष्ट किया है : संचार उदासीनता को जन्म देता है; उसका प्रभाव मादक पदार्थों के प्रभाव जैसा हो सकता है। उनका कहना है कि बहुसूचित नागरिक, विशेष स्थितियों में, सक्रिय नागरिक नहीं रहता, वह अक्रिय नागरिक बन जाता है।

इस तरह हम देखते हैं कि संचार की प्रक्रिया उलझनों से भरी और बहुत ही जटिल है। विशेषकर उसके प्रभावों की भविष्यवाणी कर सकना कठिन है। पर इन कठिनाइयों के सामने घुटने टेक देने से भी काम नहीं चलेगा, क्योंकि हम यह मानकर चले हैं कि विकास का अभियान वस्तुतः समाज का मन जीतने का अभियान है। उलझनों में भी रास्ता खोजा जा सकता है। इस दिशा में दो कदम जरूरी हैं–पहला, संचार-साधनों का समन्वित विकास जो न केवल उनकी पहुँच को विस्तारित करे वरन् उनके प्रभावों को भी तीक्ष्णता दे; और दूसरा, विकास की दृष्टि से देश और समय के परिप्रेक्ष्य में संचार की नयी व्यूह-रचना।

पहले हम भारत की समसामयिक संचार-स्थिति का सर्वेक्षण करें। इस क्षेत्र में एक साथ कई विसंगतियाँ दिखायी पड़ती हैं :

1. स्वाधीनता के पहले पच्चीस वर्षों में जन-संचार के साधनों का समुचित और समन्वित विकास नहीं हुआ। यह मानने के कारण हैं कि इसी काल में संचार के कुछ परंपरागत साधनों का ह्रास हुआ है।
2. जन-संचार के कार्यक्रम और विषयवस्तु मुख्यतः नगरों और समृद्ध वर्ग की अभिरुचि को ध्यान में रखकर विकसित किये जाते हैं।
3. सूचना और विश्लेषण में 'स्थानीय' और 'क्षेत्रीय' की तुलना में 'अंतर्राष्ट्रीय' और 'राष्ट्रीय' को कहीं अधिक स्थान दिया जाता है।
4. विकास के प्रश्नों और समस्याओं पर ध्यान देना आरंभ अवश्य किया गया, पर इस दिशा में साहसिक और कल्पनाशील प्रयोगों का अभाव बना रहा।

दैनिक और सप्ताह में दो या तीन बार छपनेवाले समाचार-पत्रों की, 1970 में,

कुल मिलाकर सिर्फ चौरासी लाख बाईस हजार प्रतियाँ छपती थीं। देश में, 1971 में, 69 रेडियो प्रसारण केंद्र थे, जिन्हें 138 ट्रांसमीटर उपलब्ध थे, जिनमें से कई बड़ी शक्तिवाले भी थे। पच्चीस वर्ष पूर्व की स्थिति में सुधार तो बहुत हुआ, पर देश की सांस्कृतिक विविधता, भाषाओं और बोलियों के अंतर और देश के विभिन्न वर्गों और हित-समूहों को देखते हुए यह संख्या अभी भी बहुत कम है। इसीलिए रेडियो के अधिकांश कार्यक्रम सामान्य रुचि के ही हो सकते हैं, विशिष्ट समूहों के लिए विशेष कार्यक्रमों की संख्या अनिवार्यतः सीमित होती है। संसार के कई छोटे या विकासशील देशों की तुलना में हमारी प्रसारण-क्षमता अभी भी बहुत कम है। जापान जैसे छोटे देश में 1968 में 652 ट्रांसमीटर थे। इसी वर्ष में मैक्सिको में 528, केनेडा में 392, सोवियत यूनियन में 407 और अमरीका में 6,337 ट्रांसमीटर थे। फिल्म निर्माण के क्षेत्र में तो भारत बहुत आगे है, पर देश के भौगोलिक विस्तार और जनसंख्या को देखते हुए सिनेमाघरों की संख्या बहुत कम है। 1966 में देश में 3,889 प्रदर्शन-गृह थे और उनमें जनसंख्या के एक हजार व्यक्तियों में से सिर्फ सात को सीटें उपलब्ध थीं। टेलीविजन अभी भी प्रायोगिक स्थिति में है। कई वर्षों तक दिल्ली में भारत का इकलौता दूरदर्शन केंद्र था, अब इन केंद्रों की संख्या में तीन की वृद्धि हुई है। अभी भी टेलीविजन की पहुँच बहुत ही सीमित है और जो समय उसे उपलब्ध है उस पर कई दबाव हैं। प्रसारण के लिए सेटेलाइट का प्रयोग जब आरम्भ होगा तब इसके क्षेत्र-विस्तार की संभावना है।

कुछ समय पहले मैंने कहा था कि परंपरागत संचार-सूत्रों का ह्रास हो रहा है। इस विषय पर आधिकारिक सर्वेक्षण नहीं हुए, पर क्षेत्रीय संस्कृतियों के अध्येता इस बारे में प्रायः एकमत हैं। यहाँ एक महत्त्वपूर्ण तथ्य का उल्लेख आवश्यक है। जन-संचार के साधनों और मौखिक संचार-सूत्रों में कोई समन्वित संबंध नहीं हैं, पर उनका असंगठित सहयोग विशेष स्थितियों में प्रसार के क्षेत्र में बड़े प्रभावशाली परिणाम प्रस्तुत करता है। कई साल पहले जब चीन ने भारत पर आक्रमण किया था, मैंने ग्रामीण भारत में आक्रमण-संबंधी सूचना के विभिन्न पक्षों पर एक राष्ट्रव्यापी सर्वेक्षण कराया था। उसके परिणाम स्वयं मुझे अनपेक्षित लगे थे। सर्वेक्षण के लिए चुने गये कई गाँवों में न रेडियो थे और न वहाँ समाचारपत्र पहुँचते थे। फिर भी आक्रमण के कुछ ही दिन बाद हुए इस अध्ययन से पता चला कि अलग-अलग प्रांतों में 58.3 प्रतिशत से लेकर 93.8 प्रतिशत लोगों को स्थिति की संतोषजनक जानकारी थी। इसी प्रकार का एक अन्य सर्वेक्षण प्रथम भारत-पाक युद्ध के संदर्भ में डॉ. योगेश अटल ने कराया था, जिसके परिणाम भी मेरे सर्वेक्षण के परिणामों से मिलते-जुलते थे।

समाचारपत्रों में प्रकाशित सामग्री और रेडियो के कार्यक्रमों का प्रामाणिक वस्तु

सामग्री-विश्लेषण अभी नहीं हुआ। समाजविज्ञान और मनोविज्ञान के छात्रों ने कुछ सीमित अनुसंधान इस विषय में किये हैं। यह निश्चित है कि इन दोनों प्रसार-साधनों का ध्यान नगरों और समृद्ध वर्ग की ओर अधिक है, देश के बहुजन समाज की ओर कम। युवा पीढ़ी के लिए जिन नयी पत्रिकाओं का प्रकाशन आरंभ किया गया है, वे तो एकदम अल्पसंख्यक मॉड पीढ़ी के लिए हैं। यह स्वाभाविक है कि समाचारपत्र और पत्रिकाएँ अपने पाठकों की अभिरुचि का ध्यान रखते हैं, जिनकी संख्या गाँवों में और साधनहीनों में बहुत कम है। रेडियो के युववाणी कार्यक्रमों में देश के युवा वर्ग की दो भिन्न सांस्कृतिक धाराएँ स्पष्ट देखी जा सकती हैं। रेडियो का प्रसार गाँवों में भी हो गया है, फिर भी उसके कार्यक्रमों में नगर और समृद्ध वर्ग की अभिरुचि के तत्त्वों का अनुपात बहुत अधिक होता है। टेलीविजन अनिश्चय की स्थिति में है। उसके अधिकांश ग्राहक समृद्ध वर्ग के हैं, जिनके लिए वह प्रस्थिति प्रतीक है, पर राष्ट्रीय नीति यह है कि उसका उपयोग मुख्यतः गाँवों और विकास के लिए किया जाय। ग्राहकों का दबाव बढ़ रहा है। देखना है टेलीविजन का विस्तार उनसे किस सीमा तक प्रभावित होता है; घोषित नीति कितने समझौते करती है।

समाचारपत्र, रेडियो और टेलीविजन ने अपने समाचारों और घटना-विश्लेषणों में स्थानीय और क्षेत्रीय की तुलना में राष्ट्रीय और अंतर्राष्ट्रीय को अधिक स्थान दिया है। इनमें भी राजनीतिक समाचारों और विश्लेषणों का बाहुल्य होता है। अन्य पक्षों में संचार-विशेषज्ञता का अधिक विकास नहीं हुआ। इसका एक परिणाम यह हुआ है कि संचार-साधनों का क्षेत्रीय और स्थानीय व्यक्तित्व विकसित नहीं हो पाया। दूसरा परिणाम यह हुआ कि सामान्य पाठक, श्रोता या दर्शक ने उन्हें अपने जीवन के तात्कालिक संदर्भों से जुड़ा हुआ नहीं पाया और उसने यह भी बहुत कम अनुभव किया कि वह वर्णित या विश्लेषित जीवन का अंग है। सहभागी होने की अनुभूति उसे बहुत कम स्थितियों में हुई।

संचार-साधनों की विषयवस्तु में मनोरंजन और राजनीतिक समाचारों को पूर्वता मिलने के कारण वैकासिक संचार को कम समय मिला। संचार-व्यवस्था को इस पक्ष का अधिक अनुभव नहीं था। आर्थिक साधनों की कमी और अपने प्रशासनिक पर्यावरण के कारण संचार-साधन इन क्षेत्रों में अधिक विशेषज्ञता विकसित नहीं कर पाये। कृषि-विकास, सामुदायिक विकास और परिवार-नियोजन के क्षेत्रों में कार्यक्रमों को समय तो दिया गया पर उनमें भी साहसिक और कल्पनाशील प्रयोगों की कमी थी। शिक्षा के पूरक माध्यमों के रूप में भी रेडियो और टेलीविजन का उपयोग हुआ, पर उनमें भी योजना और दृढ़ निश्चय की कमी थी।

संचार की पूरी वैकासिक संभावनाओं का उपयोग करने के लिए उसकी व्यवस्था के पुनर्गठन की समस्या पर नये सिरे से विचार करना होगा। साथ ही संचार की एक नयी व्यूह रचना भी आवश्यक है।

इस व्यूह रचना का पहला तत्त्व होगा संचार-साधनों की पहुँच को विस्तारित करना। समाचार-पत्र गाँवों तक बहुत कम पहुँचते हैं। रेडियो वहाँ पहुँचा जरूर है पर प्रसार-केंद्रों के पास ग्रामरुचि के और वैकासिक कार्यक्रमों के लिए बहुत कम समय है। टेलीविजन के विस्तार की जो योजनाएँ बनी हैं, वे भी देश की जनता के बहुत कम अंश को स्पर्श कर सकेंगी। इस स्थिति में संचार-साधनों के विकास को अग्रिमता देना आवश्यक है। जब भी यह प्रश्न उठाया जाता है, लोग उसमें आनेवाले खर्च के बारे में चिंतित हो जाते हैं। अब समय आ गया है कि हम यह भी सोचें कि इन साधनों का विकास न करने की हमें क्या कीमत चुकानी पड़ेगी।

संचार के अध्येताओं का यह निश्चित मत है कि एक ही सूत्र से भेजे गये संदेश का प्रभाव कम पड़ता है, कई सूत्रों से दिये गये एक ही संदेश का अधिक। यह तथ्य संचार-साधनों के समन्वित और बहुसूत्रीय विकास की आवश्यकता सिद्ध करता है ! जन-संचार के अतिरिक्त हमारा ध्यान उन पूरक संचार-साधनों की ओर भी जाना चाहिए जो विभिन्न धरातलों पर संवाद की स्थिति उत्पन्न कर सकें, निदर्शन द्वारा नवाचारों की उपादेयता प्रमाणित कर सकें और आवश्यकता पड़ने पर अभ्यास में सहायक हो सकें। ग्रामीण धरातल पर जन-संचार और अंतर-वैयक्तिक संचार के मिले-जुले प्रयत्न अधिक फलप्रद होते हैं। उनकी उपयोगिता बढ़ाने के लिए इन दोनों प्रकार के साधनों में तालमेल और सावयवी संबंध विकसित होना चाहिए।

तीसरी आवश्यकता है जन-संचार के प्रतिमानों को बदलने की। इन साधनों से की जानेवाली अपेक्षाएँ रूढ़ हो गयी हैं। एक गरीब और पिछड़े देश में वे समृद्ध वर्ग के उपभोग के साधन-मात्र नहीं रह सकते; उन्हें निश्चित रूप से एक व्यापक सामाजिक प्रयोजन का वहन करना चाहिए। यह तभी संभव होगा जब हम ऐसे वातावरण का निर्माण कर सकेंगे जिसमें संचार कर्मियों की रचनात्मक सृजनशीलता को प्रस्फुटित होने का अवसर मिले। नौकरशाही का पर्यावरण और फाइलों का जंगल सृजनशीलता को कुंठित करता है। परोन्मुखता की कार्यसंस्कृति साहसिक प्रयोगों की प्रेरणा नहीं देती। सामाजिक उत्तरदायित्व की भावना से अनुशासित स्वायत्तता नये वातावरण के निर्माण में सहायक हो सकती है।

संचार की विधाएँ अब इतनी विकसित हो चुकी हैं कि उनका संचालन केवल सामान्य ज्ञान के सहारे नहीं किया जा सकता। इस क्षेत्र में विशेषज्ञता का विकास आवश्यक है। इन विशेषज्ञों का उत्तरदायित्व होगा संचार-साधनों की क्षमता का अधिकतम विकास और उपयोग। पत्रकारिता, रेडियो, टेलीविजन और संचार की अन्य

सभी विधाओं में विशेषज्ञता की आवश्यकता है, खासतौर पर वैकासिक संचार के विशेषज्ञों की। वे संचार के नये-नये प्रयोग करेंगे, नयी संचार-शैलियाँ विकसित करेंगे और संदेश-वहन के नये मुहावरे को जन्म देंगे। इन सब प्रयत्नों का उद्देश्य होगा जन-अनुनय की एक नयी प्रविधि विकसित करना।

संचार-प्रयत्नों का वैज्ञानिक मूल्यांकन भी आवश्यक है। अब तक इस दिशा में जो प्रयत्न हुए हैं, उनमें केवल यह जानने का प्रयत्न किया गया है कि कौन, कब, क्या पढ़ता, सुनता या देखता है। गहराई में जाकर संचार के प्रभावों को समझने के प्रयत्न बहुत कम हुए हैं। मूल्यांकन से वास्तविक मार्ग-निर्देश तभी मिल सकता है जब हम परिमाण के स्थान पर परिणाम का विश्लेषण करें।

आनेवाले दशकों में संचार से कई नयी माँगें की जायेंगी। क्या शिक्षा के क्षेत्र में जन-संचार के साधनों का व्यापक उपयोग संभव है ? सार्वजनिक स्वास्थ्य प्रशिक्षण में क्या वे नयी भूमिका ग्रहण कर सकते हैं ? पर्यावरण को दूषित होने से बचाने में उनका क्या उपयोग किया जा सकता है ? कल आनेवाली समस्याओं की पूर्वधारणा यदि हमें आज ही हो जाये तो उनके निदान की तैयारी की जा सकती है।

समसामयिक विश्व एक संकट के दौर से गुजर रहा है। आनेवाले समय के संबंध में निराशाजनक और चिंताजनक भविष्यवाणियाँ की गयी हैं कि ये संकट की स्थितियाँ बढ़ेंगी ही, घटेंगी नहीं। हमें भविष्य के धक्कों के लिए और उनके द्वारा उत्पन्न नयी-नयी उलझनों और समस्याओं के लिए तैयार होना है। जीवन के ये उभरते आयाम हमसे अपेक्षा करेंगे कि हम पुराना बहुत कुछ भूलें और नया सीखें। मनोवैज्ञानिक धरातल पर संचार हमें अनिश्चय की इन घाटियों में लंबी यात्रा के लिए तैयार कर सकता है और समस्या-समाधान की हमारी क्षमताओं को भी तीक्ष्ण बना सकता है।

[डॉ. राजेन्द्र प्रसाद स्मारक भाषण, आकाशवाणी, नयी दिल्ली]

# संक्रमण की पीड़ा

*जो कुछ पुराना है मोहक तो लगता है*
*टूटन का दर्द मगर सहना ही पड़ता है।*

**–गिरिजाकुमार माथुर**

समाज जड़ नहीं होता, गत्यात्मकता संस्कृति की प्रकृति में अंतर्निहित होती है। जनसंख्या का घनत्व, पर्यावरण में परिवर्तन, प्राविधिक संभावनाएँ और आकांक्षाओं के नये क्षितिज उनकी संरचना और मूल्यात्मक आधार को नयी दिशा और गति देते हैं। परिवर्तन की चुनौतियों से साक्षात्कार कर सकने में असमर्थता सामाजिक व्याधि बन जाती है, अनुकूलन और नवाचार की क्षमता के अभाव में संस्कृति ऊर्जाहीन हो जाती है। अवरोध की यह स्थिति ऐसे समाजों और उनकी संस्कृतियों को क्षीण कर देती है; उनके अस्तित्व और अस्मिता दोनों पर ग्रहण लग जाता है। इस तरह परिवर्तन की अति मंद गति, या उसका अभाव, अनेक समस्याओं को जन्म देता है। दूसरी ओर विज्ञान और प्रौद्योगिकी की गति कभी-कभी इतनी तीव्र हो जाती है कि सामाजिक गठन और सांस्कृतिक मूल्य उनके साथ कदम मिलाकर नहीं चल पाते। जीवन के इन पक्षों में तादात्म और समरसता का अभाव अनेक विसंगतियाँ और विकृतियाँ उत्पन्न करता है। परंपरा-विमुख प्रगति की अंधी दौड़ एक-आयामी व्यक्तित्व और धुरीहीन समाज के विकास में सहायक होती है। सामाजिक और सांस्कृतिक कारक नियोजित परिवर्तन की प्रक्रिया में अवरोधक सिद्ध होते हैं और सामाजिक-सांस्कृतिक संवेदनाहीन आर्थिक और प्रौद्योगिक विकास सामाजिक विघटन उत्पन्न कर सांस्कृतिक मूल्यों को अस्त-व्यस्त कर देते हैं। यह स्थिति अत्यंत पीड़ाजनक होती है, क्योंकि इसके चलते लक्ष्यों और साधनों की योजना गहरे कुहरे में ढँक जाती है और समाज को समुचित दिशा-निर्देश नहीं मिल पाते। अनिश्चय की घाटियों में समाज भटक जाता है; नयी राह खोजना कष्टसाध्य तो होता ही है, वह अनेक मानसिक दबाव भी

पैदा करता है। परंपरा का मोह और नवाचारों का आकर्षण मानव-समुदायों को विपरीत दिशाओं में खींचता है, जिससे एक विचित्र अनिर्णय की स्थिति पैदा होती है। ऐसी स्थितियों के प्रबंधन में मानव ने अपनी कुशलता अभी तक प्रमाणित नहीं की। संक्रमण की गंभीर स्थितियों में वह अपने आप को आशावान भी पाता है और असहाय भी।

बीस लाख वर्ष पूर्व मानव के निकट-पूर्वजों की कुछ शाखाएँ अपने शारीरिक और सांस्कृतिक विकास की दिशा में नये मोड़ ले रही थीं। उनके सदस्य सीधे खड़े होकर चल-फिर सकते थे, आस-पास के पत्थरों से सरल उपकरण और अस्त्र बना सकते थे और वे वनों के एक छोर पर पानी के पास रहने लगे थे। वे कंद, मूल, फल खाते थे और छोटे जानवरों का शिकार भी कर लेते थे। धीरे-धीरे मानव के इन निकट-पूर्वजों के जीवन के आयाम बदले। आकस्मिक रूप से उसने आग पर नियंत्रण पा लिया। इससे उसने अपने आवासों—जो पहले प्राकृतिक कंदराओं में होते थे—को गर्म रखना आरंभ किया, हिंस्र प्राणियों को उनसे दूर रखना सीखा और आग में भूनकर या उबालकर अपने भोजन को रुचिकर बनाया तथा खाद्य-सामग्री में अनेक ऐसे नये तत्त्वों का समावेश किया, जो बिना पकाये नहीं खाये जा सकते थे। प्रायः पाँच लाख वर्ष पहले उसने वाक्शक्ति विकसित कर भाषा के आद्य रूप पर अधिकार पाया। इससे अर्थ-सम्प्रेषण की उसकी क्षमता में आश्चर्यजनक विस्तार हुआ। उसके भद्दे अस्त्र-शस्त्र तीक्ष्ण से तीक्ष्णतर होते गये और वह गैंडा और हाथी जैसे बड़े जानवरों का आखेट कर सकने में भी सक्षम हो गया। शिकार का यह रूप सामूहिक और संगठित था। उसमें कौशल, नेतृत्व और अनुशासन आवश्यक था। यह संक्रमण सरल नहीं था। आग से डरनेवाले निकट-पूर्वजों ने बहुत सहमते हुए उस पर अपना नियंत्रण स्थापित किया होगा और स्वयं अग्नि उत्पन्न करने की क्षमता विकसित की होगी। आरंभिक प्रयोगों में दुर्घटनाएँ भी हुई होंगी। अंततः इस प्रक्रिया से मानव के निकट-पूर्वजों ने सुरक्षा, स्वास्थ्य और खाद्य-संवर्धन की अनेक समस्याएँ हल कीं। वाक्शक्ति का विकास भी बड़ी जटिल और विस्मयकारी प्रक्रिया रही होगी। जहाँ भाषा सांस्कृतिक पर्यावरण का अंग होती है, वहाँ समाजीकरण की प्रक्रिया से पाँच-सात वर्ष में ही वह अपने आप सीख ली जाती है, पर शब्दों, वाक्य-विन्यास और आरंभिक व्याकरण का विकास निश्चित रूप से बहुत ही कठिन रहा होगा। कितना धीरज लगा होगा वाक्शक्ति के आद्य रूप को विकसित करने में ? क्या भाषा के बिना वह अपनी संस्कृति का विकास कर सकता था ? बिना भाषा के न तो ज्ञान का भंडारण संभव था, न उसका संप्रेषण। साथ ही भाषा ने विभेद के एक नये रूप को जन्म दिया—जिससे संवाद किया जा सके, वह 'अपना' था और जिसकी भाषा समझ में न आये, वह 'अन्य'। शस्त्र-शक्ति के विकास ने मानव के

निकट-पूर्वजों की क्षमताओं का विस्तार किया; वे अपनी सुरक्षा में अधिक समर्थ हुए और आखेट द्वारा सरलता से पर्याप्त भोज्य सामग्री प्राप्त करने लगे। उनके समूहों की मारक शक्ति भी बढ़ी और दल और कबीले अपने युद्धों में भी उनका उपयोग करने लगे। उनकी एक शाखा—होमोसेपियन सेपियन—ने जिसका उदय पैंतीस हजार साल पहले हुआ था, तीनों क्षेत्रों में सबसे अधिक प्रगति की। वह संसार के विभिन्न भागों में फैली। तीस हजार वर्ष पूर्व मानव के निकट-पूर्वजों की अन्य शाखा-प्रशाखाएँ समाप्त हो गयीं और अपने आपको 'मेधावी मानव' की संज्ञा देनेवाली होमोसेपियन सेपियन शाखा का ही वर्चस्व हो गया। अग्नि की पूजा की गयी, शब्द को ब्रह्म माना गया और शस्त्र-शक्ति सामूहिक और गौरव का प्रतीक बन गयी। यह प्राचीन प्रस्तर युग था।

संसार अब इक्कीसवीं सदी के वैज्ञानिक चमत्कारों का अनुभव कर आधुनिकता से उत्तर-आधुनिकता की ओर बढ़ रहा है, किन्तु इस आद्य संस्कृति के अवशिष्ट अब भी आस्ट्रेलिया के आदिवासियों, अमेजान क्षेत्र के इंडियन और न्यूगिनी के पर्वतीय क्षेत्र की जनजातियों में देखे जा सकते हैं। ई. पू. 8,000 के लगभग एशिया, यूरोप और उत्तर अफ्रीका में इस युग का अंत हुआ। मानव ने सभ्यता की दिशा में दूसरा कदम उठाया। उसने प्रकृति पर अपना नियंत्रण बढ़ाया और उसके संसाधनों का दोहन आरंभ किया। ई. पू. 10,000 और 2,500 के बीच एक सांस्कृतिक क्रांति आरंभ हुई। मनुष्य ने कुछ जानवरों को पालतू बनाया और उनकी श्रम-शक्ति का उपयोग अपने हित-साधन में किया। प्राकृतिक घास के बीजों का उपयोग उसने खाद्य के रूप में करना आरंभ किया। सावधानीपूर्वक प्राणियों का अभिजनन और संवर्धन किया गया। कुत्ता उसका साथी था, पर वह चौकीदार भी बना और आखेट-सहायक भी। धीरे-धीरे इस सूची में अन्य प्राणी जुड़े—गाय-बैल, घोड़े, ऊँट आदि। ये भोजन भी थे और इनकी श्रम-शक्ति के अनेक उपयोग थे। धरती की उर्वरा शक्ति और सौर-ऊर्जा के अपने लंबे प्रेक्षण और अपरिपक्व ज्ञान के आधार पर उसने सामान्य घासों पर अभिजनन के प्रयोग कर गेहूँ, चावल, जव, बार्ली जैसे अनाज विकसित किये। ई. पू. 10,000 में दक्षिण-पूर्व एशिया में प्रकृति पर नियंत्रण के अभिनव प्रयोग हो रहे थे। कृषि का आरंभ मध्यपूर्व के नदियों द्वारा सिंचित उर्वर क्षेत्रों में ई. पू. 9,000 के लगभग हुआ और वहाँ से उसका प्रसार ई. पू. 6,000 तक दक्षिण-पूर्व यूरोप और दक्षिण-पूर्व एशिया में हुआ। इस तरह मानव आखेटक और संग्राहक से खाद्य-उत्पादक बना। इस कृषि-संस्कृति की कुछ विशेष आवश्यकताएँ थीं। मानव के छोटे-छोटे समूह अपेक्षाकृत बड़े समुदायों में रहने लगे, जिनके अनुशासन-प्रशासन के लिए अधिपतियों की एक श्रेणी उभरी। तरह-तरह के विशेषज्ञ शिल्पकार भी आवश्यक हुए जिनके निर्माण की कृषि में अनुपूरक भूमिका थी। मनुष्य अभी भी

प्रस्तर-युग में ही था, किंतु उसके दूसरे चरण में। यह क्रांतिकारी नव प्रस्तर-युग था, जिसकी तकनीक ने जीवन का स्वरूप ही बदल दिया। उसके उपकरणों की तीक्ष्णता और विशेष उपयोग-क्षमता बढ़ी। हल इस युग में ही विकसित हुआ। अच्छी नौकाएँ बनने लगीं, बड़े और पक्के मकान भी। पहिये का आविष्कार भी इसी युग में हुआ। उसके उपयोग से कुंभकारों ने मिट्टी के बर्तन बनाये और बड़े-बड़े पात्र भी, जिनमें अन्न और अन्य खाद्य सामग्री का भंडारण हो सके। इसी पहिये के उपयोग से तरह-तरह की गाड़ियाँ और रथ भी बने, जिससे आवागमन अधिक सुविधाजनक हुआ और माल ढो सकने की क्षमता में आश्चर्यजनक वृद्धि हुई। मानव तरह-तरह के वस्त्र भी बनाने लगा। इस तरह उसके सुख और सुविधाओं में वृद्धि हुई। इस संक्रमण की भी अपनी पीड़ाएँ थीं। प्राचीन प्रस्तर-युग में समूह सप्ताह में पंद्रह घंटे काम करते थे, अब यह समय बहुत बढ़ गया। नये औजारों का अपना अनुशासन था, उनके सक्षम उपयोग के लिए प्रयत्न और प्रशिक्षण दोनों जरूरी थे। सामुदायिक जीवन में न व्यक्ति की स्वच्छंदता संभव थी और न समूहों की स्वतंत्रता। इस युग में सामाजिक अनुशासन को नया आयाम मिला। नेतृत्व एक गुण के रूप में प्रतिष्ठित हुआ, अधिनायकों की अधिकार-सीमा का विस्तार हुआ। नये अनुशासन की स्वीकृति अपनी आरंभिक स्थिति में पीड़ा-शून्य नहीं रही होगी। कृषि और पशु-पालन के वैज्ञानिक विकास की प्रारंभिक स्थिति में प्रेक्षण, प्रयोग और कार्य-कारण संबंध स्थापित करने की प्रक्रिया भी कष्टसाध्य थी। इसमें खोज का सुख तो था, पर नवाचारों की उपेक्षा भी थी। अन्वेषक को अंततः श्रेय तो मिलता है, ख्याति भी; परंतु बहुतों को आरंभ में उपहास और उपेक्षा का पात्र भी होना पड़ता है। इसी काल में वैचारिकता का उत्कर्ष भी हुआ, जिसके साथ सृजन की पीड़ा और प्रतिभा की प्रसव-वेदना भी जुड़ी थी। वर्ग-भेद और वर्ग-शोषण भी आरम्भ हो गया था, जिसकी अनुभूति सुखद नहीं रही होगी।

सभ्यता की दिशा में तीसरा चरण धातु-युग का प्रारंभ था। ई. पू. 6,400 में तुर्की और ईरान में काँसे का उपयोग शुरू हुआ; ई. पू. 3,000 में सुमेर और मेसोपोटामिया में ताँबे और टिन के मिश्रण से काँसा बनाया गया, जिससे नये शस्त्र और औजार बनाये गये। ई. पू. 1,700 में तुर्की में लोहे का उपयोग हुआ। कांस्य प्रविधि की तरह लौह प्रविधि भी पुर्तगाल से चीन तक फैली। अमेरिका में काँसा ई. पू. 900 में पहुँचा; लोहा वहाँ 1,500 में यूरोपीय आप्रवासियों के साथ ही गया। इस युग में आधुनिक विज्ञान और प्रौद्योगिकी की नींव रखी गयी। विचार और कला के क्षेत्र में चमत्कारिक विकास हुए। नगरों के निर्माण और लिपि के आविष्कार के साथ सभ्यता का उदय हुआ। इस काल की विराट् उपलब्धियाँ आज हमें चमत्कृत करती हैं; परन्तु उनकी पार्श्व भूमि में उत्पीड़न और शोषण का इतिहास भी है। क्या मिस्र

के और मेक्सिको के मया-एजटेक पिरामिड साधारण लोगों की श्रम-शक्ति के शोषण के बिना बनाये जा सकते थे ? अधिपतियों की साम्राज्य-लिप्सा से प्रेरित दर्प भरी विजय-यात्राओं ने सभ्यताओं का विस्तार तो किया, पर उनका इतिहास भी रक्त-रंजित है। सामंतवाद भी इसी काल की उपज है, जिसने आश्रयदाताओं और आश्रितों के बीच स्पष्ट विभाजन-रेखा खींच दी। ज्ञानियों और अज्ञानियों का अंतर भी इसी काल में प्रकट होने लगा। इतिहास ने भव्य निर्माणों और शक्तिशाली सम्राटों की विजय-यात्राओं पर तो बहुत कुछ लिखा है, पर उसके पृष्ठों में शोषितों और उत्पीड़ितों का प्रतिबोधन अंकित नहीं है। इन अनलिखे पृष्ठों में भी संक्रमण की पीड़ा अंतर्निहित है।

औद्योगिक क्रांति का इतिहास अपेक्षाकृत नया है और इसकी उपलब्धियों की जानकारी सामान्य है। सत्य की खोज और ब्रह्मांड के गुप्त रहस्यों को समझने के पर्यावरण में इसका जन्म हुआ। मानव ने अपने संचित ज्ञान को लिपिबद्ध कर लिया था। उसने पृथ्वी के सुदूर भागों की गवेषणा कर ली थी। उसके आविष्कार विज्ञान के चमत्कार थे। इस प्रक्रिया में एक निरंतरता थी; एक के बाद एक नयी खोजें हो रही थीं और उनका उपयोग व्यवहृत प्रौद्योगिकी में किया जा रहा था। जीवन का एक स्वरूप बदल रहा था और मानव अपनी सभी समस्याओं को हल कर सकने की क्षमता विकसित कर रहा था। सभ्यता के इस चौथे चरण में मानव ने सजीव ऊर्जा-स्रोतों के स्थान पर निर्जीव स्रोतों का उपयोग आरंभ किया। यह आधुनिकीकरण की शुरुआत थी। वाष्प चालित यंत्र पहले विकसित हुए। जीवाश्म ईंधन और विद्युत-ऊर्जा का उपयोग उसके बाद। अब आणविक ऊर्जा का भी उपयोग हो रहा है तथा सौर-ऊर्जा, वायु-ऊर्जा और समुद्री लहरों की ऊर्जा के दोहन के गंभीर प्रयत्न हो रहे हैं।

औद्योगिक देशों ने पहले तो अपनी श्रम-शक्ति का जबरदस्त शोषण किया। कम मजदूरी, काम के लंबे घंटे, अस्वच्छ आवासीय पर्यावरण, नशा, जुआ, स्त्री-श्रमिकों का यौन-शोषण इस काल की विकृतियाँ थीं। असंगठित मजदूर इनके खिलाफ आवाज भी नहीं उठा सकते थे। साम्राज्यी विस्तारवाद इस युग की दूसरी विडंबना थी। सभ्यता का प्रकाश—और ईसा का क्रास—ले जानेवाली शक्तियों का बर्बर व्यवहार मानव के इतिहास का कलंक है। अमेरिका के इंडियनों और आस्ट्रेलिया के आदिवासियों का जंगली जानवरों की तरह शिकार किया गया। अफ्रीका के लोग पहले भी गुलामों की तरह बेचे जाते थे; अब बंदूक की शक्ति से वे दास बनाये गये और बड़े-बड़े जहाजों से उनका निर्यात हुआ। क्रिस्टोफर कोलम्बस और वास्कोडिगामा की धरोधर ने संसार के कई समाजों को अपंग बना दिया। उद्योगों को सस्ता कच्चा माल चाहिए था और अपने उत्पादों की खपत के लिए बाजार। साम्राज्यवाद ने ये दोनों जरूरतें पूरी कीं।

ज्ञान और विज्ञान के असमान वितरण से एक बड़े भू-भाग की प्रगति और समृद्धि के मार्ग अवरुद्ध हो गये। साथ ही विकास की अंधी दौड़ ने भविष्य को संकटग्रस्त बना दिया। सैद्धांतिक धरातल पर कहा जा सकता है कि यह सब जरूरी था, परंतु उनके दुःख और बलिदान को कौन समझता है, जिनके अश्रु, स्वेद और रक्त से यह प्रगति (?) संभव हुई और जिन्हें इसके उपादानों का एक नगण्य भाग ही मिला।

इक्कीसवीं सदी से हमारी अपेक्षाएँ और आशाएँ जो भी हों, मानवता आज संक्रमण के एक भयावह दौर से गुजर रही है। शुभ संभावनाओं के प्रति पूरी तरह आशावान होना अपने आपको धोखे में रखना होगा।

पहला संकट तो मानव जाति के भौतिक अस्तित्व का है। विज्ञान ने मानव को विकराल विनाशकारी शक्ति प्रदान की है और वह आज अपनी समस्त उपलब्धियों को आठ से दस बार विनष्ट कर सकता है। इस शक्ति के अनुपात में उसका विवेक जाग्रत नहीं हुआ। शीतयुद्ध की समाप्ति से खतरा कुछ टला है, पर जातीय और धार्मिक प्रेरणा से जन्मे क्षेत्रीय युद्धों की विभीषिका भी दिल दहला देनेवाली है। कितने और फिलिस्तीन, अफगानिस्तान और बोस्निया हमारी नियति हैं ? खाद्य-सुरक्षा भी प्रश्नों के घेरे में है। हरित क्रान्ति की सीमाएँ हैं और वह जनसंख्या के विस्फोट के लिए बहुत अधिक समय तक संसाधन नहीं जुटा पायेगी। सोमालिया में आज जो हो रहा है, वह कल अफ्रीका के कई देशों में और परसों एशिया के बड़े भूभाग में भी हो सकता है। पर्यावरण-प्रदूषण बड़ी तेज गति से बढ़ रहा है और पारिस्थितिकी का संतुलन बुरी तरह गड़बड़ा गया है। ऊर्जा के स्रोत सूख रहे हैं और उनका कोई सार्थक विकल्प अब तक केवल संभावना है। मानव की आकांक्षाओं के क्षितिजों का असीम विस्तार हो रहा है, किंतु ज्ञान-विज्ञान और संसाधनों के असमान वितरण से उनकी आंशिक पूर्ति भी नहीं हो रही। दमित आकांक्षाओं का विस्फोट गंभीर संकट का रूप ले सकता है।

संक्रमण के इस दौर में सांस्कृतिक अस्मिता का ह्रास भी एक गंभीर संकट के रूप में उभर रहा है। वैज्ञानिक-प्रौद्योगिक विकास और सामाजिक विकास की असमान गति और विसंगतियों से सामाजिक मान्यताएँ क्षीण हो रही हैं और सांस्कृतिक मूल्य विशृंखलित हो रहे हैं। सांस्कृतिक लक्ष्यों और साधनों में धुँधलापन आ गया है। परिणाम है एक भोग और लिप्सावादी संस्कृति का विकास। इस प्रक्रिया में देशज चिंतन का अवमूल्यन हो रहा है और जातीय सृजनशीलता पार्श्व में जा रही है। समय-समय पर अनुकरण की संस्कृति के विरुद्ध परंपरा और संस्कृति की तीव्र प्रतिक्रिया होती है जिससे आधुनिकीकरण और विकास की सारी योजनाएँ डगमगा जाती हैं। विकास की अनिवार्यता स्वयंसिद्ध है, परंतु उसके लिए समाज अपनी परंपरा और संस्कृति का बलिदान करने को तैयार नहीं है।

अनेक समकालीन प्रवृत्तियाँ संक्रमण की प्रक्रिया को और भी उलझन भरी बना रही हैं। बड़ी संख्या में लोग एक देश से दूसरे देश में जा रहे हैं—राजनीतिक शरणार्थियों के रूप में, अतिथि श्रमिकों के रूप में अथवा विशेषज्ञों के रूप में अच्छे पदों पर। आप्रवासियों का स्वागत अस्थायी होता है। नये समाज में वे घुलमिल नहीं पाते। विभेदक नीतियों के कारण उनमें असंतोष फैलता है और प्रजातीय, धार्मिक और आर्थिक संघर्ष की स्थितियाँ उत्पन्न होती हैं। शरणार्थी और श्रमिक श्रेणियों को उपेक्षा और शोषण को सहना पड़ता है; वे एक विचित्र-से सांस्कृतिक शून्य में जीने के लिए बाध्य होते हैं।

समाज-व्यवस्था पर भी कई तरह के नये दबाव हैं। पीढ़ियों की दूरी को एक नया आयाम मिला है। नयी पीढ़ी द्वारा अपनाये गये मुहावरे ने सँवादहीनता की स्थिति उत्पन्न कर दी है। उसमें समय-समय पर उभरनेवाली प्रति-संस्कृतियाँ व्यवस्था के लिए अबूझ पहेलियाँ बन जाती हैं। दूसरी ओर स्त्रीवादी आग्रह हैं। अंतर्राष्ट्रीय धरातल पर स्त्रियों का आंदोलन आर्थिक, सामाजिक और यौन-शोषण के विरुद्ध माहौल बना रहा है। सामाजिक संरचना और सांस्कृतिक मूल्यों पर इसके भी दूरगामी परिणाम होंगे। जातीय भावना—एथेनिसिटी—का विस्फोट देशों और विश्व की शान्ति के लिए खतरा बन गया है। इससे कट्टरपंथी धार्मिक तर्क भी जुड़े हैं। अतिवाद और आतंकवाद से निपटने की प्रविधि राज्य-व्यवस्था के पास नहीं है। जन-संचार के साधन आकाश से अपसंस्कृति की वर्षा कर रहे हैं, जो एक आत्मकेंद्रित और भोगवादी जीवन-दृष्टि विकसित कर रही है। इसके कारण सामाजिक लक्ष्य और विकास के राष्ट्रीय संकल्प डगमगाने लगे हैं। सच तो यह है कि हम आज की स्थिति का सही आकलन नहीं कर पा रहे हैं और न हमारे पास भविष्य के कोई विश्वसनीय दिशा-संकेत हैं। हमें न तो आनेवाली समस्याओं का सही पूर्वानुमान है और न ही हम समर्पित और प्रतिबद्ध भावना से इस क्षेत्र में कोई प्रयत्न कर रहे हैं। परिवर्तन के प्रबंधन में भी हमने अपनी क्षमताओं को विकसित नहीं किया है। हमारी निर्णय-शक्ति ही पक्षाघात-पीड़ित हो गयी है। लक्ष्यहीन और दुर्बल अवसरवादी नीतियाँ संक्रमण की प्रक्रिया को और भी पीड़ादायक बना रही हैं।

# भारतीय संस्कृति–परिवर्तन की चुनौतियाँ

समकालीन भारतीय समाज तीव्र संक्रमण के दौर से गुजर रहा है। परिवर्तन की आँधियाँ कई दिशाओं से आ रही हैं–एक ओर आधुनिकीकरण की अनिवार्यता है, दूसरी ओर परंपरा के आग्रह हैं। पश्चिम की आर्थिक और तकनीकी सहायता अपने साथ वहाँ की जीवन-शैली और नये मूल्य ला रही है, जिन्हें अपनी जड़ से कटे भारतीय आधुनिकता समझकर बिना तर्क के अपना रहे हैं। इस अंध अनुकरण ने एक नयी चिंता को जन्म दिया है–अपनी अस्मिता और पहचान खोकर एक आकृतिहीन भीड़ की गुमनामी में खो जाने की। प्रगति और परंपरा के समन्वय के जो प्रयत्न हुए हैं उनके अधिकांश परिणाम हास्यास्पद रहे हैं, न हम भारतीय रह गये हैं, न हम सच्चे अर्थों में आधुनिक हुए हैं। छद्म भारतीयता पर हमने छद्म आधुनिकता का लबादा ओढ़ लिया है और अनेक भ्रमों को पालते हुए एक गंतव्यहीन यात्रा पर निकल पड़े हैं। स्थिति और भी उलझन भरी उस समय होती है, जब हमें यह अनुभव होता है कि परंपरा के पास आज के समाज की सभी समस्याओं के हल नहीं हैं और न आधुनिकता के कार्यक्रम में ऐसी शक्ति है कि वह परंपरा की अवहेलना कर समाज को आगे बढ़ा सके। हम अनिर्णय के दलदल में फँस गये हैं और सार्थक विकल्पों की खोज के मार्ग को अवरोधित पाते हैं। हमारे सांस्कृतिक लक्ष्य और साधन दोनों एक के बाद दूसरे चक्रवात में फँसकर झटके खा रहे हैं। यही है आज के संक्रमण की पीड़ा।

संक्रमण एक ऐतिहासिक प्रक्रिया है। उसका हमेशा दुःखदायी होना आवश्यक नहीं है। पारिस्थितिक परिवर्तन सामाजिक परिवर्तन की अनिवार्यता बन जाते हैं। मंद गति से होनेवाला अनुकूलन समाज की निरंतरता को प्रभावित नहीं करता; सच तो यह है कि उसके बिना सामाजिक संरचना और सांस्कृतिक मूल्य दोनों के विघटित होने का खतरा होता है। परिवर्तन को प्रेरित करनेवाले अनेक कारक हो सकते हैं–नयी आवश्यकताएँ, सुरक्षा की पर्याप्त और विश्वसनीय व्यवस्था, अत्यधिक श्रम

और एकरसता कम करनेवाली सुविधाएँ, नये प्रतिष्ठादायक उपादान आदि। ऐसे परिवर्तन संस्कृति के नम्य पक्षों में अपेक्षाकृत सरल होते हैं। आधार, विश्वास तथा मान्यताएँ तुलनात्मक रूप से अनम्य होती हैं। उनमें परिवर्तन होता तो है, पर वह समय लेता है। इन पक्षों से अनावश्यक छेड़-छाड़ तीव्र प्रतिक्रिया को जन्म दे सकती है और उसके परिणामों का पूर्वानुमान कठिन होता है। अन्य संस्कृतियों के तत्त्व और नवाचार उनकी गुणवत्ता के आधार पर अपनाये जाते हैं, कभी-कभी उनके 'नयेपन' और प्रतिष्ठा के लिए भी। यहाँ भी ज़रूरी है कि परिवर्तन किसी समाज पर थोपा न जाये, वह उसके केंद्रीय मूल्यों से टक्कर न ले और समाज को अपनी गति से अन्य सांस्कृतिक तत्त्वों को आत्मसात करने का अवसर हो। सच तो यह है कि किसी भी संस्कृति में अपने मौलिक तत्त्व थोड़े ही होते हैं, अधिकांश तो बाहर से आते और अपनाये जाते हैं। इस प्रक्रिया में संस्कृति उन्हें अपने साँचे में ढाल लेती है और इस तरह उनकी उपयोगिता भी बढ़ा लेती है। भारत ने शेष विश्व को क्या दिया ? बगदाद के अरब कवि अल-सभादी के अनुसार तीन चीजें–अंक और गणना पद्धति (दशमलव बिंदु के साथ), शतरंज का खेल और कथाएँ। वोल्तेयर की सूची में इनके अतिरिक्त दो तत्त्व और हैं–चौसर (और पाँसे) का खेल और रेखागणित के आरंभिक सूत्र। बात यह नहीं है कि भारत ने और भी कुछ दिया या नहीं। अन्य सूचियों में योग, खगोलशास्त्र, उदात्त दार्शनिक चिंतन, चरक और सुश्रुत का आयुर्विज्ञान आदि शामिल हैं। तीन या पाँच की संक्षिप्त सूची का महत्त्व यह है कि उसके तत्त्वों का जन्म तो भारत में हुआ, पर उनका प्रसार विश्व-भर में हुआ और वह भी इस तरह कि वे अपनानेवाली संस्कृति के रंग में रँग गये, उसके अनुरूप ढल गये। भारतीय अंकों को तो अरबी अंक ही मान लिया गया था। शतरंज का स्रोत एक है परंतु उसके रूप और नियम अनेक हैं। जिन देशों ने उसे अपनाया, उन्होंने खेल को नये मोड़ दिये और इस तरह उसे अनेक रूप दिये। भारतीय मूल की कथाओं का आश्चर्यजनक विस्तार हुआ। उनके केंद्रीय अभिप्राय वही रहे, पर कहीं उनका अरबीकरण-फारसीकरण हुआ और कहीं चीनीकरण। रेखागणित का प्रयोग भी भिन्न प्रयोजनों से हुआ, उसके माध्यम से वास्तुविद्या के अनेक रूप और उनकी शैलियाँ विकसित की गयीं। चौसर का खेल अब आभिजात्य का चिह्न भले ही न हो, पर सैकड़ों लोक-सांस्कृतिक रूपों में वह अभी भी जीवित है। संसार की हर संस्कृति ने बाह्य तत्त्व ग्रहण किये हैं, भारत ने भी। मुख्य प्रश्न इन तत्त्वों के उद्‌गम का नहीं है, प्रश्न है उनके समवाय का जिससे संस्कृति को उसकी विशिष्टता मिलती है। भारतीय संस्कृति में अनेक अ-भारतीय मूल के तत्त्व हैं पर देशजीकरण की प्रक्रिया द्वारा वे अब भारतीय बन गये हैं।

संस्कृति और परंपरा दोनों मानसिक संकल्पनाएँ हैं। इनका प्रतिरूप या तो

समाज—उसके इतिहासकार, साहित्यकार, दार्शनिक और सांस्कृतिक व्याख्याकार स्वयं गढ़ते हैं, या दूसरों के गढ़े प्रतिरूप को ग्रहण कर लेते हैं, या उसमें एक से अधिक प्रतिस्पर्धी प्रतिरूप एक साथ अस्तित्व में रहते हैं। इस तरह के किसी प्रतिरूप में संस्कृति के सभी तत्त्वों का समावेश संभव नहीं होता, उन्हें एक निश्चित योजना के अनुसार सँजोया जाता है। कौन-से तत्त्व चुने जाते हैं और कौन-से छोड़े जाते हैं, वह इस पर निर्भर होता है कि हम बाहरी दुनिया को अपना कैसा चेहरा दिखाना चाहते हैं। युद्ध और शांति दोनों हमारी परंपरा के अंग हैं। अपने आप को शांति के अग्रदूत के रूप में प्रक्षेपित करते समय हम साहित्य के वीरगाथा काल का स्मरण नहीं करते, यद्यपि हमें अपने प्राचीन विनाशकारी शस्त्रों की क्षमता पर गर्व है और विजय की स्मृतियाँ हमें गद्‌गद कर देती हैं।

विदेशियों ने हमारी संस्कृति को आध्यात्मिक कहा और हमने कृतज्ञ भाव से इस निरूपण को स्वीकार कर लिया। सत्य यह है कि हमारे पौराणिक आख्यान प्रणय-प्रसंगों से भरे हैं। अर्थशास्त्र और कामशास्त्र के क्षेत्रों में हमारी उपलब्धियाँ चमत्कृत कर देनेवाली हैं और संस्कृत (और उससे संबद्ध भाषाओं जैसे, पालि, प्राकृत और अपभ्रंश) में अध्यात्मनिरपेक्ष विषयों की अमूल्य निधि है, संभवतः संसार की अन्य क्लासिकी भाषाओं से अधिक। विशेषता यह है कि हमने इन तत्त्वों को एक नैतिक आधार देने का यत्न किया था, जिसका अब अवमूल्यन हो रहा है। आज जो स्थिति उभर रही है उसमें सूक्ष्म, लघु और क्षेत्रीय अस्मिताएँ स्वायत्तता की घोषणा कर रही हैं और अपने आपको देश की विराट् परंपराओं से धीरे-धीरे असंपृक्त कर रही हैं। इस प्रवृत्ति के कतिपय परिणाम विघटनकारी हैं किन्तु वह अकारण नहीं है, उसके अपने तर्क हैं। अपने सांस्कृतिक यथार्थ की समझ जरूरी है, इस क्षेत्र में दुराग्रह सांस्कृतिक अराजकता को जन्म दे रहे हैं।

संस्कृति को देखने-समझने के मुख्यतः दो दृष्टिकोण अपनाये गये हैं—वृक्ष प्रतिरूप और नदी प्रतिरूप। पहला दृष्टिकोण संस्कृति को वृक्ष के रूप में देखता है—समान जड़ें, एक तना और अनेक शाखाएँ। भारतीय मूल के धर्मों और उनसे जुड़ी संस्कृतियों—बौद्ध, जैन, सिख—में यह उपमा अंशतः सही है। परंतु प्रश्न यह है कि क्या हम चार्वाक, लोकायत, बौद्ध, जैन और सिख मतों आदि को केवल शाखाएँ मान सकते हैं ? ये शक्तिशाली प्रति-संस्कृतियाँ थीं, जिन्होंने वैदिक हिंदू धर्म की धारा को एक नया मोड़ देने का प्रयत्न किया; उसके लक्ष्यों और साधनों की नयी व्याख्या की। भारतीय चिंतनधारा में उनके तत्त्व घुल-मिल गये और उनमें से कुछ आज के सांस्कृतिक प्रतिमानों में शीर्ष स्थानों पर हैं। संत कवियों और सुधारकों ने भी नये पंथ बनाये जो मूलतः ऐसी प्रति-संस्कृति के रूप में उभरे, जिसने हिंदू समाज के अमानवीय पक्षों का विरोध किया और सामाजिक न्याय का नारा बुलंद किया। वे पूरी

तरह सफल भले ही न हुए हों, परंतु उनसे उपजी सामाजिक क्रांति की चिनगारियाँ निश्चित रूप से प्रभावशाली थीं। कबीर, बसवा, जोतिबा फुले और नारायण गुरु की शृंखला भुलाई नहीं जा सकती। दूसरा प्रतिरूप संस्कृति को एक बड़ी नदी के रूप में देखता है जिसमें अनेक पृथक् उद्गमों से आयी धाराएँ मिलकर अंततः एक विशाल धारा–नदी–का रूप ले लेती हैं। यह ठीक है कि पृथक् स्रोतों की धाराएँ मिलती हैं, पर वे अपनी प्रकृति, गुण और धर्म पूरी तरह नहीं त्यागतीं। विशेष स्थितियों में धाराएँ मिलने के बाद अलग भी हो सकती हैं। हिंदू संस्कृति में अनेक स्थानिक और क्षेत्रीय रंग तथा वैशिष्ट्य हैं। हिंदू और इस्लामी धाराएँ पास आयीं, उनमें आदान-प्रदान हुआ, विश्वास और सहयोग का आधार बना, पर एकाएक उनमें दरार फूटी जो दिन-प्रति-दिन गहरी और चौड़ी होती जा रही है। यह क्यों हुआ ? सिखों में अलगाववाद क्यों आया ? भारत में जातियुद्ध का आरंभ क्यों हो रहा है ? तीसरा प्रतिरूप 'कंथा' का हो सकता है, जिसका निर्माण अलग-अलग रंगों, आकारों और बुनावटों के कपड़ों को जोड़कर किया गया हो। यह शायद आज के सांस्कृतिक यथार्थ का अधिक विश्वसनीय प्रतिबिम्ब हो–स्थानीय और क्षेत्रीय संस्कृतियों का सभ्यता-सूत्रों से मिलाया गया रूप जिसमें विविधता भी है, एकता भी। इस प्रतिरूप को स्वीकृति नहीं मिल रही है। कारण है कई समूहों का सांस्कृतिक उच्चभाव और कट्टरतावादी हठवादिता। धर्म और परंपरा का राजनीतिकरण आग में घी का काम कर रहा है।

आज देश में अनेक विघटनकारी शक्तियाँ हमारी सांस्कृतिक नींव पर हमला कर रही हैं, पर स्थिति अभी भी नियंत्रण के बाहर नहीं है। देश की जनपदीय संस्कृतियों में अभी भी ऊर्जा और अदम्य जीवन-आकांक्षा शेष है। अप-संस्कृति और उसकी विकृतियाँ अधिकांशतः समृद्ध वर्ग तक सीमित हैं, पर उनका विष धीरे-धीरे लोक-संस्कृतियों की ओर भी फैल रहा है। आज नहीं तो कल स्थिति गंभीर हो सकती है। हमारे सामने परिवर्तन की कौन-सी चुनौतियाँ हैं ?

छद्म आधुनिकीकरण पहली चुनौती है। हमने आधुनिकता के आधार मूल्य–तार्किक विवेक, परानुभूति, सामाजिक गतिशीलता और सक्रिय सहभागिता–नहीं अपनाये, हम उसके बाह्य उपभोगवादी लक्षणों में ही उलझकर रह गये हैं। इससे व्यक्ति-केंद्रिकता बढ़ी है, सामाजिक सरोकार का ह्रास हुआ है। व्यक्तिगत धरातल पर लोकतंत्रीकरण की प्रक्रिया ने सामाजिक प्रस्थिति और भूमिकाओं को डगमगा दिया है। धर्म-निरपेक्षता आज के संदर्भ में धर्म-विमुखता बन गयी है। धर्म के आधार सिद्धांत विस्मृत होते जा रहे हैं, तांत्रिक और चमत्कारी बाबा फल-फूल रहे हैं, क्योंकि वे अच्छे दामों पर स्वार्थों की सेवा में रत हैं। हमारी संस्कृति अनुकरण की भोगवादी और लिप्सावादी संस्कृति बन गयी है। आर्थिक उदारता, खुलापन और वैश्वीकरण संसार भर में एक अप-संस्कृति फैला रहे हैं। हम इस प्रवृत्ति के असहाय दर्शक मात्र बन

गये हैं।

दूसरी चुनौती है धर्म के दुरुपयोग की। जहाँ एक सशक्त नवजागरण का प्रतिबद्ध प्रयत्न होना चाहिए था, वहाँ हम धर्म को अल्पकालिक राजनीतिक लाभ का साधन बना रहे हैं। धर्म की उदात्त भावनाएँ और मंगलकारी सिद्धांत भुला दिये गये हैं, प्रश्रय दिया जा रहा है विवेकहीन धर्मांधता को। और तीसरी चुनौती है अविवेकी और निकट दृष्टि की राजनीति की। जहाँ विश्व के सामने युद्ध, पर्यावरण, ऊर्जा, भूख, निवासहीनता और सार्वजनिक स्वास्थ्य के विराट् प्रश्न उत्तरों की खोज कर रहे हैं, हम कुर्सी और सत्ता के खेल में लगे हैं। है किसी को भविष्य की चिंता ? समय रहते हमें स्थिति की भयंकरता का जायजा लेना है और अपना भविष्य स्वयं अपने हाथों में लेना है।

# त्रिशंकु संस्कृति का उत्कर्ष

भारतीय समाज इस समय संक्रमण के दौर से गुजर रहा है। इस प्रक्रिया की गति बहुत तेज है और उसके कुछ परिणाम बहुत विघटनकारी हैं। एक ही समय में दो विपरीत ध्रुवों के आकर्षण ने उसमें लक्ष्य सम्भ्रम उत्पन्न कर दिया है और साधनों की नैतिकता को संशय के घेरे में खड़ा कर दिया है। एक ओर पश्चिम की जीवन-शैली का सम्मोहन है, दूसरी ओर अपनी सांस्कृतिक अस्मिता के आग्रह हैं। कभी समाज एक ओर झुकता है, कभी दूसरी ओर। अनिश्चय और अनिर्णय की यह स्थिति समाज (या उसके कुछ भागों) से सुविधाजनक किंतु सिद्धांतहीन समझौते कराती है, जिनसे उभरती है एक त्रिशंकु संस्कृति–अवसरवादी, आधारहीन; कुछ पक्षों में हास्यास्पद और अपने व्यापक प्रभाव में पीड़ादायक। इस संस्कृति में सामाजिक विवेक का ह्रास होता है, पारस्परिक सरोकार और सहयोग के मूल्य और व्यवहार-प्रकार क्षत-विक्षत होते हैं और सामाजिक संस्थाओं का अवमूल्यन होता है। इस संस्कृति की व्यक्तिकेंद्रिकता मनुष्य की सामूहिकता को क्षीण करती है। भोगवादी प्रवृत्तियाँ समाज को दिशाहीन बना देती हैं। वह न आनेवाले संकट को देख सकता है और न उससे बचने के लिए संगठित और सार्थक प्रयास ही कर सकता है। एक अजीब-सा सांस्कृतिक शून्य सारे देश में व्याप्त हो रहा है, जिसमें परंपरा पर अंतहीन बहसें और औपचारिक संस्कृति-चिंताएँ खोखली मालूम पड़ती हैं।

क्या है इस त्रिशंकु संस्कृति का स्वरूप ? एक के बाद एक कई तस्वीरें उभरती हैं इस प्रश्न का उत्तर सोचते समय। समय-संदर्भ, सामाजिक स्थिति और शिक्षा की मात्रा से तस्वीरों के फलक और उसके रंगों में कुछ अंतर आता है, पर उनका मूल भाव नहीं बदलता। प्रस्तुत हैं कुछ झलकियाँ :

दृश्य–एक। स्थान–सागर मध्यप्रदेश का रेलवे स्टेशन। बैंड बाजे के साथ एक बारात पहुँचती है। गाड़ी की प्रतीक्षा में मित्रों से घिरा दूल्हा प्लेटफार्म पर खड़ा है। उसकी छवि मुझे आकर्षित करती है–पोलिएस्टर का चमकता हुआ काला सूट, नीली

शर्ट, बहुरंगी टाई जिसमें समुद्र-किनारे ताड़ जैसे वृक्ष के नीचे बिकनी में एक सुंदरी चित्रित है, हरे मोजे, सफेद जूते, सिर पर विवाह का मौर, कमर के साथ लटकती हुई कटार, मुँह में पान जिसका रस ओठों के दोनों छोरों से कुछ बाहर फैल गया है। परंपरा और 'आधुनिकता' का अद्भुत मिश्रण—त्रिशंकु संस्कृति के नाटकीय परिदृश्य का एक छोटा-सा पात्र। दो-तीन दशक बीत गये हैं, पर मैं उस अनजान और मेरे लिए अनाम व्यक्ति का चेहरा नहीं भुला सका; वह प्रतीक है कस्बाई परिवेश में फैलती त्रिशंकु संस्कृति का।

दृश्य—दो। स्थान—दिल्ली का हौज खास (गाँव नहीं, संपन्न वर्ग का रिहायशी इलाका), जहाँ बड़ी व्यग्रता से बारात की प्रतीक्षा हो रही है। आ रहे हैं, पहुँच रहे हैं। बारात—सामने साठ-बासठ लोगों का बैंड। यह जिया हिंदू बैंड है—हिंदू बैंड ! सबकी रंगीन और प्रभावशाली यूनिफार्म। उनमें कम से कम आठ-दस किराये के लोग तो ऐसे थे जिनके हाथ में वाद्य यंत्र अवश्य थे, पर जिन्हें वे बजा नहीं सकते थे। उनके पीछे बारातियों का एक दल, जिनमें कुछ पारंपरिक और ज्यादातर आधुनिक वेश-भूषा में। एक सजा-सजाया ट्रक उनके पीछे, सरकता हुआ। ट्रक में एक विशाल कमल। कमल में एक नकली किशोरकुमार और एक युवती, जिसके बारे में मैं कह नहीं सकता कि वह किस अभिनेत्री या गायिका की अनुकृति थी। बैंड जब विश्राम लेता, ये गाना शुरू करते—लोकप्रिय फिल्मी गीत प्रायः उसी अदा से। बारातियों का दूसरा झुंड। उनके पीछे युवकों, तरुणों और बच्चों का समूह। बैलबाटम्स और टाइट पैंटों में। कभी भाँगड़ा, कभी ट्विस्ट; थोड़े-थोड़े समय बाद नयी ऊर्जा के लिए उनमें से कुछ हिप पाकेट में रखी छोटी बोतल से एक दो घूँट लेते हुए। इनके पीछे दूल्हा राजा, चूड़ीदार पाजामे और अचकन में, साफे को सँभालते हुए, शायद घोड़े पर पहली बार सवारी करते हुए भयभीत, उनके पीछे और भी बाराती। बारात गंतव्य स्थान पर पहुँची। उसका एक भाग चाट और आइसक्रीम के स्टालों की ओर मुड़ गया। सब कुछ फ्री, आतिथ्य का पहला चरण। मिलनी हुई। परंपरागत ढंग से। वर-वधू के मिलन की रस्म। दोनों के बीच एक पर्दा। पर्दा हटाया गया और वधू ने कहा, "हैलो प्रिंस चार्मिक !" न उसकी नजरें नीची, न चेहरे पर लाज। मेरे संस्कारों को धक्का लगा, पर शायद मेरी मानसिकता आधुनिक नहीं है। एक ओर विवाह की रस्में हो रही थीं, दूसरी ओर अतिथियों को खाने की ओर बढ़ने का आग्रह किया जा रहा था। वर-वधू के मित्र ठिठोली कर रहे थे, तरह-तरह की मजाकिया टिप्पणियाँ कर रहे थे। पुरोहित जी निस्पृह भाव से अपने कर्तव्य को पूरा करने में लगे थे। बीच में उन्हें रुकना पड़ा; वर को सिगरेट पीनी थी। फिर मंत्र-पाठ और कुछ रस्में। उपदेशात्मक भाग का आरंभ हुआ ही था कि मध्यांतर की माँग हुई; वधू को अपनी सखियों के साथ कोकाकोला पीने की इच्छा हो गयी थी। खाना बहुत अच्छा था, पर उसमें

श्रेणी-भेद था। सामान्य अतिथियों के लिए पंडाल में भारतीय व्यंजनों से टेबलें लदी थीं। विशेष अतिथियों के लिए प्रबंध अलग भोजन कक्ष में था; भारतीय भोजन के साथ दो अन्य टेबलों पर चीनी और यूरोपीय भोजन भी। अतिविशेष अतिथियों के लिए कुछ दूर एक कमरे में खाने का नहीं, पीने का इंतजाम था। शैम्पेन, प्रीमियम स्काच व्हिस्की, कोन्याक ब्रैण्डी। धीमा पार्श्व संगीत-भर भारतीय था—प्रसिद्ध संगीतकारों का वाद्ययंत्र वादन। यह है अभिजात वर्ग की त्रिशंकु संस्कृति की एक और झलक।

दृश्य—तीन : खंड एक और दो। स्थान—चंडीगढ़ और दिल्ली के बीच शाहाबाद तथा दिल्ली का रामलीला मैदान। खंड—एक, शाहाबाद की रामलीला। शूर्पणखा लक्ष्मण को आकर्षित करने के लिए आतुर है। वह निहायत फिल्मी अंदाज में गाती है—"अँखिया मिला के, जिया भरमा के, चले नहीं जाना..." मैंने गाड़ी बढ़ा दी, लक्ष्मण के उत्तर की प्रतीक्षा किये बिना। खंड—दो, दिल्ली में लीला का अंतिम दिन। भगवान् श्रीराम आधुनिकता से अप्रभावित नहीं हैं। नहीं, नहीं, उनके हाथ में ए. के. 47 या ऐसे ही किसी नंबर का शस्त्र नहीं है; वे धनुषबाण से ही लैस हैं, पर वे रावण से युद्ध करने पैदल नहीं जाते, रथ पर भी नहीं; वे जाते हैं गैस भरे गुब्बारे पर, जिसका नाम उस पर लिखा है रोमन लिपि में—उड़नखटोला। एक विडंबना और। ये राम धनुर्विद्या में इतने निकम्मे थे कि उन्होंने पाँच बाण चलाये जिनमें से एक भी रावण के लहीम-शहीम दैत्याकार पुतले को बेध न सका। गनीमत इतनी थी कि श्रीराम पारंपरिक वेश-भूषा में थे, जीन्स में नहीं। यह थे संक्रमणकालीन रामलीला के त्रिशंकु संस्कृतीय संस्करण। धर्म में आधुनिकता के अतिक्रमण के और भी दृश्य दिखाये जा सकते हैं, जैसे गुजरात के नगरों का डिस्को डाँडिया या दिल्ली-पंजाब के विशाल भगवती जागरण जिनमें आस्था और भक्ति कम होती है, उत्तेजक कामुकता का प्रदर्शन अधिक। इन्हें छोड़िये; दुर्गा-पूजा और गणेश-पूजा भी तो फिल्मी आधुनिकता और उसके नाना-रूपी प्रभावों से मुक्त नहीं हैं।

अंत में दृश्य—चार। स्थान—कोई भी, जहाँ बुद्धिजीवी हों। सुसज्जित ड्राइंग रूम, विदेश यात्राओं की स्मृतियों से भरे। कुछ आधुनिक चित्रकारों के प्रिंट। जातीय—एथेनिक—कला के भी कुछ नमूने—मधुबनी की पेंटिंग, उड़ीसा के पटचित्र, आदिवासी मूर्तिकला की कुछ कृतियाँ। कॉफी टेबल पर कुछ बड़ी, सुंदर चित्रोंवाली सुमुद्रित पुस्तकें। वेश-भूषा विदेशी या देशी जिसमें डिजाइनर का स्पर्श हो। चर्चा के विषय गुरु गंभीर और दार्शनिक—मानव की नियति, इतिहास का अंत, जातीय अस्मिता की तलाश, उत्तर-आधुनिक समाज का स्वरूप आदि। भाषा अंग्रेजी; कभी-कभी कुछ शब्द हिन्दी-उर्दू के भी। चर्चा में आये मिथक सब ग्रीस के। हल्के मूड में प्लेबाय, पेंट हाउस जैसी पत्रिकाओं और चर्चित बेस्ट सेलर्स पर टिप्पणियाँ।

मैडोना और माइकल जैक्सन पर भी बातचीत; इसी संदर्भ में एपाचे इंडियन और बाबा सहगल का भी उल्लेख। घूम-फिरकर बातचीत देश की दशा पर। निष्कर्ष—राजनीति देश का कबाड़ा कर रही है। एक और ड्रिंक रास्ते के लिए, फिर गुडबाई।

कितने अंतर्विरोध हैं इस त्रिशंकु संस्कृति में ! कैसी खंडित मानसिकता उत्पन्न कर रहा है उसका उत्कर्ष ? अंततः क्या होंगे इसके सामाजिक और सांस्कृतिक परिणाम ?

भारत में एक भोगवादी समाज विकसित हो रहा है, जो पश्चिम के अनुकरण में नये-नये उत्पादनों का अधिक से अधिक उपभोग करना चाहता है। उसकी जीवन-शैली का आधार ही उपभोक्तावाद है; वह सुख की व्याख्या परिग्रह और उपभोग के मानकों से करता है। उसे सर्वसुविधायुक्त भव्य आवास चाहिए, पाँच सितारा होटलों का ऐश्वर्य चाहिए। इस जीवन शैली में उपभोग के साथ प्रदर्शन और प्रतिस्पर्धा की भावना भी जुड़ी होती है। जो दूसरे के पास है, हमारे पास उससे अधिक और अच्छा होना चाहिए। संस्कार और त्यौहार प्रतिस्पर्धा के अवसर बन जाते हैं। उनमें इतना खर्च हो और ऐसी चमक हो कि लोग भी याद रखें। यही लिप्सावादी वर्ग देश की दुर्दशा की चर्चाओं में बार-बार गांधीजी की दुहाई देता है। अपने आपको आधुनिक और वैज्ञानिक जीवन दृष्टि सम्पन्न माननेवाला यह वर्ग मंत्र और तंत्र, ज्योतिष और भृगुसंहिता, बाबाओं और अवतारी पुरुषों में भी अंधश्रद्धा रखता है। आर्थिक सफलता और समृद्धि की होड़ में यह वर्ग लक्ष्यों और उन्हें प्राप्त करने के साधनों का मूल्यांकन करना भी भूल जाता है। दुर्बल आस्थाओंवाली यह श्रेणी ईश्वर और धर्म को भी अपने भौतिक लक्ष्यों की प्राप्ति का साधन बना लेना चाहती है। ये वे लोग हैं, जो विदेशों में भारतीय और भारत में विदेशी जीवन-शैली और मूल्यों के साथ जीते हैं; उनकी जड़ें भारतीय परंपरा में नहीं होतीं, पर साथ ही उनका पश्चिमीकरण भी बहुत ही सतही स्तरवाला होता है। वे पश्चिम की संस्कृति के बाह्य लक्ष्यों का तो अनुकरण करते हैं, पर गहराई में जाकर उसकी आत्मा से साक्षात्कार करने से कतराते हैं। साथ ही वे पश्चिमी संस्कृति के सुख, सुविधाएँ और स्वच्छंदता तो चाहते हैं पर उनसे होनेवाला सांस्कृतिक अवमूल्यन उन्हें चिंतित करता है। वे जो हैं उसे न जीना और जो नहीं है उसे जीना, उनकी नियति है। अपनी विभाजित मानसिकता के साथ वे एक अनिश्चित और दिशाहीन प्रवाह से जुड़ जाते हैं। यह प्रवृत्ति उनमें और देश के मान्य जन-जीवन में अलगाव उत्पन्न करती है और वे सामाजिक सरोकारों से प्रायः कट जाते हैं। उनका आभिजात्य मध्यम वर्ग को आकर्षित करता है और उसकी छाया निम्न मध्यवर्ग और नगरोन्मुख निम्न वर्ग पर भी पड़ती है। सीमित क्षेत्र में इन वर्गों में भी अनुकरण की प्रवृत्ति बढ़ती है। सिनेमा और टी. वी. इस प्रवृत्ति को बढ़ावा देते हैं। अब तो डिश एन्टेना और केबल भी

छोटे-छोटे शहरों और कस्बों में पहुँच गये हैं और वहाँ अपसंस्कृति की बौछार कर रहे हैं।

भारत की स्थिति तेजी से बदल रही है। लोकसंस्कृतियों के विशाल सागर में आभिजात्य के द्वीप पनप रहे हैं। कभी ये राष्ट्रीय चेतना और नवजागरण के दीप स्तंभ थे, आज उनमें व्यक्तिगत स्वार्थ और उनसे उत्पन्न विकृतियाँ पनप रही हैं। समाज अब परंपरा-निर्देशित नहीं रहा, उसमें अंतःकरण निर्देशन भी क्षीण हो रहा है। उसमें अन्य निर्देशन बढ़ रहा है, जो व्यावसायिक हित-साधन में पश्चिम की उत्तरदायित्वहीन अनुकृति मात्र है।

# समन्वय और सहयोग की परंपरा

समन्वय और सहयोग भारतीय समाज और संस्कृति की संरचना और विकास के प्रमुख आधार रहे हैं। 5,000 वर्ष से अधिक पुरानी इस सभ्यता के निर्माण में अनेक प्रजातियों का योग रहा है जो इस देश की धरती पर प्रवासियों के रूप में आयीं और निवासी बनकर यहाँ की ही हो गयीं। धीरे-धीरे उनमें से अनेक एक-दूसरे में घुल-मिल गयीं। कई ने अपने जातीय चिह्नों को बनाये रखकर भी शेष समाज से सावयवी संबंध विकसित किये। आरंभिक संघर्ष के बाद उनमें सद्भाव और सहयोग की भावना विकसित हुई, सांस्कृतिक आदान-प्रदान का आरंभ हुआ और धीरे-धीरे एक ऐसी सामासिक संस्कृति ने आकार लिया जिसमें इन सभी प्रजातीय तत्त्वों की जीवन-दृष्टियों, मूल्यों, प्रथाओं और सामाजिक गठन के स्वरूपों का समन्वय था। ग्रहणशीतलता और सहिष्णुता के तत्त्वों ने एक ओर यदि जीवन के कतिपय दार्शनिक और संस्थागत आधारों का लोकव्यापीकरण किया, तो दूसरी ओर सांस्कृतिक विविधता का सम्मान कर उन्हें अपनी विशेषताओं को बनाये रखने का अवसर भी दिया।

भारतभूमि के प्राचीनतम निवासी तीन भिन्न प्रजातियों के वंशज हैं। नीग्रिटो, जो रंग-रूप और आकार में अफ्रीकावासियों से मिलते-जुलते हैं। ये संख्या में अधिक नहीं हैं। इनका शुद्धतम रूप अंडमान के छोटे-छोटे कबीलों में मिलता है। ये जनजातियाँ, जिनमें से कुछ की जनसंख्या 100 से भी कम है, अत्यंत प्राथमिक स्तर पर जीवन-यापन करती हैं और इनका अन्य समूहों से संबंध प्रायः नहीं के बराबर है। दक्षिण के काडार, इरुला और पनियण भी इसी समूह के हैं। अंगामी नागा और बगाड़ी जनजातियों में भी इस प्रजाति के कुछ लक्षण यदा-कदा मिलते हैं। आज यह कह सकना कठिन है कि उनकी संख्या कभी अधिक भी थी और भारतीय सभ्यता के विकास में उनका योगदान क्या था। इसके विपरीत प्रोटो-आस्ट्रेलायड प्रजाति, जिसका उल्लेख प्राचीन साहित्य में अनास, दास, दस्यु और कोल या निषाद के नामों से किया

गया है, प्रायः देश भर में फैली थी। इस प्रजाति ने कृषि, हस्तशिल्प और धातु-कलाओं के विकास में प्राथमिक स्तर पर महत्त्वपूर्ण कार्य किया। उसके एक भाग ने जनजातीय रूप में अपनी स्वतंत्रता को बनाये रखा, किंतु उसका दूसरा और बड़ा भाग देश के विशाल समुदाय में घुल-मिल गया। देश की तीसरी पुरातन प्रजाति मंगोल वंश की दो शाखाओं के रूप में यहाँ की जनसंख्या में उपस्थित है। हिमालय क्षेत्र के कई समूह और उत्तर-पूर्व क्षेत्र की सभी जनजातियाँ इस वर्ग की हैं। असम, बंगाल, मणिपुर और त्रिपुरा के अ-जनजातीय समुदायों में भी इस प्रजाति की कुछ विशेषताएँ लक्षित होती हैं। उत्तर-पूर्व में कुछ समुदायों ने बौद्ध धर्म अपनाया, कुछ हिंदू धर्म की एक विशिष्ट धारा के रूप में विकसित हुए, अन्य ने जनजातीय जीवन शैली को बनाये रखकर बाद में ईसाई धर्म स्वीकार किया। उत्तर-पूर्व और शेष भारत में आज भले ही दूरी मालूम पड़े, परंतु मिथक में सँजोयी जातीय स्मृतियाँ उनके पुरातन संबंधों की याद दिलाती हैं। इस क्षेत्र में यह माना जाता है कि श्रीकृष्ण की पत्नी रुक्मिणी अरुणाचल प्रदेश की थीं, भीम की विवाहित हिडिम्बा नगा जनजाति की थीं और अर्जुन का विवाह मणिपुर की चित्रांगदा और नगा क्षेत्र की उलूपी से हुआ था। ये विवाह ऐतिहासिक सत्य भले ही न हों, किंतु भावात्मक धरातल पर इस क्षेत्र को महान् भारतीय परंपरा से अवश्य जोड़ते हैं

बाद में आनेवाले प्रमुख प्रजातीय समूह थे—भूमध्यसागरीय समूह, जिससे द्रविड़ भाषाएँ और संस्कृतियाँ जुड़ी हैं; एल्पनायड और डिनेरिक समूह, (जिनके लक्षण उत्तर और पश्चिमी भारत के कुछ भागों में दिखाई पड़ते हैं), एर्मेनायड (जिनका प्रतिनिधित्व पारसी करते हैं) और काकेसायड शाखा के भारतीय। समय-समय पर यह विवाद उठता रहा है कि आर्य बाहर से आये अथवा नहीं, नये सिरे से यह बहस एक बार फिर आरंभ हुई है। तथ्यात्मक प्रमाणों के अभाव में अभी यही मानकर चलना ठीक होगा कि वे बाहर से ही आये थे। महत्त्वपूर्ण यह है कि ये सब प्रजातियाँ धीरे-धीरे घुल-मिल गयीं और उनके संगम से भारतीय समाज बना।

इस बिंदु पर हम समन्वय और सहयोग के एक महत्त्वपूर्ण उदाहरण पर विचार करें। सिंधु घाटी की सभ्यता, जिसका आरंभ ईसा पूर्व 2,500 में और उत्कर्ष 2,300 में हुआ, किसी एक प्रजाति की देन नहीं है। जिस समाज ने इस गौरवशाली सभ्यता का विकास किया, उसके अवशेषों में भूमध्यसागरीय (द्रविड़), आस्ट्रेलायड, एल्पनायड और मंगोलायड तत्त्व निश्चित रूप से मिलते हैं। ये भिन्न प्रजातीय तत्त्व मिल-जुलकर एकीकृत समाज का रूप ग्रहण कर चुके थे। पुरातत्त्वविदों का एक वर्ग, जिसमें एस. आर. राव जैसे महत्त्वपूर्ण अध्येता भी हैं, यह मानता है कि इस सभ्यता के निर्माताओं में आर्य भी सम्मिलित थे। यह अवधारणा अभी विवादास्पद है, निर्णायक प्रमाणों के अभाव में उस पर प्रश्नचिह्न लगा है।

समन्वय और सहयोग का एक उत्कृष्ट उदाहरण हमें हिंदू धर्म और हिंदू समाज के विकास में मिलता है। वैसे हिंदू शब्द का प्रयोग शायद पहले-पहल अरबों ने आठवीं ईसवी में उन भारतीयों के लिए किया था, जो सिंधु नदी के उस पार—पूर्व में रहते थे। इस धर्म को वैदिक मूल का माना जाता है। इसकी शास्त्रीय परंपरा के स्रोत वेद, ब्राह्मण, आरण्यक, उपनिषद, श्रौत, गृह्य और धर्म सूत्र तथा पुराण माने जाते हैं। हिंदू समाज-व्यवस्था के आदर्श प्रारूप के रचनाकार होने का श्रेय मनु को दिया जाता है। यह शास्त्रीय परंपरा निःसंदेह महत्त्वपूर्ण थी, क्योंकि इसने उत्तर से दक्षिण तक और पूर्व से पश्चिम तक फैले समुदायों को एक सीमा तक धार्मिक और सामाजिक एकरूपता दी। परंतु व्यावहारिक हिंदू धर्म ने क्षेत्रीय और स्थानीय लघु परंपराओं की अस्मिता को स्वीकार कर उनसे समझौते किये और उनके सांस्कृतिक तत्त्वों को ग्रहण किया। हिंदू समाज का जो स्वरूप उभरा, उसमें शास्त्रीय—महान्—परंपरा जितनी महत्त्वपूर्ण है, उतनी ही महत्त्वपूर्ण क्षेत्रीय और स्थानीय—लघु—परंपराएँ भी हैं। भारत के अभिकरण की प्रक्रिया अत्यंत जटिल थी। आर्य-परंपराओं और क्षेत्रीय-जातीय परंपराओं के संघर्ष ने समन्वय की शक्ति बढ़ाई। आर्य-परंपरा ने व्रात्य परंपराओं को ग्रहण किया और क्षेत्रीय-जातीय परंपराओं के तत्त्व स्वीकार किये। सूत्रों द्वारा निर्धारित वैवाहिक और वंश-निर्धारण के नियमों के अपवाद स्वीकार किये गये। अनेक समुदायों में भाई-बहन की संतान में विवाह मान्य है; आंध्र और कर्नाटक की कई जातियों में, जिनमें ब्राह्मण भी हैं, मामा-भानजी का विवाह मान्य है। इसी तरह मातृ-वंशी परिवार भी हिंदू समाज ने स्वीकार किये। धर्म की व्याख्या देश-काल-पात्र के संदर्भ में करने की प्रवृत्ति ने सामाजिक प्रक्रियाओं को लचीलापन दिया और समाज को जड़ता के दोष से बचाया। वैष्णव, शैव, और शाक्त परंपराएँ समान रूप से हिंदू धर्म को स्वीकार हुईं; स्मार्त शाखा ने तीनों को एक साथ अपनाया। अंतर्विरोधों को भी हिंदू समाज ने आत्मसात किया—आजीवक लोकायत और तांत्रिक परंपराएँ असहमति और विरोध के स्वर के रूप में उभरीं, पर उन्हें भी हिंदू समाज ने अपना लिया। जाति प्रथा की उत्पत्ति दैवी मानी जती है, किंतु यवन (ग्रीक) शक, हूण, कुषाण आदि अ-देशज समूहों को वर्ण और जाति-व्यवस्था में सम्मानजनक स्थान दिया गया। देशज धर्म जैन और बौद्ध धर्म, विशेष स्थितियों में संघर्ष के कारण भले ही बने हों किंतु उनमें और हिंदू धर्म में अधिक दूरी नहीं आयी। जैन मुनियों और श्रमणों को हिंदू समाज ने पर्याप्त आदर दिया और अहिंसा को परम धर्म के रूप में स्वीकार किया। गौतम बुद्ध को देश ने विष्णु के अवतार के रूप में स्वीकार किया और कालांतर में लुप्त प्रायः हुए बौद्ध धर्म ने समाज पर गहरी छाप छोड़ी। संत कवियों ने हिंदू समाज के दोषों पर प्रहार किया, किंतु वे भी देवों के रूप में पूजित हुए और उनके मंदिर बने।

देश ने विदेशी मूल के धर्मों से भी सहयोग किया। देश में पहले-पहल आनेवाले ईसाई प्रचारकों को हिंदुओं ने सम्मान दिया। सोलहवीं शताब्दी में सेंट पाल क्रिश्चियनों को, जिन्हें नजरानी कहा जाता था, ब्राह्मणों के समकक्ष माना गया। इन प्रचारकों में से कई ने भारतीय धर्मों का गहन अध्ययन किया और हिंदू सामाजिक संरचना को भी स्वीकार किया। परिणाम यह हुआ कि उन्होंने परोक्ष रूप से जाति-प्रथा और अस्पृश्यता को भी स्वीकार कर लिया। दक्षिण में यह स्थिति आज भी बनी है। इस्लाम भारत में तलवार के जोर से नहीं आया। पश्चिमी तट के उत्तरी भाग में विल्हारा राजवंश ने और मलाबार के ज़मोरिन ने मुस्लिम व्यापारियों का स्वागत किया और उन्हें पूरी धार्मिक स्वतंत्रता दी। अनेक मुस्लिम संत और सूफियों ने इस्लाम का प्रचार किया, पर उनके गुणों से प्रभावित हिंदू आज भी श्रद्धापूर्वक उनकी मज़ारों को नमन करते हैं। धर्मांध मुस्लिम शासकों के आक्रामक रुख ने असंतोष और संघर्ष की स्थितियाँ उत्पन्न कीं, किंतु हमें यह भी नहीं भूलना चाहिए कि अकबर और दाराशिकोह भारत की सहिष्णुता, धार्मिक समभाव, समन्वय और सहयोग की परंपरा के उज्ज्वल प्रतीक हैं।

# सांस्कृतिक एवं राजनीतिक एकता की परंपरा

'संस्कृति', 'परंपरा' और 'सभ्यता' बड़ी शक्तिशाली अवधारणाएँ हैं। उनकी जड़ों में मिथक भी होते हैं और ऐतिहासिक अनुभवों की जातीय स्मृतियाँ भी। वे समुदाय अथवा समाज की संरचना को प्रभावित कर उसकी रीति-नीति का नियमन करती हैं और उसे दिशा-बोध और मूल्य-बोध देती हैं। उनसे या उनके कुछ पक्षों से व्यक्तियों और समूहों का भावनात्मक संबंध, कुछ स्थितियों में, इतना तीव्र होता है कि वे विचार, विवेक और तर्क से परे जीवन-मरण का प्रश्न बन जाते हैं। अनेक समुदायों में संस्कृति अथवा परंपरा के स्रोत को दैवी तथा उनकी निरंतरता को शाश्वत माना जाता है। यह एक मोहक भ्रम है। किंतु विशिष्ट संदर्भों में उसकी अजस्र शक्ति उसे यथार्थ का रूप दे देती है। सच तो यह है कि संस्कृति या परंपरा का प्रारूप अनुभवजन्य मानव निर्मित है और जीवन के बदलते संदर्भों में निरंतर उसकी पुनर्रचना की जाती है। पिछले तीन-चार दशकों में विश्वव्यापी धरातल पर सांस्कृतिक चेतना का विस्फोट हुआ है और कहीं-कहीं तो सांस्कृतिक माँगों ने बड़ा आक्रामक रुख धारण कर लिया है। सम-सामयिक जगत् में दो विपरीत प्रवृत्तियाँ लक्षित हो रही हैं—एक ओर जन-संचार-साधनों के विकास से धरती सिमटकर विश्व गाँव—ग्लोबल विलेज—बनती जा रही है, तो दूसरी ओर प्राचीन और नवजात, बड़ी और छोटी सांस्कृतिक अस्मिताएँ स्वायत्तता के लिए संघर्षरत हैं। सांस्कृतिक और राजनीतिक आकांक्षाओं के नये समीकरण उभर रहे हैं—उनके उलझाव और तनाव विश्व-व्यवस्था में नयी विसंगतियों और विकृतियों को जन्म दे रहे हैं। भारत में भी ये विघटनकारी प्रवृत्तियाँ अस्थिरता उत्पन्न कर रही हैं।

भारत की सांस्कृतिक एकता की चर्चा अकसर एकांगी दृष्टि से की जाती है। कभी-कभी हम उसे देश की महान् शास्त्रीय परंपराओं और विराट् दार्शनिक उपलब्धियों से जोड़ देते हैं। ये परंपराएँ और उपलब्धियाँ निःसंदेह महत्त्वपूर्ण हैं परंतु वे देश की संस्कृति का पूर्ण प्रतिनिधित्व नहीं करतीं। धर्मग्रंथ संस्कृति की धरोहर

माने जा सकते हैं, परंतु सामाजिक जीवन उनके पृष्ठों में बन्दी नहीं होता। स्थापत्य तथा रूपंकर और प्रदर्शनकारी कलाएँ, काव्य और साहित्य भी संस्कृति के महत्त्वपूर्ण पक्ष हैं, परंतु संस्कृति का फलक कहीं अधिक विशाल और व्यापक है—उसके अंतर्गत मानव और प्रकृति, मानव और मानव, मानव और रहस्यमय अज्ञात और मानव के अंतर्जगत् की गुत्थियों और समस्याओं का समावेश होता है। भारतीय संस्कृति की एकता और विविधता को इसी परिप्रेक्ष्य में देखना आवश्यक है। भारत में जातीय और स्थानीय परंपराएँ हमेशा सशक्त रही हैं। छोटी-छोटी जनजातियों को अपनी सांस्कृतिक अस्मिता पर गर्व रहा है। ग्राम समूहों-जनपदों के सांस्कृतिक वैशिष्ट्य और गरिमा के अनेक उल्लेख प्राचीन ग्रंथों और विदेशी यात्रियों के वर्णनों में मिलते हैं। क्षेत्रीय सांस्कृतिक व्यक्तित्व भी भारतीयता की छवि में अपनी अलग पहचान रखते थे। इतिहास, भाषा और परंपराओं ने इन्हें पृथक् पहचान और गरिमा दी और ये संस्कृति क्षेत्रों के रूप में स्थायित्व पा सके। क्षेत्रीय संस्कृतियाँ एक सीमा तक स्वतंत्र होकर भी एक-दूसरे से असंबद्ध और असंपृक्त नहीं थीं। यदि उत्तर की गंगा और यमुना पवित्र थीं, तो देश की मध्यवर्ती नर्मदा और दक्षिण की गोदावरी, कृष्णा और कावेरी भी उतनी ही पवित्र थीं—अपने संस्कृति-क्षेत्रों के लिए ही नहीं, अन्य सुदूर संस्कृति-क्षेत्रों के लिए भी। हिंदुओं के चार धाम चार अलग-अलग दिशाओं में थे। पावन तीर्थों का वितरण भी देशव्यापी था। इनकी चुंबकीय शक्ति देश भर से आस्थावान यात्रियों को अपनी ओर खींचती थी। शास्त्रीय परंपरा का फैलाव विशेषकर स्थानीय और क्षेत्रीय संत कवियों द्वारा जन-मुहावरे में उनका लोकव्यापीकरण—सांस्कृतिक एकता का महत्त्वपूर्ण स्रोत था। भारतीय मूल के देशज धर्मों जैसे बौद्ध, जैन और सिख धर्म—में सहयोग भी हुआ, संघर्ष भी, पर शीघ्र ही उनमें सह-अस्तित्व के समीकरण निर्धारित हो गये। ईसाइयत, इस्लाम और यहूदी धर्म—जो देशज मूल के नहीं हैं—प्रवेश के बाद कई दशकों तक शांति और सम्मान से इस देश में रहे और विकसित हुए। संघर्ष का समय बाद में राजनीतिक कारणों और अनुदार शक्ति-प्रयोग से आया। कटुता और संघर्ष की पृष्ठभूमि के बावजूद आज भी कई विशेष अवसरों पर मुस्लिम पीरों और सूफी संतों के मजारों पर हिंदुओं की भीड़ कम नहीं होती। चमत्कारिक घटनाओं से जुड़े दक्षिण के कुछ गिरजाघर बड़ी संख्या में हिंदुओं और मुसलमानों को अपनी ओर खींचते हैं। भारत की सांस्कृतिक एकता का रहस्य विविधता की स्वीकृति की उसकी शक्ति में है। यह विविधता धीरे-धीरे समाकलित होती है—कुछ अदृश्य तार इस विविधता को जोड़कर उसमें भी सीमित एकता ला देते हैं।

आज की भारतीय संस्कृति में कई परतें हैं। उसकी नींव हैं हमारी जीवंत लोक-संस्कृतियाँ। नये सांस्कृतिक आंदोलन से इनमें नयी चेतना आ रही है और

प्रायोजित कार्यक्रमों द्वारा ये एक-दूसरे के समीप आ रही हैं। साथ ही जातीय तत्त्वों की ओर झुकाव—एथनिक क्रेज—पारंपरिक और लोक-कलाओं को प्रोत्साहन और जीवन-दान दे रहा है।

एक समूह ऐसा भी है जो आधुनिकीकरण की अंधी दौड़ में पश्चिम का अंधानुकरण कर रहा है। यह प्रश्न अलग है कि यह समूह पश्चिम और उसकी संस्कृति को कितना समझता है : सतही तौर पर वह उसके कुछ तत्त्वों की नकल तो करता ही है। नवविकसित लोकप्रिय संस्कृति—पापुलर कल्चर—में भी पश्चिमी संस्कृति के कुछ तत्त्व आ रहे हैं, विशेषकर जन-संचार के माध्यमों के प्रभाव से। वैसे सांस्कृतिक प्रश्नों पर गंभीर विचार हो रहा है जिसके कुछ बिंदु हैं—भारतीयता क्या है ? भारतीय संदर्भ में 'हम' और 'वे' का अंतर क्या है ? जड़ों की तलाश किस सीमा तक और किस उद्देश्य से ? सृजन के भिन्न-भिन्न आयामों में जो ऊर्जा अभिव्यक्त हुई है, वह मिली-जुली संस्कृति की देन है। धर्म, भाषा, प्रांत आदि से उसे कुछ लेना-देना नहीं है।

समस्याएँ यदि उत्पन्न हुई हैं तो संस्कृति के राजनीतिकरण से। धर्म, भाषा, क्षेत्र को कभी संस्कृति का पर्यायवाची माना गया, कभी सांस्कृतिक अस्मिता की रक्षा के सवाल पर तीव्र आंदोलन हुए। बिना आग धुआँ नहीं हुआ, अनेक आंदोलनों के पीछे कारण थे—उपेक्षा, शोषण और उत्पीड़न। सहज विवेक से जो समस्याएँ सुलझाई जा सकती थीं, राजनीतिक उद्देश्यों से उनकी लपटें तेज की गयीं और अब स्थिति यह हो गयी है कि आग काबू के बाहर दिखाई पड़ती है। पिछले दशकों में राजनीति की संस्कृति भी काफी बदल गयी है। सेवा, त्याग, तपस्या और बलिदान के आदर्श पुराने पड़ गये हैं। सत्ता परम आदर्श है और उसकी प्राप्ति के साधनों का नैतिक मूल्यांकन आवश्यक नहीं है। यह राजनीतिक अवसरवाद सांस्कृतिक प्रश्नों को उलझाकर हिंसक अलगाववाद का समर्थन कर रहा है।

विकेंद्रित राज-व्यवस्था में सांस्कृतिक इकाइयों को कतिपय क्षेत्रों में स्वायत्तता देना हानिकारक नहीं होगा। इससे उनकी उचित आकांक्षाएँ पूरी होंगी और स्थिरता का वातावरण बनेगा। पर प्रश्न इतना सरल और स्पष्ट नहीं है। कुछ सौ या कुछ हजार जनसंख्यावाली संस्कृतियाँ किस सीमा तक स्वायत्तता का निर्वाह कर सकती हैं? जहाँ बहुमत और अल्पमत में केवल दो या तीन प्रतिशत का अंतर हो, वहाँ स्वायत्तता की समस्या कैसे सुलझाई जा सकती है ? जिनमें कल तक रोटी-बेटी का संबंध था और आज भी है, क्या वे एक प्रस्ताव मात्र से दो अलग कौमें बन सकते हैं ? संवाद की संस्कृति को तिलांजलि देकर क्या सांस्कृतिक प्रश्नों का अंतिम निर्णय गोलियों और बमों पर छोड़ा जा सकता है ? साथ ही हमें यह भी सोचना है कि राज्यशक्ति सांस्कृतिक प्रश्नों पर संवेदनशील ढंग से किस तरह विचार करे। राजकीय

आतंक भी समस्या का समाधान नहीं है।

भारत की सांस्कृतिक एकता एक विचित्र राजनीतिक भँवरजाल में फँस गयी है। हम इतिहास को विकृत कर रहे हैं, अतीत को तोड़-मरोड़कर मनचाही सामाजिक व्याख्याएँ कर रहे हैं। यह समय है सच्चे इतिहास-बोध का, राजनीतिक और सामाजिक विवेक का। आज की स्थिति में जातीय विस्मृति भी उतनी ही आवश्यक है, जितनी जातीय स्मृति।

# अस्मिताओं का संघर्ष

जातीय भावना—एथेनिसिटी—मानव समाज के लिए नयी नहीं है, पिछले कुछ दशकों में उसका विस्फोट और विश्वव्यापी उत्कर्ष अवश्य नया है। सामाजिक विकास के आरंभिक चरणों से ही मानव-समूहों और समुदायों ने 'हम' और 'अन्य' में अंतर किया है। 'हम' श्रेणी के सदस्यों में निकटता, सद्भाव और सहयोग था, 'अन्य' के संबंध में उनमें हमेशा शंका का भाव रहा जिसने उन्हें सतर्क रखा और कभी-कभी गंभीर संघर्ष की स्थितियाँ भी उत्पन्न कीं। जब समाज यायावर परिवारों के झुंडों के आधार पर गठित था, प्रत्येक परिवार की अपनी पहचान थी जिससे कुछ प्रतिष्ठा-चिह्न जुड़े थे। अस्तित्व की आवश्यकताओं ने एक नयी और बड़ी सामाजिक इकाई बनाने की प्रेरणा दी, कई यायावर परिवार मिलकर दल (बैंड) के रूप में संगठित हुए। इन दलों के भी अपने गणचिह्न थे और वे अपनी सामूहिक अस्मिता के प्रति जाग्रत थे। जीवन की परिस्थितियाँ बदलीं। दल नयी चुनौतियों का सामना करने के लिए अपर्याप्त थे, इसलिए उससे अधिक शक्तिशाली संघटना की खोज की गयी। कई झुंडों के विलयन से जन अथवा गण (ट्राइब) जैसी इकाई निर्मित हुई। इन जनजातियों ने अपने मिथक विकसित किये और परंपराओं की नींव डाली। प्रबल सामूहिक भावना के कारण उनमें अनुशासन था और लक्ष्य प्राप्ति की सुसंगठित योजनाएँ भी। उनका जातीय गर्व अनेक अंतरजनजातीय संघर्षों को जन्म देता था। धीरे धीरे जनजातियों से बड़े सामाजिक गठनों की जरूरत महसूस की गयी। राष्ट्र एक नये सामाजिक गठन के रूप में उभरा, जिसमें कई जनों या गणों का संविलयन हुआ था। इस संरचना में लघु अस्मिताओं का त्याग आवश्यक नहीं था; उनका सहअस्तित्व संभव था। पर यह भी आवश्यक था कि एक बड़ी अस्मिता को भी सामूहिक स्वीकृति मिले। राष्ट्र सशक्त इकाइयों के रूप में उभरे। उद्विकासीय 'आरंभिक राष्ट्र' से 'आधुनिक राष्ट्र' की यात्रा बहुत लंबी थी। इस यात्रा में राष्ट्र का रूप बदला और उसकी भूमिकाएँ भी। राष्ट्रीयता की भावना इस प्रक्रिया में प्रबल से प्रबलतर हुई।

उसने एक धर्म का रूप ले लिया था। राष्ट्र ने त्याग और बलिदान की माँग की, नागरिकों ने सहर्ष उन्हें पूरा किया। अनेक युद्धों की पार्श्वभूमि में राष्ट्रीय अस्मिताओं की टकराहट थी। आज राष्ट्रीय सीमांत उतने महत्त्वपूर्ण नहीं रहे, आर्थिक और सैन्य कारणों से उनके नये समुदाय विकसित किये जा रहे हैं। ऐसे संगठन राष्ट्रीय संप्रभुता के एक बड़े भाग के त्याग की अपेक्षा करते हैं। यह एक अत्यंत संवेदनशील मुद्दा है और इस प्रकार के समुदायों के पूर्ण विकास में अवरोध उत्पन्न करता है। यूरोपियन समुदाय ने इसका अनुभव हर कदम पर किया है और इसी के कारण एकीकृत यूरोप संभव नहीं हो पाया। साथ ही जातीय भावनाओं का विस्फोट इसी काल का एक चिंतनीय तथ्य है। इसे सूक्ष्म, लघु या उप-राष्ट्रीयता की अभिव्यक्ति भी माना जा सकता है।

जातीयता की पृष्ठभूमि में अनेक तथ्य हो सकते हैं—समान प्रजातीय उद्‌गम, लंबी अवधि के समान ऐतिहासिक अनुभव, धर्म, भाषा, संस्कृति आदि। इन सभी की उपस्थिति अनिवार्य नहीं है, पर दो या अधिक तथ्य जातीय भावना के आधार को दृढ़ता देते हैं, दल और जन/गण की प्रच्छन्न मानसिकता आधुनिक राष्ट्रों में भी लक्षित होती है और यदि हम सम-सामयिक जातीयता की भावना का सूक्ष्म विश्लेषण करें तो उसमें इसी मानसिकता की स्पष्ट प्रेरणा दिखाई पड़ेगी। जातीयता के दो प्रमुख आग्रह हैं—अपनी स्वतंत्र पहचान और सांस्कृतिक स्वायत्तता। इन तत्त्वों की संतोषजनक व्याख्या संभव नहीं है, क्योंकि वह विभिन्न कालों और संदर्भों में बदलती रहती है। यह निश्चित है कि जातीय/सांस्कृतिक अस्मिता के प्रश्न उससे अविभाज्य रूप से जुड़े रहते हैं और उनसे प्रेरित आंदोलन अधिकाधिक स्वायत्तता की माँग करते हैं।

अस्मिता की लड़ाई संवैधानिक या न्यायिक स्तर पर भी लड़ी जा सकती है और वह आतंकवाद और अघोषित युद्ध का रूप भी ले सकती है। केनेडा का क्यूबेक क्षेत्र फ्रेंचभाषी है और उसमें काफी समय से अलगाववादी आंदोलन चल रहा है। सन् 1982 में हुए मीच-लेक समझौते में संविधान में ऐसे संशोधनों की व्यवस्था की गयी कि क्यूबेकवासियों की अधिकांश माँगें भी पूरी हो जायें और देश का विघटन भी न हो। राज्यों और स्वयं क्यूबेक को ये संशोधन मान्य नहीं थे। अब नये संशोधनों पर लम्बी और गहरी बातचीत हो रही है। वैसे केनेडा अपने आपको बहु-जातीय देश मानता है और उसने बहु-सांस्कृतिक समस्याओं को हल करने के लिए एक स्वतंत्र मंत्रालय स्थापित किया है। संवैधानिक तरीके से सांस्कृतिक अस्मिताओं के प्रश्न हल करने का सबसे अच्छा उदाहरण स्विट्‌जरलैंड है। सैकड़ों वर्षों के युद्ध और जातीय संघर्ष के बाद स्विस लोगों ने अपनी राजकीय व्यवस्था विकसित की है। देश में संप्रभुता प्राप्त 23 कैंटन हैं, जिनमें से तीन अर्धकैंटनों में विभाजित हैं। देश में चार

राज्यभाषाएँ हैं। यहाँ बहुमत का राज्य नहीं है, संघ प्रत्येक गाँव की आवश्यकताओं के प्रति संवेदनशील है। क्षेत्रीय विशेषज्ञता के आधार पर आर्थिक समानता की समस्या प्रायः हल कर ली गयी है। इस समय बर्न कैंटन में जूरा डिस्ट्रिक्ट के फ्रेंचभाषी अपने अलग कैंटन की माँग कर रहे हैं, क्योंकि वे सोचते हैं कि जर्मनभाषी उनके प्रति विभेद की नीति अपनाते हैं। एक बार फिर वहाँ संवैधानिक प्रक्रिया आरंभ की गयी है, ताकि किसी को असंतोष का कारण न रहे। बेल्जियम में भी भाषाई/सांस्कृतिक समस्याएँ थीं। 1830 में इस देश की स्थापना के बाद फ्लेमिश और वालून समूहों में निरंतर संघर्ष होता रहता था। स्थिति की गंभीरता का अंदाजा इस बात से लगाया जा सकता है कि दूसरे महायुद्ध के बाद देश में 32 बार सरकारें बदलीं। पिछले दो दशकों में यहाँ संवैधानिक सुधारों द्वारा तीन क्षेत्रीय सरकारें भी स्थापित की गयीं, जो सांस्कृतिक अस्मिताओं का आदर करती हैं और उनकी आवश्यकताओं का ध्यान रखती हैं। हर संभव प्रयत्न किया जाता है कि किसी भी स्वतंत्र पहचानवाले समूह के हितों की उपेक्षा न हो। स्पेन में भी वहाँ के चार समुदायों—स्पेनिश, बास्क, केटेलन और गेलिशियन—में निरंतर संघर्ष रहता था। बास्क लोगों का रक्तरंजित संघर्ष वीरगाथाओं का विषय है। केटेलन लोगों को शिकायत थी कि उनके क्षेत्र को आर्थिक विकास का उचित अवसर नहीं मिलता। 1979 में बास्क और केटेलन स्वायत्तशासी क्षेत्र बना दिये गये। दोनों क्षेत्रों में शैक्षिक और सांस्कृतिक विकास के गहन प्रयत्न किये गये। अब इन क्षेत्रों में शांति भी है, प्रगति भी। केटेलन स्वायत्तशासी क्षेत्र को तो अपनी आश्चर्यजनक प्रगति पर गर्व है। ये कुछ उदाहरण जातीयता से जुड़ी समस्याओं के संवैधानिक समाधान के हैं। सफलता के लिए पक्ष-प्रतिपक्ष दोनों में अपार धीरज, विवेक और दूरदृष्टि चाहिए।

न्यायिक स्तर पर भी आर्थिक अधिकारों और सांस्कृतिक स्वायत्तता की लड़ाई लड़ी जा रही है। यह उन क्षेत्रों में है जिनकी 'खोज' यूरोपीय नाविक शक्तियों द्वारा समर्थित अभियानों द्वारा की गयी। क्रिस्टोफर कोलम्बस को श्रेय दिया जाता है कि उसने 1492 में अमरीका को खोजा, हालाँकि, डच खोजी लीफ एरिकसन पहले ही वहाँ की भूमि का स्पर्श कर चुका था। यह अर्थहीन श्रेय था, क्योंकि अमरीकी इंडियन वहाँ पहले से ही रह रहे थे और उन्होंने अपनी राजनीतिक व्यवस्थाएँ भी स्थापित कर रखी थीं। पेरू की इंका सभ्यता और मेक्सिको की मय और एजटेक सभ्यताएँ आदिम कबीलों की सृष्टि नहीं थीं। उन्हें गणित और खगोलशास्त्र का पर्याप्त ज्ञान था और उनके पास सोने का भी विपुल भंडार था। उत्तर अमरीका में इनकी अनेक जनजातियाँ और राष्ट्र तथा उनके संघ थे। उनसे संधियों के बावजूद आप्रवासियों ने उनके संसाधनों का अनिबंध दोहन किया और उनके साथ नृशंस व्यवहार किया। वाइल्ड वेस्ट की कहानियों और फिल्मों ने अमरीकन इंडियन की छवि

विकृत की। वहाँ खलनायक कौन थे ? इंडियन तो छले और ठगे गये थे। जंगली जानवरों की तरह उनका शिकार किया गया था। गोरे आप्रवासियों ने उनके बारे में कहावत चालू की, 'मृतक इंडियन ही अच्छा इंडियन है।' अमरीकी सरकार दल, जनजाति और राष्ट्र के उल्लेख को प्रोत्साहित नहीं करती थी, इसलिए 1960 तक बहुत-से समूह इनका उल्लेख नहीं करते थे। परंतु 1970 और 1980 के दशकों में सांस्कृतिक अस्मिता की नयी चेतना जागी और जनगणना में 173 समूहों ने अपनी सांस्कृतिक पहचान अंकित की। ये समूह अब अपने अधिकारों के लिए न्यायिक युद्ध कर रहे हैं। कुछ मामलों में उन्हें अपनी भू-संपदा और भूगर्भीय संपदा पर अधिकार मिल गया है। संयुक्त राज्य के सर्वोच्च न्यायालय ने उनकी संप्रभुता को सीमित स्वीकृति दे दी है और यह भी माना है कि इंडियन संस्थाओं के विधिक अधिकार संधियों और समझौतों से प्रभावित नहीं हुए। यह लड़ाई लंबी चलेगी। राष्ट्रपति निक्सन के यह मान लेने पर भी कि उनकी नीति का लक्ष्य अमरीकी इंडियनों का आत्मनिर्णय का अधिकार है, ये समूह स्वायत्तता से बहुत दूर हैं। ऐसी ही न्यायिक लड़ाई आस्ट्रेलिया में भी चल रही है। इस महाद्वीप के उत्तरी और पश्चिमी तट की छानबीन दो डच खोजियों—जैन्सजून और टस्मन—ने 1606 और 1644 के बीच की। पूर्वी तट की विस्तृत खोजबीन 1770 से ब्रिटिश नौसेना के जेम्स कुक ने आरंभ की। उसने पूर्वी क्षेत्र को अधिकार में लेकर उसका नामकरण 'न्यू साऊथ वेल्स' किया। डच खोजी उत्तरी और पश्चिमी क्षेत्र को पहले ही न्यू हॉलैण्ड कहने लगे थे। अपने उपनिवेश बनाते समय डच और ब्रिटिश दोनों ने आस्ट्रेलिया के आदिवासियों को अनदेखा किया और यहाँ की भूमि को स्वायत्तहीन माना। आदिवासियों का उन्होंने शिकार किया, उनसे दासों जैसा व्यवहार किया, उनकी स्त्रियों से बलात्कार किया। ये आदिवासी अत्यंत पुरातन प्रजाति के थे और आद्य संस्कृति के प्राथमिक स्तर पर थे। वे खेती से अनभिज्ञ थे। उनके पास न धनुष-बाण थे, न मिट्टी के बर्तन बनाने की कला। हाल ही में उनके बनाये भित्तिचित्रों की खोज हुई है जो अमूर्त कला के अच्छे उदाहरण हैं। कुछ पुरातत्त्ववेत्ता मानते हैं कि इन चित्रों में एक संकेत लिपि भी है। उन्नीसवीं सदी के मध्य तक शुद्ध तस्मानियन जनजाति समाप्त हो चुकी थी। यह अनुमान किया जाता है कि अब केवल पचास हजार शुद्ध रक्त आस्ट्रेलियाई आदिवासी बचे हैं। इन आदिवासियों में अब नयी अधिकार चेतना आयी है। वे न्यायालयों में दो लाख वर्ग किलोमीटर भूमि की माँग कर रहे हैं। एड्डी माबो ने एक मामले में हाईकोर्ट से यह स्वीकार करा लिया है कि आदिवासियों का भी भूमि पर अधिकार है और उन्हें न्याय मिलना चाहिए। सारे महाद्वीप में एक अजीब-सी खलबली मची है। यह प्रयत्न हो रहे हैं कि ऐसा समझौता हो जो देश की आबादी के 2% आदिवासियों को न्याय तो दिलाये, पर शेष 98% की प्रगति को न रोके।

विधायिकाओं और न्यायपालिकाओं के क्षेत्र के बाहर जो सांस्कृतिक अस्मिताओं की लड़ाइयाँ लड़ी जा रही हैं, उनके आयामों और परिणामों का आकलन कठिन है। जातीयता की कोई निश्चित व्याख्या नहीं है। 'पहचान' के कोई स्थिर आधार नहीं हैं। जातीय समूहों के सीमांत समय-समय पर बदलते रहते हैं। वे कभी एक तत्त्व को वरीयता देते हैं, कभी दूसरे को। प्रजाति, धर्म, भाषा और संस्कृति की भूमिका कभी मुख्य रही है, कभी गौण। आज प्रश्न सामाजिक समता और सांस्कृतिक स्वायत्तता का है। अपने ऐतिहासिक विकास की प्रक्रिया में कुछ समूह शेष समाज से पूरी तरह समाकलित नहीं हो पाये। युद्ध में जय-पराजय ने पहचान-समूहों का विभाजन किया। उपनिवेशवाद जातीयता और संस्कृति के तर्क पर आधारित नहीं था। साम्राज्यवाद की समाप्ति के बाद नवनिर्मित राष्ट्रों ने भी इन तथ्यों की उपेक्षा की। स्वाधीनता के उत्सवीकरण के अति उत्साही अध्याय के बाद बहुमत के उच्च भाव और अल्पमत के आर्थिक शोषण और सामाजिक विभेद के प्रश्न उभरे। जहाँ उनकी उपेक्षा या अवज्ञा की गयी, छोटी अस्मिताओं में तीव्र प्रतिक्रिया हुई। आंदोलनों ने हिंसक रूप ग्रहण किया। आज संसार में लगभग चार सौ ऐसे आंदोलन चल रहे हैं जो कभी शांत रहते हैं, कभी विस्फोटक हो जाते हैं। इन आंदोलनों के कारण वर्तमान विश्व-व्यवस्था अस्थिर हो गयी है। सोवियत संघ और युगोस्लाविया के विघटन के बाद जातीयता का अत्यंत उग्र रूप सामने आया है।

मानव वैज्ञानिक 10000 समाजों की बात करते हैं। गुर और स्कारलेट के अनुसार आज 5000 ऐसे समाज हैं जो आनुवंशिकता, संस्थाओं, विश्वासों, भाषा और स्थानीयता के आधार पर राष्ट्रीयता का दावा कर सकते हैं। बोल्डिंग ने 1979 में 159 देशों के 6276 जातीय समूहों की गणना की थी। ये सांस्कृतिक स्वायत्तता चाहते हैं, पर इन सबमें जीवन-स्तर की कुछ अपेक्षाएँ एक-सी हैं। विज्ञान और प्रौद्योगिकी, आधुनिक संचार माध्यम और खुली अर्थव्यवस्था के तर्क उन्हें जोड़ते भी हैं। सांस्कृतिक प्रश्नों पर व्यवस्था का विकेंद्रित होना तथा अन्य क्षेत्रों में विभिन्न स्तरों पर उसका केंद्रीकरण, दोनों जरूरी हैं। यूरोपियन समुदाय और आसियन जैसे संगठन समय की आवश्यकता हैं, पर वे सांस्कृतिक अस्मिताओं का भक्षण नहीं कर सकते। छोटी अस्मिताएँ चाहती हैं कि उनकी आवाज भी सुनी जाये और वे भी निर्णय-प्रक्रिया में सहभागी हों। यह माँग जायज़ है और उसे स्वीकार भी करना चाहिए। सब छोटी अस्मिताओं के लिए बड़े राज्यों का विघटन न उपादेय होगा, न संभव। स्वायत्तता संवैधानिक पुनर्रचना से भी प्राप्त की जा सकती है। आवश्यक है कि अल्पसंख्यकों के प्रश्न पर मानवीय संवेदना से विचार किया जाये और उन्हें आत्म-निर्णय का इतना अधिकार दिया जाये कि वे आश्वस्त हो सकें कि उनका आर्थिक, सामाजिक शोषण नहीं हो रहा है और राज्यों के विराट् लक्ष्यों की प्राप्ति में वे भी सहयोगी हैं।

# हिंदू अस्मिता के प्रश्न

पिछले कुछ वर्षों में हिंदू चेतना ने एक नया मोड़ लिया है। उसमें अस्तित्व का आग्रह है, परंपरा की पुकार है। अपने आप में यह मोड़ गलत नहीं है। संक्रमण की स्थिति में सभी सभ्यताएँ आत्मचेतन दृष्टि से अपने वर्तमान का परीक्षण कर भविष्य की दिशा निर्धारित करती हैं। यह आत्मविश्लेषण एक तरह से सामाजिक व्याधियों का निदान होता है, जिसके आधार पर समाज अपनी चिकित्सा करता है।

इस्लाम में यह चेतना बड़ी तीव्रता से आयी है, उसकी अतिवादी अभिव्यक्ति विश्वव्यापी चिंता का विषय बन गयी है। ईसाई जगत् में भी मूलतत्त्ववादी प्रवृत्तियाँ सशक्त हो रही हैं। अनेक ऐसे पंथ उभर रहे हैं जो ईसा की आधार शिक्षा के अनुसार समाज का पुनर्गठन करना चाहते हैं। चीन में ताओवाद नये रूप में प्रकट हो रहा है और कन्फ्यूशियस के विचारों की प्रासंगिकता पर निरंतर नयी बहस हो रही है। हाल के वर्षों में जापान के शिंतोवादी धर्म ने भी नयी करवट ली है। जातीयता और धर्म के विशिष्ट रूपों के आधार पर भी अस्मिताओं के अनेक युद्ध चल रहे हैं। ऐसे माहौल में हिंदू समाज में कोई हलचल न हो, यह असंभव था। यह स्वाभाविक ही था कि वह भी अपनी अस्मिता की तलाश करे और उसकी रक्षा के प्रयत्नों में लग जाये। निर्विवाद रूप से हिंदू को 'हिंदू' के रूप में जीने का उतना ही अधिकार है, जितना संसार के अन्य धर्मों और संस्कृतियों के लोगों को।

यह स्वीकार कर लेने से ही समस्या का अंत नहीं हो जाता। अनेक प्रश्न उठते हैं जिनके संतोषजनक उत्तर प्राप्त नहीं हैं। कुछ प्रश्न आधार व्याख्याओं से जुड़े हैं। हिंदू कौन हैं ? उनकी सामाजिक-सांस्कृतिक संरचना कैसे विकसित हुई ? हिंदू धर्म के मूल तत्त्व क्या हैं ? उसे परिवर्तन की प्रेरणा कहाँ से मिलती थी ? हिंदू समाज को खतरा किस दिशा से है ? अतीत में उसने चुनौतियों का सामना कैसे किया ? क्या यह संभव है कि उसके गठन की विसंगतियाँ और मूल्यों में आयी विकृतियाँ उसकी ऊर्जा का ह्रास कर रही हैं ?

प्रश्नों की तीसरी श्रेणी नये हिंदुत्व की कार्य-सूची—एजेंडा से संबंधित है। हिंदू अस्मिता की रक्षा की रणनीति में प्राथमिकता किन कार्यक्रमों को दी जायेगी ? इस धर्म युद्ध का संचालन कौन करेगा ? नये वैकल्पिक हिंदू समाज का स्वरूप क्या होगा ? ये गंभीर प्रश्न हैं।

इनके सही उत्तरों के लिए स्वस्थ ऐतिहासिक विवेक और सूक्ष्म सांस्कृतिक विश्लेषण आवश्यक है।

हिंदू कौन है ? यह सच है कि यह नाम बाहरी लोगों का दिया हुआ है और एक विशिष्ट भौगोलिक क्षेत्र के वासियों का द्योतक है। अपने मूल रूप में इसका धर्म-आस्था, विश्वास और पूजा-रीतियों आदि से कोई सीधा संबंध नहीं था। अरब सभी भारतवासियों को हिंदू कहते थे, चाहे वे मुसलमान ही क्यों न हों। इसका मतलब यह नहीं कि हिंदू समाज एक आकारहीन और आत्मविहीन इकाई है। जिस बड़े समाज ने यह नाम स्वीकार किया, वह क्रमशः सभ्यता-सूत्रों से बँधता गया, मिथक, विश्वास और पूजा-अर्चना की झीनी परत ने उसे जोड़ा। इस धर्म ने सामुदायिक और क्षेत्रीय आग्रहों को नहीं ठुकराया, हर जाति की अपनी उप-संस्कृति बनी रही, क्षेत्रों का सशक्त सांस्कृतिक व्यक्तित्व भी बना रहा। इस समाज में अनेक मत और पंथ उभरे और समाहित होते गये। अनीश्वरवादी चार्वाक और लोकायत भी हिंदू थे। अघोरी भी हिंदू थे, सगुण अथवा निर्गुण ब्रह्म के उपासक भी। वैष्णव, शैव, स्मार्त, शाक्त सभी हिंदू थे।

यह इसलिए संभव हुआ कि अनेक समूहों ने अपनी कुछ सांस्कृतिक विशेषताओं के साथ हिंदू समाज में प्रवेश किया। जो पहले म्लेच्छ माने जाते थे वे भी हिंदू समाज के सावयवी अंग बन गये, जैसे हूण, आभीर और मग। उत्तर-पूर्व के हिंदूकरण का इतिहास और भी रोचक है। अहोम, बोडो (बोरी) भाषी समूह—कचारी, राभा, कोच, चुटिया, देऊरी, मिशिंग, मोरान पहले स्वतंत्र जनजातियाँ थीं। वे अब राजवंशी हिंदू हैं। इस नये रूप में भी उन्होंने अपनी अनेक जनजातीय विशेषताएँ बनाये रखी हैं। भारत के सांस्कृतिक मानचित्र पर क्षेत्रीय संस्कृतियों का विकास समान सामूहिक संस्कृतियों के विलय से हुआ। इनका व्यक्तित्व सशक्त है, अपनी अस्मिता के प्रति वे सचेत हैं।

हिंदू धर्म के मूल तत्त्व क्या हैं ? यह प्रश्न कठिन और जटिल है। धर्म की व्याख्या देश, काल और पात्र के अनुसार बदल सकती है। बदलती भी है। जो नहीं बदलते वे हैं धर्म के सामान्य आदर्श। इन आदर्शों की सूचियाँ अलग-अलग ग्रंथों में बिलकुल एक-सी नहीं हैं, पर अनेक सूचियों में कुछ तत्त्वों की पुनरावृत्ति होती है। उदाहरण के लिए 'मनुस्मृति' में बताये दस लक्षणों को लें। वे हैं—धैर्य, क्षमा, दम, आस्तेय, शुचिता, इंद्रिय-निग्रह, बुद्धि, विद्या, सत्य और अहिंसा। अन्य सूचियों में

करुणा, सभी जीवों के प्रति सानुक्रोश (संवेदनशील, सहानुभूतिपूर्ण) होना, दान आदि सम्मिलित हैं। जिन तत्त्वों के संबंध में निषेध हैं, वे हैं—परनिंदा, ईर्ष्या, घमंड, आस्थाहीनता, आत्मप्रशंसा, कुटिलता, छल, क्रोध, मत्सर, मोह। आख्यानों और नीति-कथाओं में इनका उल्लेख होता है, पर इनके प्रवर्तन के लिए कोई सांस्थानिक ढाँचा नहीं है।

चार पुरुषार्थ—धर्म, अर्थ, काम और मोक्ष—भी हिंदू धर्म के अंग हैं। ये जीवन के लक्ष्य हैं, पर इन पर भी सामाजिक नियंत्रण बहुत कम है। तमिल के महान् ग्रंथ 'तिरुक्कुराल' में तो मोक्ष का उल्लेख भी नहीं है, उसमें केवल सदाचार, धन और जीवन के सुखों की चर्चा है। इसी तरह ऋणों की परिकल्पना भी महत्त्वपूर्ण है। चार ऋण व्यक्ति के नैतिक-सामाजिक उत्तरदायित्वों को पूरा करते हैं। वे हैं—ऋषि-ऋण, पितृ-ऋण, देव-ऋण और भूत (समाज) ऋण। इनमें से तीन ऋण किसी अलौकिक शक्ति से नहीं जुड़े हैं, मनुष्य की अन्य मुनष्यों के प्रति परानुभूति, संवेदना और सहायता को विशेष रूप से रेखांकित किया गया है। यह व्यक्ति के विवेक पर है कि वह ये ऋण किस तरह चुकाता है। कोई सामाजिक शक्ति उसे बाध्य नहीं करती।

गृह्यसूत्र जीवन-पथ के संस्कारों—जन्म, विवाह, मृत्यु—की एक रूपरेखा प्रस्तुत करते हैं, पर पारंपरिक, क्षेत्रीय और स्थानीय परम्पराएँ अधिक शक्तिशाली ढंग से उनका स्वरूप निर्धारित करती हैं। पूजा-अर्चना के भी कई धरातल हैं। कुल देवताओं की पूजा कुछ परिवारों तक ही सीमित रहती है। ग्राम-देवताओं की पूजा सारा गाँव करता है। क्षेत्रीय संस्कृतियों में पूर्जा-अर्चना की विविधता मिलती है। व्रत, त्यौहार, उत्सव, मेले भी इस धर्म के अंग हैं। हिंदू समाज के व्यापक ढाँचे में अनेक पंथ और संप्रदाय हैं, सब सम्मान के अधिकारी हैं। पुस्तकें भले ही हिंदू धर्म की पांडित्यपूर्ण व्याख्याएँ दें, पर वे उसका व्यवहृत रूप प्रस्तुत नहीं करतीं। दैनिक जीवन में उसका व्यावहारिक रूप देखना जरूरी है और जिसे हम सनातन धर्म कहते हैं, वह भी स्थायी और अपरिवर्तनीय नहीं है। असहमति, विरोध और सुधार की सशक्त परंपरा भी उससे जुड़ी है, जिसका नेतृत्व अनेक ऐसे संतों ने किया है जो अधिक पढ़े-लिखे नहीं थे और जिनमें से कुछ ऐसी जातियों से थे, जिन्हें नीचा माना जाता है। उनके प्रत्यनों ने इस धर्म को नयी ऊर्जा दी।

नव हिंदुत्ववाद इस धर्म के भविष्य के बारे में चिंतित है। उसके अनुसार हिंदू अस्मिता को ग्रहण लगा है जो किसी भी समय खग्रास बन सकता है। उसकी दृष्टि से खतरा गैर देशज धर्मों से है, विशेषकर इस्लाम से। हिंदू धर्म में अदम्य जीवनी शक्ति है और यदि उसमें नयी ऊर्जा का संचार होता रहा, तो इस्लाम उसका कुछ नहीं बिगाड़ सकता। इन धर्मों के बीच पहले भी सार्थक संवाद हुआ है, जो अब हठधर्मिता के कारण अवरुद्ध हो गया है। इसे फिर से चालू करना जरूरी है। जायसी,

खुसरो, रहीम और रसखान की परंपरा में अभी भी संभावनाएँ शेष हैं। देश में हजारों मुसलमान पीरों की मजारें हैं, जहाँ लाखों हिंदू मन्नतें मानते हैं। संगीत, स्थापत्य, खान-पान और वेश-भूषा में दोनों की साझी परंपरा है।

आजादी के बाद यहाँ का मुसलमान एक विचित्र-सी दुविधा में रहा है। उसे हमेशा शक से देखा गया है। वोट-बैंक की राजनीति ने एक ओर इमामों, मौलवियों और मुल्लाओं की महत्त्वाकांक्षाओं को जगाया है, दूसरी ओर उसने उदारवादी और प्रगतिशील मुसलिम नेतृत्व को पनपने ही नहीं दिया। ऐसे में वह कातर दृष्टि से समृद्ध मुसलिम देशों की ओर देखता है। इससे हिंदू बहुमत भड़कता है। मुसलमानों से अधिक हिंदू अस्मिता के शत्रु हैं उसके अपने अंतर्द्वंद्व और विरोधाभास। अस्पृश्यता हिंदू धर्म पर कलंक है। स्त्रियों की संरचनात्मक हीनता की अवधारणा भी कलंक है। झूठा आधुनिकतावाद उसके आधार मूल्यों को विकृत कर रहा है। भोगवाद एक दिन उसे प्रदर्शन का धर्म बना देगा—दिखावटी और आत्माहीन। उसे अपनी चुनौतियों का सामना कबीर, वसवा और एकनाथ, गांधी, विवेकानंद और नारायण गुरु के मार्ग पर चलकर करना होगा।

नये हिंदुत्व का एजेंडा धुँधला है। बाबरी मसजिद ध्वस्त कर उसने क्या पा लिया ? और कितनी मसजिदें टूटेंगी ? मथुरा ? काशी ? क्या इससे हिंदू धर्म की गरिमा लौट आयेगी ? क्या ये ध्वस्त स्थल भूखों को रोटी और उत्पीड़ितों को न्याय दे सकेंगे ? महाआरती और मुसलमान औरतों से बलात्कार की वीडियो फिल्में हिंदू धर्म का घिनौना चेहरा भी प्रकट करती हैं। क्या भाजपा, विश्व हिंदू परिषद, बजरंग दल और शिव सेना हिंदू नवजागरण का नेतृत्व कर सकेंगे ? उनकी कार्य-योजना स्पष्ट नहीं है। त्रिशूल और गदा पुनर्निर्माण के अस्त्र नहीं हो सकते। धर्माचार्य, मठाधीश और पंथों के गद्दीधारी हमेशा आदर के पात्र रहे हैं, पर समाज में उनकी भूमिका सक्रिय नहीं रही। धर्म-निर्धारण के क्षेत्र में भी उनका प्रभाव और अधिकार अत्यंत सीमित रहा है। हिंदुत्व को सेमेटिक धर्मों के समकक्ष नया रूप देना संभव नहीं होगा। ऐसे प्रयत्न क्षेत्रीय अस्मिताओं के युद्धों को जन्म देंगे। हिंदू अस्मिता की लड़ाई का पहला चरण है व्यापक जन-आंदोलन और चेतना के सीमांतों का विस्तार। आगे का रास्ता खुद ब खुद निकल आयेगा।

कुछ मित्र कहते हैं—गर्व से कहो, हम हिंदू हैं। ठीक है, कहो। पर यह गर्व तभी सच्चा होगा जब उसकी पृष्ठभूमि में हिंदुत्व के उदात्त जीवन-दर्शन की समझ होगी, ऐतिहासिक विवेक होगा और भविष्य के संबंध में दूरगामी सोच होगा। पाँच सितारा स्वामी, लंबी समाधि से अभी-अभी उठे योगी, भाँति-भाँति के बाबागण और धर्मांध कारसेवक हिंदू अस्मिता की रक्षा नहीं कर सकते। विचारहीन आस्था विघटन का आमंत्रण होगी। सत्ता के लिए धर्म का राजनीतिकरण अंततः हिंदू समाज के लिए आत्मघाती होगा।

# विघटन का दौर

छह दिसंबर को अयोध्या में जो कुछ हुआ, वह हमारे इतिहास के पृष्ठों पर हमेशा एक काला और कुरूप धब्बा रहेगा। कहते हैं एक साध्वी और एक सांसद ने पहले तो अनमने ढंग से भीड़ को रोकने की थोड़ी कोशिश की, पर बाद में भावना के आवेग में आकर वे भी नारे लगाने लगे–"एक धक्का और दो"...शायद यह प्रोत्साहन जरूरी नहीं था, क्योंकि धार्मिक उन्माद अनुशासन और नियंत्रण स्वीकार नहीं करता, उसे न वर्तमान का ध्यान होता है और न भविष्य की चिंता। उसका परिणाम क्या हुआ ? एक ऐतिहासिक इमारत, जो मस्जिद भी थी और मंदिर भी, ध्वस्त हो गयी। उसके साथ ही इस धक्के ने भारत की पंथनिरपेक्षता, उदारता और सर्वग्राहिता की परंपरा को गहरी चोट पहुँचायी और उसकी प्रजातांत्रिक राज्य-व्यवस्था के इर्द-गिर्द हजारों प्रश्नचिह्न लगा दिये। राष्ट्रवाद की इस संकुचित और विवेकहीन अभिव्यक्ति ने देश को विखंडन के कगार पर खड़ा कर दिया है। अयोध्या में उठी एक चिनगारी ने देशव्यापी आग का रूप ले लिया है, जिसमें हजारों जानें गयी हैं और हजारों के जाने का अंदेशा है।

भारतीय समाज एक अंधी गली में भटक गया है, परस्पर दोषारोपण का सिलसिला बंद नहीं हो रहा है। जिन समानधर्मी दलों को एक होकर विघटनकारी शक्तियों का मुकाबला करना चाहिए, वे अयोध्या की आग में राजनीतिक स्वार्थ की रोटी सेंक रहे हैं। स्थिति भयावह है, पर हर दल और नेता अपने मान-अभिमान को देश से ऊपर रख रहा है। यह आत्मघाती प्रवृत्ति कहीं देश को गृहयुद्ध में न धकेल दे, जिसमें अंततः सभी पक्षों की पराजय हो।

देश का विभाजन धर्म के आधार पर हुआ था, क्योंकि हिंदू और मुसलमान दोनों समुदायों का नेतृत्व परस्पर विश्वास और सहयोग के सेतु बनाने में असफल रहा था। विभाजन के बाद भारत ने धर्मनिरपेक्षता पर जोर दिया, क्योंकि इस सिद्धांत में उसकी सच्ची आस्था थी। गांधीजी ने सांप्रदायिक सद्भाव के लिए अपने प्राणों की आहुति

दी। जवाहरलाल नेहरू, व्यंग्य में सही, भारत के एकमात्र राष्ट्रवादी मुसलमान के रूप में जाने जाते रहे। धर्मनिरपेक्षता के प्रति उनकी प्रतिबद्धता संदेह से परे थी। नरेन्द्रदेव, जयप्रकाश और लोहिया जैसे नेता भी इसी साँचे में ढले थे।

इनके सम्मिलित प्रयत्नों ने सद्‌भाव का पर्यावरण बनाने का प्रयत्न तो किया और धर्मनिरपेक्षता को संवैधानिक स्वीकृति भी प्राप्त कराई, पर सांप्रदायिक मानसिकता का उन्मूलन करने में वे पूर तरह सफल नहीं हुए। दो बड़ी कौमों के बीच की खाई पटी नहीं, संशय ने दोनों के रिशतों में अनिश्चय को बाधा बनाये रखा। बहुतेरे हिंदुओं की नजर में मुसलमानों की निष्ठा संदिग्ध रही, वे उन्हें छद्‌म पाकिस्तानी मानते रहे। यदा-कदा खेलों में कुछ मुसलमानों द्वारा पाकिस्तानी टीमों का उत्साहवर्धन पूरी कौम की पाक परस्ती का प्रमाण मान लिया गया। हिंदू समाज सामान्यतः उन्माद-मुक्त रहा, पर उसे अपने राज्य का अहसास जरूर था, 'अपना राज' यानी हिंदू बहुल राज्य।

धीरे-धीरे राजनीति का मुहावरा बदला, तात्कालिक स्वार्थ की राजनीति सिद्धांतों की राजनीति पर हावी होती गयी। समुदायों और जातियों को वोट-बैंक के रूप में देखा जाने लगा। जोड़-तोड़ की राजनीति में नित्य नये समीकरण बनने लगे। इनका दीर्घकालीन राष्ट्रीय और सामाजिक उद्देश्यों से कोई संबंध नहीं था। मुसलमान डरे और सहमे हुए थे। कांग्रेस ने उन्हें सुरक्षा-कवच देने का वायदा किया। शर्त यह थी कि वे कांग्रेस को वोट देकर उसे सत्ता में बनाये रखें। इसके विपरीत मुसलमानों का सांप्रदायिक नेतृत्व 'इस्लाम खतरे में है' के नारे से उन्हें भयभीत और आशंकित करता रहा। दोनों—कांग्रेस और मुस्लिम सांप्रदायिक नेतृत्व का न्यस्त हित कौम को पिछड़ा और धर्मभीरू बनाये रखने में था। समय-समय पर सांप्रदायिक हिंसा भड़की, दंगे हुए और कराये गये। निरंतर असुरक्षा की भावना ने कौम में अल्पसंख्यक मानसिकता विकसित की। स्थिति ऐसी बनी ही नहीं कि वे बड़ी संख्या में देश की प्रमुख आर्थिक-सांस्कृतिक धारा के अंग बन सकें, परिस्थितियों के षड्‌यंत्र ने उन्हें अलग 'घेरों', दारिद्रय की संस्कृति के पृथक् द्वीपों में रहने को मजबूर कर दिया। उदारतावादी और प्रगतिशील दृष्टिकोणवाले मुसलमानों को आगे आने का मौका ही नहीं मिला, राष्ट्रीय नेतृत्व भी इमामों और मौलवियों मुल्लाओं के चक्कर लगाता रहा और उन्हें राजनीतिक प्रतिष्ठा देता रहा। इस प्रवृत्ति ने सांप्रदायिक नेतृत्व का अहंकार बढ़ाया और वह हिंदू और मुसलमानों के बीच की दूरी बनाये रखने में भी सहायक हुई। अल्लामा इकबाल राम को इमामे-हिंद मान सकते थे, गौतम बुद्ध और कृष्ण का आदर से स्मरण कर सकते थे, पर सांप्रदायिक नेतृत्व ने भारतीय मुसलमानों को अपनी सांस्कृतिक बुनियाद की तलाश की ओर प्रवृत्त ही नहीं किया। इंडोनेशिया के मुसलमान रामायण और महाभारत को बिना किसी संकोच के अपनी विरासत के रूप

में प्रक्षेपित कर सकते हैं, पर भारत में यह नहीं हो सका। मध्यपूर्व के इस्लामी देशों की आर्थिक संपन्नता ने धर्म को एक नया आयाम दिया। संसार भर में फैले इस्लाम को माननेवाले समुदायों को सुदृढ़ करने के लिए उदार वित्तीय सहायता दी गयी। भारत को भी यह सहायता मिली, जिससे दीनयात इस्लामी धार्मिक शिक्षा की सैकड़ों संस्थाएँ खड़ी हो गयीं। इन संस्थाओं से भी सामाजिक-सांस्कृतिक अलगाव के शैक्षिक और आर्थिक पिछड़ेपन पर किसी का ध्यान नहीं गया और यदि गया भी तो किया कुछ नहीं गया। साझा संस्कृति भी एक नारे से ज्यादा कुछ नहीं रही। सावयवी संबंधों के सूत्रों के बिखराव को रोकने के लिए क्या किया गया ?

गुनहगार सिर्फ राष्ट्रीय नेतृत्व और मुसलमान सांप्रदायिक नेता नहीं थे। हिंदुओं का एक भाग निरंतर आक्रामक हिंदुत्व का प्रचार कर रहा था। हिंदू-अस्मिता का प्रश्न विकृत इतिहास-बोध के साथ उठाया गया। मध्ययुग—मुगलशासन का इतिहास अंधकार का युग माना गया। इसे भारतीय इतिहास से विलुप्त करने का प्रण किया गया। इस पक्ष ने यह नहीं सोचा कि तथ्यों के साक्ष्य को अनदेखा नहीं किया जा सकता। विवेकानंद का नाम बार-बार लिया गया, पर उनके क्रांतिकारी समाज-दर्शन पर किसी का ध्यान नहीं गया। सावरकर और गोलवलकर की व्याख्याएँ एकांगी थीं, उन्होंने न हिंदू धर्म के उदात्त स्वरूप को समझा, न उसकी जटिल संरचना को। उसे आक्रामक तेवर देकर उसके मूल स्वर को ही बदलने के प्रयत्न किये गये। इस असहिष्णु हिंदुत्व ने अल्पसंख्यकों—मुसलमान, सिख, ईसाई और आदिवासियों को शंकित और भयभीत कर दिया। ईमानदारी का तकाजा है कि हम दो तथ्यों को स्वीकार कर लें। पहला, अनियंत्रित मुस्लिम कट्टरवाद की शक्तिशाली लहरों ने हिंदू सांप्रदायिकता को और भी उग्र बनाने में अप्रत्यक्ष रूप से सहायता दी। दूसरा, जोड़-तोड़ की राजनीति ने एक सीमा तक अल्पसंख्यकों का तुष्टिकरण भी किया, यद्यपि इसे बहुत बढ़ा-चढ़ाकर प्रक्षेपित किया गया। शाहबानो-प्रकरण में आरिफ मोहम्मद खान का हश्र चौंका देनेवाला था। जामिया के सम उपकुलपति मुशीरूल हसन के साथ जो हुआ, उससे प्रायः सभी बुद्धिजीवी हतप्रभ हैं। पर यह निश्चित है कि हिंदू अतिवाद अल्पसंख्यकों की संवेदनशील समस्याओं का कोई हल नहीं है। उससे एक क्रियात्मक संवादहीनता की स्थिति ही उत्पन्न होती है। हिंदू समाज नये अवतारों और चमत्कारी बाबाओं, ज्योतिषियों और तांत्रिकों तथा दिखावटी उत्सवों और समारोहों से आक्रांत होता जा रहा है। उसमें सुधार की प्रक्रिया प्रायः अवरुद्ध हो गयी है। आवश्यकता थी पुनर्जागरण के अभियान की, पर हम फँस गये व्यर्थ के मंदिर-मस्जिद विवाद में। इस चक्रव्यूह से निकलना कठिन है, विशेषकर ऐसी स्थिति में जबकि देश कश्मीर, पंजाब और उत्तर-पूर्व के राज्यों में जातीय भावना के विस्फोट—जिसमें धार्मिक भावना भी जुड़ी है—का कोई समाधान नहीं खोज पा रहा।

आदिवासी क्षेत्रों में अशांति है। राज्यों में कभी भी अलगाववाद सशक्त हो सकता है, पहले तमिलनाडु में और अभी-अभी उड़ीसा में खतरे की घंटी बज चुकी है। इन हालात में सांप्रदायिक युद्ध हमें कहाँ ले जायेगा ? क्या हम भारत को भी नया बोस्निया बनाना चाहते हैं।

धर्म-युद्ध के साथ-साथ जाति-युद्ध भी शुरू हुआ, तो बिखराव की प्रक्रिया को और भी बल मिलेगा। मंडलीकरण की योजना में इस युद्ध के विष-बीज हैं। दलित और दरिद्रों को सामाजिक न्याय देने के लिए देश तैयार हो सकता है, यदि हमारी योजनाएँ वास्तव में दरिद्र नारायण पर केंद्रित हों और उनका क्रियान्वयन यांत्रिक तरीके से न किया जाये। जातीय आधार पर ध्रुवीकरण और विग्रह न केवल हिंदू समाज को खंडित करेगा, वह देश को भी तोड़ देगा।

भारतीय समाज बड़े कठिन दौर से गुज़र रहा है। राजनीतिक प्रक्रिया अपनी विश्वसनीयता खो चुकी है। देश का सांस्थानिक ढाँचा बुरी तरह से चरमरा गया है और समाज में एक साथ अनेक विपरीत प्रवृत्तियाँ सशक्त हो गयी हैं। सामाजिक रीति-नीति के मानक क्षीण हो गये हैं और तात्कालिक लाभ की राजनीति हमें जंगल राज की ओर ले जा रही है। आशा की बस एक किरण है—अयोध्या के ध्वंसकांड पर जन साधारण की तीव्र प्रतिक्रिया। जनता का विवेक और न्याय-बुद्धि अब भी जीवित है। आज का बीज प्रश्न है—क्या हमारा अदूरदर्शी और अकर्मण्य नेतृत्व इस बहुमूल्य संसाधन को दिशा और गति देकर देश को विघटन से बचा सकेगा ?

# कमजोर नींव, चरमराता ढाँचा

दो वर्षों में भारतीय लोकतंत्र अपनी अर्ध शताब्दी पूरी करेगा। जैसी परंपरा चल पड़ी है इस अवसर का उत्सवीकरण होगा, सीमित उपलब्धियों को बढ़ा-चढ़ाकर दिखाया जायेगा, असफलताओं को परदे में छिपाया जायेगा और नयी प्रतिज्ञाएँ और घोषणाएँ की जायेंगी। हम असत्य को सत्य के रूप में प्रक्षेपित करने की कला में माहिर हो गये हैं, अपने आप को धोखे में रखने के कौशल में पारंगत। जिस छद्‌म इतिहास की रचना हम करेंगे असली इतिहास उसकी धज्जियाँ उड़ा देगा। यथार्थ की नंगी तस्वीर हमारी कुरूपता को उजागर करेगी, हमारे फरेब का पर्दाफाश करेगी। इन पाँच दशकों में हमारे मूल्य क्षत-विक्षत हो गये हैं, मर्यादाएँ टूटी हैं और सामाजिक-सांस्कृतिक ढाँचे में अनेक विकृतियाँ प्रवेश कर गयी हैं। एक विकलांग समाज दुर्बल मस्तिष्क नेतृत्व के सहारे इक्कीसवीं सदी का स्वागत करेगा।

आजादी के आरंभिक वर्षों में देश की राजनीति पर गांधीवादी विचारों का प्रभाव था। यह सच है कि गांधीजी की यह उपस्थिति धीरे-धीरे असुविधाजनक बनती जा रही थी, परंतु लोकलाज के कारण ही सही लक्ष्यों की उच्चता और साधनों की शुद्धता पर विचार अवश्य किया जाता था। पहले दो चुनावों की प्रक्रिया में खास पेचीदगियाँ नहीं आयी थीं, न ही वे बहुत महँगे हुए थे। जनता अपना वोट श्रद्धा सुमन के रूप में राष्ट्रीय नेतृत्व को अर्पित कर देती थी। यह स्थिति अधिक समय तक नहीं चली। राजनीति के संचालन के लिए धन की आवश्यकता बढ़ी। यह धन कहाँ से आये ? संग्रह की प्रक्रिया पारदर्शी नहीं थी। धन एकत्र करने का काम 'विशेषज्ञों' के हाथों में आ गया था और उनसे असुविधाजनक प्रश्न पूछने को राजनीतिक नासमझी माना जाने लगा। सत्ता के मद से नेताओं में कुछ सामंती प्रवृत्तियाँ बढ़ीं। भाई-भतीजावाद आया तो प्रच्छन्न भ्रष्टाचार भी। राजनीतिक दाँव-पेंच में सांप्रदायिकता, जातिवाद, भाषावाद और क्षेत्रीयतावाद का दोहन आरंभ हुआ। राजनीति के तीसरे चरण में भ्रष्टाचारियों की हिम्मत बढ़ी, उनके निर्लज्ज, घिनौने चेहरे सामने आये। महत्त्वाकांक्षी

राजनीतिज्ञ खुलकर कहने लगे कि पाँच सौ करोड़ रुपये जमा कर और इस राशि के कुशल उपयोग से भारत का प्रधानमंत्रित्व पाया जा सकता है। राजकीय बड़े सौदों में कमीशन लिया जाने लगा। आयाराम-गयाराम की राजनीति में विधायिकाओं के सदस्य खुले बाजार अपने आपको नीलाम करने लगे। सड़क की राजनीति ने दुःसाहसी युवा नेताओं को जन्म दिया, जिन्हें न आदर्शों की चिंता थी न साधनों की। शब्द-शक्ति और बाहुबल से वे अपना काम चला लेते थे। इस दौर में राजनीतिक नेताओं, आपराधिक तत्त्वों और माफिया गिरोहों के बीच संवाद और सहयोग बढ़ा। जातीय भावना और धर्म के नाम पर आतंकवाद के विस्फोट होने लगे। आतंकवादियों को विदेशों से सहायता तो मिलती ही थी, वे मादक पदार्थों और अस्त्र-शस्त्र के व्यापार में भी शामिल हो गये। इधर मंडल-कमंडल की राजनीति ने नये संभ्रम फैलाये। अफसरशाही और पुलिस अपनी अपेक्षित तटस्थ भूमिका निभाने में असमर्थ रहीं। नेताओं ने उनकी निष्ठा का झुकाव अपनी ओर करने का प्रयत्न किया, जिसमें उन्हें सफलता भी मिली। नेताओं से जुड़े आपराधिक तत्त्वों से उनके नये समीकरण बने, जो एक-दूसरे के लिए परस्पर लाभदायक थे। चौथे चरण में जो इस समय अपने उत्कर्ष पर है, राजनीति का धरातल और नीचे खिसका। आपराधिक तत्त्व सहयोगी न रहकर सहभागी बने। विधायिकाओं के सदस्य और मंत्री बनकर इन तत्त्वों ने नया सामाजिक सम्मान पाया और अपनी प्रस्थिति का उपयोग अपने हित साधन में किया। शेषन से पूछिये आज के कितने विधायक आपराधिक पृष्ठभूमि से आये हैं ? आज की फिल्मों में नेताओं की जो दोहरी जिंदगी दिखायी जाती है, वह असलियत के आसपास है। ऐसा नहीं है कि चरित्रवान नेता हैं ही नहीं, पर वे असहाय हो गये हैं। वे स्थिति को नियंत्रण में रख सकने में असमर्थ हैं। पहले फिल्म जगत् से नेता आये, अब अपराध जगत् से आ रहे हैं। उनके निजी सशस्त्र अंग रक्षक होते हैं, निजी सेनाएँ होती हैं। अहिंसा के देश में हिंसा के नये-नये उपकरण सहज ही उपलब्ध हैं। ए. के. 47 राइफलें अब पुरानी हो गयी हैं। हथगोले चाहिए, मिलेंगे। राकेट-लांचर चाहिए, वे भी मिलेंगे। महा-विस्फोटकों के जखीरे देश भर में फैले हैं। देश में एक समानांतर सत्ता विकसित हो गयी है, जो वैध सत्ता को भी झुका लेती है। भ्रष्टाचार अब हमें उद्वेलित नहीं करता, हम बोफोर्स को सह लेते हैं, प्रतिभूति घोटाले को पचा लेते हैं। देश भाड़ में जाये, जरूरी है सत्ता में बने रहना। सत्ता के इस खेल में सब कुछ जायज है। वोट खरीदिए, विधायक और सांसद खरीदिए। मतदाताओं को आतंकित कीजिए, नेताओं को भी आतंकित कीजिए। हिंसा, अपहरण, बलात्कार सभी वैध अस्त्र हैं। सत्ता वर्चस्व के साथ अन्य सुख भी दे सकती है—धन, भोगवादी जीवन शैली, महँगी शराब, औरतों के शरीर। सामंती जीवन का नया प्रजातांत्रिक संस्करण है यह। आनेवाला चुनाव न जाने और क्या-क्या तमाशे दिखाये।

यह सब क्यों हो रहा है ? पहली बात तो यह है कि हमारे राजतंत्र की नींव ही कमजोर है। 'कोऊ नृप होय, हमें का हानी' का दर्शन हमारी मानसिकता में गहरा उतर गया है। इस दृष्टि ने हमारी सहन शक्ति को लचीला बना दिया है और हमारी प्रतिरोधक क्षमता को कुंठित कर दिया है। पत्रकारों को बड़े अनुदानों से मौन रखा जा सकता है, बुद्धिजीवियों को सम्मानों के सम्मोहन से रिझाया जा सकता है। वे आलोचना फिर भी करते रहेंगे, पर उसकी धार वह नहीं रहेगी, जो रहनी चाहिए। वे प्रतिरोध की शक्तियों को सक्रिय नहीं कर सकेंगे। फिर भी सुंदरलाल बहुगुणा, मेधा पाटकर और ब्रह्मदेव शर्मा जैसे लोग उभरते रहेंगे, जिन्हें आसानी से झुकाया नहीं जा सकता। ये प्रतिरोध का एक सार्थक प्रतिरूप प्रस्तुत करते हैं। वे अपने आंदोलनों में सामान्य जन को सहभागी बनाते हैं और जनचेतना का विस्तार करते हैं, होना यही चाहिए। पाँच वर्ष में एक चुनाव में हिस्सा लेना पर्याप्त नहीं है। पंचायती राज से यही अपेक्षा की गयी थी, परंतु वह न्यस्त स्वार्थों से घिर गया और अंत में उसकी भ्रूण-हत्या कर दी गयी। जनचेतना के विस्तार का कोई अन्य विकल्प नहीं है।

दूसरा मुख्य कारण है हमारे सामाजिक चरित्र का ह्रास। सामाजिक संरचना बुरी तरह से डगमगा गयी है। लक्ष्यों में भ्रष्ट और साधनों में अवसरवादी संगठन की इकाइयों की नियंत्रण शक्ति क्षीण हो गयी है। वैश्वीकरण के कार्यक्रम ने कुछ अच्छे परिणाम दिये हैं, पर साथ ही अनियंत्रित लिप्सावाद का प्रसार भी किया है। नया धर्म सूत्र है 'धनी बनो और जल्दी।' धन सुख का पर्यायवाची बन गया है। इसका परिणाम हुआ है सामाजिक विषमता में वृद्धि होना। इस स्थिति में है आशा की एक किरण–देश इस घोर विषमता को अधिक सहेगा नहीं। भाजपा आज बसपा से सहयोग कर रही है। चार अगस्त को क्वालालम्पुर में प्रधानमंत्री का रुख और स्वर बदला हुआ था। यह स्वागत योग्य है। पर ये मुद्राएँ कब तक टिकेंगी ? जनता का विश्वास डिग गया है, क्योंकि वह बार-बार धोखा खा चुकी है। क्या हम किसी सुनियोजित समयबद्ध न्यूनतम कार्यक्रम का क्रियान्वयन कर सकेंगे ?

# महाराज, हस्तिनापुर में विचारों की कमी है...

भारतीय बुद्धिजीवी एक अत्यंत आत्म-सचेत प्राणी है, यद्यपि वह 'बुद्धिजीवी' शब्द की संतोषजनक व्याख्या करने में शायद ही समर्थ हो, वह छोटे-छोटे प्रवर्गों—कवि, साहित्यकार, लेखक, विचारक, दार्शनिक, वैज्ञानिक, प्रवक्ता आदि से जुड़ा रहता है और उन्हीं के तात्कालिक, अल्पकालिक और दीर्घकालिक लक्ष्यों से अपनी आत्म-छवि को प्रक्षेपित करता है। पिछले चार दशकों में अंग्रेजी के 'इंटलेक्चुअल' शब्द का प्रयोग बहुत होने लगा है। समाज की एक श्रेणी अपने आपको इस रूप में वर्णित करती है। यहाँ भी धूमिल परिभाषा की समस्या है। एक अमरीकी समाजशास्त्री ने भारत के संदर्भ में लिखते हुए विश्वविद्यालय के हर डिग्रीधारी को 'इंटलेक्चुअल' मान लिया था। शिक्षा के वर्तमान स्तर को देखते हुए यह मानक संतोषजनक नहीं जान पड़ता। ऐसी व्याख्या उन मनीषियों को बुद्धिजीवियों के घेरे से बाहर रखती है जिनकी मेधा का विकास औपचारिक शिक्षा से नहीं, आत्मचिंतन और स्वाध्याय से होता है। कई समूह अपने आपको बुद्धिजीवी मान लेते हैं। समाज उनमें से कुछ को इस रूप में मान्यता देता है अन्य को नहीं। इस श्रेणी की सामाजिक भूमिका भी स्पष्ट नहीं रही है। जीवन के बदलते संदर्भों में वह अपने उत्तरदायित्व के क्षेत्र को लगातार पुनर्परिभाषित करती रहती है।

भारतीय परंपरा ने बुद्धिजीवियों की अलग श्रेणी को मान्यता नहीं दी थी। ऋषि-मुनि और ज्ञानी व्यक्ति समाज में विशिष्ट स्थान रखते थे, पर उनका सम्मान केवल उनके बुद्धि-वैभव के कारण नहीं था। उनकी चारित्रिक विशेषताओं और आध्यात्मिक बल की ओर भी समाज आकृष्ट होता था। अपनी विराट् उपलब्धियों के लिए कवि और नाटककार सम्मानित होते थे। यही नहीं, ज्ञान के अन्य क्षेत्रों में अपने अवदान के लिए भी समाज ने चरक, सुश्रुत, नागार्जुन, आर्यभट्ट, अभिनवगुप्त, पाणिनि

जैसों को ऋषि तुल्य स्थान दिया, ज्ञान की बहुआयामी और अखंड परंपरा का विकास तो हुआ, पर बुद्धिजीवियों की अलग श्रेणी नहीं बनी।

उपनिवेशवाद के पहले चरण में, भारत में कई प्रकार के संभ्रांत (एलीट) समूह अस्तित्व में आ गये थे। इनमें राजवंशों से जुड़ा समूह प्रमुख था। सबसे ऊँचा धरातल राजा और उसके निकट संबंधियों का होता था। दूर के रिश्तेदार अपनी रियासत के जमींदार या ताल्लुकेदार या जागीरदार होते थे। उनसे भी दूर के संबंधी गाँवों के मालगुजार हो जाते थे। मूलतः सत्ता और संपत्ति के आधार पर उन्हें मान-सम्मान मिलता था। शासन-कौशल उनकी ख्याति बढ़ाता था। राज्यों और जागीरों के दरबार में पंडितों, संगीतज्ञों, नर्तक-नर्तकियों आदि को भी सम्मानजनक स्थान मिलता था। धार्मिक विधि-विधान कर्मकांड के क्षेत्र में दूसरे संभ्रांत समूह का वर्चस्व था। इस समूह के पास पवित्र ज्ञान होता था और वह अनुष्ठानिक क्षेत्र का नियंत्रण करता था। हिंदू धर्म की परिधि से बाहर जनजातियों में ब्राह्मणों का प्रवेश नहीं था, कुछ जातियाँ और जाति-समूह पुरोहित का काम सजातीय व्यक्तियों से ही कराते थे। बौद्ध और जैन समाजों में कर्मकांड का रूप संक्षिप्त था और उन्हें ब्राह्मण पुरोहित की आवश्यकता नहीं थी। मुसलमानों के अपने मौलवी होते थे। सिख समुदाय में भी ब्राह्मण को प्रवेश नहीं था। ब्राह्मण को संपत्ति तो अधिक नहीं मिलती थी, पर उसकी प्रतिष्ठा थी और वह पूजनीय माना जाता था। जब आर्थिक क्षेत्र में खुले अवसर विस्तारित हुए तो ब्राह्मणों के एक भाग ने उनका लाभ उठाया। नयी शिक्षा प्राप्त की और नये प्रतिष्ठित रोजगार अपनाये। संभ्रान्त प्रवर्ग की एक शाखा व्यापारियों के लिए थी। वे सामान्यतः राजनीति से अलग रहते थे पर उनके पास संपत्ति काफी थी। वे ब्याज पर पैसे का लेन-देन भी करते थे। राजा, नवाब और जागीरदार तक जरूरत पड़ने पर उनसे कर्ज लेते थे। पैसे की शक्ति उनका सम्मान बढ़ाती थी।

ब्रिटिश साम्राज्य ने इन विशिष्ट वर्गों की संरचना को दो तरह से प्रभावित किया। पहले उसके कारण पारम्परिक ढाँचे को दृढ़ता मिली। इस प्रवर्ग की राज्य-भक्ति शांति के वातावरण में साम्राज्य के हित-साधन के लिए जरूरी थी। सम्मान के भाँति-भाँति के प्रलोभनों–तोपों की सलामी, उपाधियों आदि से उनकी स्वामिभक्ति खरीदने के प्रयत्न हुए। दूसरी ओर देश और प्रशासन की आवश्यकताओं ने सार्वजनिक सेवाओं और अन्य क्षेत्रों में अवसर के द्वार खोलकर बुद्धिजीवी वर्ग के विकास को संभव बनाया। उच्च प्रशासनिक सेवाओं में प्रवेश प्रतियोगिताओं द्वारा दिया जाने लगा। कुछ अफसर विलायत से आते थे और कुछ भारत से ही लिये जाते थे। इस तरह आई. सी. एस. का फौलादी चौखटा–स्टीलफ्रेम–अस्तित्व में आया, जिसने देश को लंबे समय तक अपने नियंत्रण में रखा। प्रशासन ने कुछ लोकहितकारी योजनाएँ भी आरंभ कीं। सार्वजनिक सेवाओं का यह उच्चतर स्तर था,

इसके नीचे भी कई स्तर थे। सभी की खरीदी हुई निष्ठा अंग्रेजी शासन में थी। जब देशभक्ति की प्रबल लहरें उठीं तब भी उच्चतर और अन्य सेवाओं के बहुत कम लोगों ने सरकारी नौकरी छोड़कर अपने आपको राष्ट्रीय आंदोलन से जोड़ा। साथ ही कई नये व्यवसायों का भी उदय हुआ। विधि, चिकित्सा और यांत्रिकी के क्षेत्रों में नये व्यावसायिक पाठ्यक्रम आरंभ किये गये। इनमें प्रशिक्षित व्यक्तियों में से कुछ सरकारी नौकरी में गये, अन्य ने स्वतंत्र रूप से अपने व्यवसाय चलाये। स्वतंत्रता-आंदालेन के नेताओं में कई या तो वकील थे या डॉक्टर। इन पेशों में से कुछ पत्रकारिता की ओर आकर्षित हुए और उन्होंने धीरे-धीरे इस व्यवसाय का विकास किया। राजनीति में एक नया प्रबुद्ध वर्ग उभरा। इस वर्ग में लोग पहले स्वतंत्र व्यवसायों से आये थे। धीरे-धीरे राजनीति भी एक पेशा बन गयी। अकादमिक-क्षेत्र से जुड़े लोग जो इस विक्रम के विभिन्न अनुशासितों के अध्येता और विशेषज्ञ थे अपने आपको बुद्धिजीवी कहने लगे। कवि, लेखक, संगीतकार और कलाकार भी उनके नजदीक आये और स्वयं को बुद्धिजीवी मानने लगे। पत्रकार भी इस वर्ग में शामिल हुए। पहली दो श्रेणियों—प्रशासकों और नये व्यवसायों—से भी कुछ लोग इनसे संलग्न हुए। यह बौद्धिक-वर्ग देश की सांस्कृतिक धरोहर से परिचित था और उसका संरक्षण और संवर्धन करने के लिए उत्सुक था। साथ ही वह उन शक्तियों को भी पहचानता था जो मानव-जीवन को नये आयाम दे रही थी। परंपरा, प्रयोग और परिवर्तन तीनों की ललक उसके मन में थी। इन चारों प्रवर्गों की ऊर्जा से देश को आर्थिक और सामाजिक परिवर्तन का नया कार्यक्रम मिला। लक्ष्यों और साधनों के संबंध में उनमें गहरे मतभेद थे पर उनमें से कोई यथास्थिति नहीं चाहता था। देश की तत्कालीन स्थिति से कोई संतुष्ट नहीं था। बुद्धिजीवी अपने लिए सार्थक भूमिका की तलाश कर रहे थे।

आजादी के बाद बुद्धिजीवी प्रवर्ग ने अपनी भूमिका को दृढ़तापूर्वक अभिव्यक्त करना आरंभ किया। इस प्रक्रिया में उसके कुछ अंतर्द्वंद्व और विरोधाभास भी प्रकट हुए। पिछले दो दशकों में बुद्धिजीवियों ने आक्रामक मुद्रा अपनायी। कुछ अच्छे मुद्दे उन्होंने उठाये—पर्यावरण का संरक्षण, नारीवाद, सामाजिक न्याय, सांप्रदायिकता, मानवाधिकार, सांस्कृतिक अस्मिता की रक्षा आदि। इससे एक बहस तो शुरू हुई। पर कई स्थितियों में कई शब्दों का इंद्रजाल ही सिद्ध हुई और कोई सार्थक विकल्प प्रस्तुत नहीं कर सकी। सत्ता-संस्थान विरोधी तेवर एक सीमा तक ही उपयोगी हो सकते हैं, क्रियात्मक ऊर्जा के अभाव में वे निर्णायक मोड़ तक नहीं बढ़ सकते। बुद्धिजीवियों की अवसरवादिता और अति नाटकीयता उनके खोखलेपन को उजागर करती है। सरकारी सम्मान, सुविधाओं और पुरस्कारों के लोभ का संवरण उनमें से कितने कर सकते

हैं ? क्या मंडी-हाउस के आसपास किये गये प्रदर्शन समस्या के मर्म का स्पर्श कर पाते हैं ? थोक भाव से समाचारपत्रों को दिये गये बुद्धिजीवियों के संयुक्त वक्तव्य और पत्र किसे और कितना प्रभावित करते हैं ? इनसे बुद्धिजीवी शायद झूठा आत्मसंतोष ही पाते हैं।

आज के बौद्धिक परिदृश्य का अवलोकन करें। अपने चिंतन, मनन, अध्ययन और अनुशीलन की प्रेरणा हम कहाँ से पाते हैं और कहाँ उसकी स्वीकृति चाहते हैं ? अंतर्राष्ट्रीय विज्ञान में जो धाराएँ फैशन में आ जाती हैं, अपने देश के लिए उनकी प्रासंगिकता पर विचार किये बिना, हम उनमें बह जाते हैं। पश्चिम के स्थापित केंद्रों से प्रशंसा की एक दृष्टि हमें गद्गद कर देती है। यही हाल मानविकी और सामाजिक विज्ञानों का है।

आज का बुद्धिजीवी देशज चिंतन से कटता जा रहा है, साधारण जन से उसकी दूरी बढ़ती जा रही है। वह अधिकांशतः विदेशी भाषा में लिखता और छपता है। विदेशों में छपना, बड़े सम्मान की बात मानी जाती है, भारतीय भाषाओं में लिखने वाले की या तो अनदेखी की जाती है या उसे दूसरे या तीसरे दर्जे का बुद्धिजीवी मान लिया जाता है। विदेशी ज्ञान और विधियों का सम्मोहन बढ़ता जा रहा है। आज के संवाद को देखिये, फूको, डेरिडा और बार्थे आराध्य प्रतिमाओं की तरह स्थापित हो गये हैं। बात-बात में हम उत्तर-संरचनावाद और उत्तर-आधुनिकतावाद का उल्लेख करते हैं, अध्ययन-विधि में चिह्नों—साइन—को समझने का प्रयत्न करते हैं या विरचना—डिकंस्ट्रक्शन—का सहारा लेते हैं। चमत्कृत कर देनेवाले संप्रत्यय तो हमारे हाथ लगते हैं, पर उनमें उलझकर हम अपने सामाजिक यथार्थ से साक्षात्कार कर सकने की क्षमता को खो बैठते हैं।

समकालीन परिस्थिति में बुद्धिजीवियों की भूमिका क्या हो ? पहले तो उन्हें राष्ट्रीय लक्ष्य निर्धारित करने में सहायक होकर इन लक्ष्यों की स्पष्ट व्याख्या करना है। दूसरे, उन्हें नीतिगत विकल्पों की लागत और लाभ का यथासंभव सही आकलन करना है। तीसरे, परनिर्भरता कम करने के लिए उन्हें नये संसाधन और क्षमताएँ विकसित करने में सहायक होना है। चौथे, उन्हें संगठन और प्रबंधन की नयी प्रविधि विकसित करना है। पाँचवें, उन्हें तेजी से होनेवाले परिवर्तन के तनावों और झटकों के विनाशकारी प्रभावों को सह्य बनाना है। और छठे, उन्हें बदलते पर्यावरण पर सतत निगरानी रख, आनेवाले संकटों की पूर्व चेतावनी देना है।

यह भूमिका अत्यंत महत्त्वपूर्ण है और इसे निभाने के लिए समर्पित और प्रतिबद्ध भाव से अपने उत्तरदायित्व को पूरा करना आवश्यक है। समाज में फैलते चारित्रिक दोष और विकृतियों से आज का बुद्धिजीवी स्वयं पीड़ित है, वह परिवर्तन का इंजिन बनने की अपनी क्षमता खोता जा रहा है। यह दुर्भाग्य की बात है। पक्षाघात पीड़ित बुद्धिजीवी देश और समाज को नयी दिशा कैसे देंगे ?

# संस्कृति, प्रतिसंस्कृति, अपसंस्कृति

समकालीन संदर्भ में संस्कृति ने अपने भय और शक्ति को नयी अभिव्यक्ति दी है। विकास और आधुनिकीकरण की प्रक्रियाएँ परंपरा को हाशिए की ओर धकेल रही थीं और उन्हें गत प्रयोग मानकर तर्क और विवेक के आधार पर नये लक्ष्यों और मूल्यों की स्थापना कर रही थीं। उन्हें संस्कृति की प्रतिरोधक शक्ति का अहसास नहीं था, वे यह मानकर चल रही थीं कि विकास तंत्र अनिवार्यतः परंपराओं को क्षीण कर देगा और समाज को एक नयी दिशा देगा। ऐसा हुआ नहीं। अस्मिता और पहचान के संकट को लेकर उनमें नया प्रतिबोध जाग्रत हुआ, जिसने आक्रामक ढंग से विकास की आधार अवधारणाओं को चुनौती दी। धर्म के आग्रह पुनः सशक्त हुए और समाज के कुछ समूहों ने उग्र कट्टरवादी दृष्टिकोण अपना लिया। साथ ही, प्रजाति, भाषा, धर्म, क्षेत्रीयता और सांस्कृतिक प्रतिष्ठा-चिह्नों को लेकर नयी जातीय भावनाओं का विस्फोट हुआ। सांस्कृतिक स्वायत्तता की माँगों ने अलगाववाद का रास्ता अपनाया। सवैधानिक माँगें हिंसात्मक मोड़ लेने लगीं। विश्व-व्यवस्था में इससे अस्थिरता आयी और आज यह कह सकना कठिन है कि अगले दशक में संसार का राजनीतिक नक्शा कौन-सा रूप लेगा।

दूसरी चिंता विकास के स्वरूप और उसके परिणामों से जुड़ी थी। दो प्रश्नों के उत्तर स्पष्ट नहीं थे : किसका विकास ? कैसा विकास ? अमरीका संसार का सबसे समृद्ध देश होने का दावा करता है, पर वहाँ भी लाखों लोग बेघर हैं और गरीबी के शिकार हैं। वहाँ भी देश का विकास सभी को जीवन की न्यूनतम आवश्यकताएँ तक उपलब्ध नहीं करा सका है। वंचित और शोषित वर्ग वहाँ भी हैं। उदाहरण के लिए, अमरीका के अश्वेतों, इंडियन समूहों और दक्षिणी हिसपानिक लोगों को देखें। देश की समृद्धि में उनकी हिस्सेदारी बहुत कम है। सोवियत संघ ने भी अपने मोहक आश्वासन पूरे नहीं किये। व्यवस्था के अंतर्विरोधों के कारण वहाँ भी क्रांति के सपने साकार नहीं हुए। व्यक्तिगत स्वाधीनता के अभाव और राज्य के दमनचक्र ने स्थिति

को दुःसहनीय बना दिया। विकासशील देशों की स्थिति और भी गयी-बीती है। वे तो आश्वासनों के सहारे जिये हैं, पर अब उनका भी मोहभंग हो रहा है। इन देशों में गरीबी के महासागार में अति-समृद्धि और समृद्धि के छोटे-छोटे द्वीप हैं, पर वहाँ भी साधनहीनों का अनुपात निरंतर बढ़ रहा है। भूख और अक्षरहीनता तथा उनसे उपजी अन्य समस्याएँ जहाँ की तहाँ हैं। जनता का आक्रोश बढ़ रहा है जिसके कारण पूरी व्यवस्था डगमगा रही है। धर्मांधता, जातीय भावना, क्षेत्रीयता और भाषावाद के माध्यम से यह असंतोष और क्रोध अभिव्यक्ति पाता है। विकास के स्वरूप का प्रश्न और भी जटिल है। प्राकृतिक संसाधनों का अनियंत्रित दोहन और पर्यावरण का प्रदूषण इन देशों के भविष्य को ही गिरवी रख रहा है। गरीब देशों के पाँच सितारा होटल, चमचमाते विमान और कारें आधुनिकतम अस्त्र-शस्त्र प्रतीत होते हैं, विपन्नों का मजाक उड़ाते हैं। विडंबना यह है कि ये सब आज के संसार की अनिवार्यताएँ मानी जाने लगी हैं। समाज के संपन्न वर्ग की असीमित भोग-लिप्सा उसमें विसंगतियाँ उत्पन्न कर रही हैं। परिवार का ढाँचा टूट रहा है, पीढ़ियों की संवादहीनता बढ़ रही है, नैतिक मर्यादाएँ शिथिल हो रही हैं। ये विकसित समाजों के गंभीर प्रश्न हैं। साम्यवादी देशों का अनुशासन, उनके विघटन के बाद टूट रहा है और उनमें जड़ें जमाती हुई भोगवादी प्रवृत्तियाँ चिंता का कारण बन गयी हैं। विकासशील देश उनसे भयभीत हैं। विकास-तंत्र अपने साथ एक नया आचार विधान भी लाता है, जिससे समाज का संतुलन बिगड़ जाता है और अंततः वह विशृंखलित भी हो सकता है। क्या ये देश विकास की इतनी भारी कीमत चुकाने के लिए तैयार हैं ?

हर विराट् संस्कृति के इतिहास में प्रतिसंस्कृति 'काउंटर कल्चर' की धाराएँ फूटती हैं। ये उसके लक्ष्यों और साधनों को पुनर्परिभाषित करती हैं और समय की माँगों और सामाजिक दबावों से प्रेरित हो उसमें परिवर्तन की दिशा और गति निर्धारित करती हैं। चार्वाक और लोकयत जीवन दर्शन ऐसी ही धाराएँ थीं। जैन और बौद्ध मत पहले प्रति-संस्कृतियों के रूप में उभरे थे और उनका व्यापक संस्कृति पर बड़ा गहरा प्रभाव पड़ा। भक्ति आंदोलन ने मात्र समर्पण की भावना को प्रश्रय नहीं दिया, उससे जुड़े काव्य में असहमति और विरोध का तेवर भी था। इस आंदोलन को सामाजिक न्याय पर आधारित सुधार की माँग के रूप में भी देखा जा सकता है। प्रति-संस्कृति के रूप में जन्म लेकर भक्ति मार्ग ने सामाजिक सुधार का मार्ग प्रशस्त किया और समूची सांस्कृतिक धारा को एक नया मोड़ दिया। अमरीका के हिप्पी आंदोलन के कुछ नाटकीय पक्षों को ही अधिक उभारा गया है। जैन स्वैच्छिक गरीबी, यौन स्वेच्छाचार और मादक पदार्थों का व्यापक सेवन। यह पुरानी पीढ़ी का धुँधला पक्ष था, उसमें विकृतियाँ थीं। इस आंदोलन को दूसरी तरह भी देखा जा सकता है। एक प्रति-संस्कृति के रूप में उसने समाज की संचयी प्रवृत्ति और भोगवादी दृष्टि को

चुनौती दी और संस्कृति का एक वैकल्पिक रूप प्रक्षेपित किया। उसन युद्ध और शांति के प्रश्नों पर एक नयी बहस की शुरुआत की और पर्यावरण प्रदूषण के मुद्दे को नये सिरे से उठाया। उन्हें उनका स्वप्नलोक मिला तो नहीं, पर एक खलबली अवश्य हुई और विकल्पों की तलाश को एक नया आयाम मिला। प्रति-संस्कृतियों के दूरगामी प्रभाव होते हैं। एक ओर वे अपने नवाचारों और प्रयोगों से चौंकाती हैं, तो दूसरी ओर उनमें नयी दिशाओं के संकेत भी अंतर्निहित होते हैं। यह जरूरी नहीं है कि उनके सभी पक्ष अपनाये जायें, पर संस्कृति के अनेक मूल्यों और व्यवहार-प्रकारों पर वे जो प्रश्नचिह्न लगाती हैं उनकी उपेक्षा भी नहीं की जा सकती। अनुकरणात्मक प्रति-संस्कृतियों में अधिक शक्ति नहीं होती, पर ऐसी भी प्रति-संस्कृतियाँ होती हैं, जो समाज की जड़ों तक पहुँच कर उसकी अनेक गुत्थियों को अनावृत्त करती हैं।

बदलते सांस्कृतिक परिदृश्य का सबसे भयावह पहलू है अपसंस्कृतियों का उदय। इनके प्रभाव से समाज के कुछ विशेषाधिकार प्राप्त अंग सामाजिक सरोकारों से कट जाते हैं और व्यक्ति-केंद्रित भोगवादी जीवन-दृष्टि से नियंत्रित होने लगते हैं। यह नव-सुखवाद सुख की व्याख्या करता है। यह 'प्ले ब्वाय' और 'पेन्ट हाउस' की संस्कृति है, जो शरीर के अनिर्बंध प्रदर्शन में सौंदर्य की खोज करती हैं। स्वच्छंदता के नाम पर यौन अनुशासन क्षीण होता है। पारिवारिक बंधन इस सीमा तक ढीले होते हैं कि विवाह की संस्था ही अनावश्यक हो जाती है। मनोरंजन के नाम पर ढेर सारी यौन विकृतियों का प्रदर्शन होता है, जिनमें अनेक अप्राकृतिक और असामान्य यौनाचार भी सम्मिलित हैं। साहित्य का भी अवमूल्यन होता है। वह सृजन न होकर नीचे धरातल की व्यावसायिकता बन जाता है। पारदर्शी टायलेट में स्त्री को मल-मूत्र त्याग करते हुए देखने के लिए लोग सौ डॉलर खर्च करते हैं और चॉकलेट में लिपटी लड़की के नग्न शरीर को चाटने के लिए पाँच सौ डॉलर। संस्कृति का उद्योग अनेक मैडोनाओं और माइकल जैक्सनों को जन्म देता है, जिनसे विकृतियाँ विस्तार पाती हैं। विचित्र व्यंजन, बहुविज्ञापित महँगी मदिराएँ, अन्य मादक पदार्थ, वेशभूषा और मेकअप पर अनाप-शनाप खर्च किया जाता है। नित्य नये फैशन जन्म लेते हैं। समृद्धि की झीनी परत के पास इस 'सुख' की प्राप्ति के साधन हैं, पर बहुजन समाज उसकी ओर सिर्फ ललचायी निगाहों से देख सकता है। बडे व्यापक पैमाने पर उसे 'लक्ष्य भ्रम' होता है। समाज दिशाहीन और धुरीहीन हो जाता है। यह अपसंस्कृति अनियंत्रित विकास और छद्म आधुनिकता की देन है, जिनसे समृद्ध और विकासशील देश आज त्रस्त हैं और सार्थक विकल्पों की तलाश कर रहे हैं।

# उपभोक्तावाद की संस्कृति

धीरे-धीरे सब कुछ बदल रहा है। एक नयी जीवन-शैली अपना वर्चस्व स्थापित कर रही है। उसके साथ आ रहा है एक नया जीवन-दर्शन—उपभोक्तावाद का दर्शन। उत्पादन बढ़ाने पर जोर है चारों ओर। यह उत्पादन आपके लिए है; आपके भोग के लिए है, आपके सुख के लिए है। 'सुख' की व्याख्या बदल गयी है। उपभोग-भोग ही सुख है। एक सूक्ष्म बदलाव आया है नयी स्थिति में। उत्पाद तो आपके लिए हैं, पर आप यह भूल जाते हैं कि जाने-अनजाने आज के माहौल में आपका चरित्र भी बदल रहा है और आप उत्पाद को समर्पित होते जा रहे हैं।

विलासिता की सामग्रियों से बाजार भरा पड़ा है जो आपको लुभाने की जी तोड़ कोशिश में निरंतर लगी रहती हैं। दैनिक जीवन में काम आनेवाली वस्तुओं को ही लीजिए। टूथ-पेस्ट चाहिए ? यह दाँतों को मोती जैसा चमकीला बनाता है, यह मुँह की दुर्गंध हटाता है। यह मसूड़ों को मजबूत करता है और यह 'पूर्ण सुरक्षा' देता है। वह सब करके जो तीन-चार पेस्ट अलग-अलग करते हैं। किसी पेस्ट का 'मैजिक' फार्मूला है। कोई बबूल या नीम के गुणों से भरपूर है, कोई ऋषि-मुनियों द्वारा स्वीकृत तथा मान्य वनस्पति और खनिज तत्त्वों के मिश्रण से बना है। जो चाहें चुन लीजिए। यदि पेस्ट अच्छा है तो ब्रुश भी अच्छा होना चाहिए। आकार, रंग, बनावट, पहुँच और सफाई की क्षमता में अलग-अलग, एक से बढ़कर एक। मुँह की दुर्गंध से बचने के लिए माउथ वाश भी चाहिए। सूची और भी लंबी हो सकती है पर इतनी चीजों का ही बिल काफी बड़ा हो जायेगा, क्योंकि आप शायद बहु विज्ञापित और कीमती ब्रांड खरीदना ही पसंद करें। सौंदर्य प्रसाधनों की भीड़ तो चमत्कृत कर देनेवाली है—हर माह उसमें नये-नये उत्पाद जुड़ते जाते हैं। साबुन ही देखिए। एक में हल्की खुशबू है, दूसरी में तेज। एक दिन भर आपके शरीर को तरोताजा रखती है, दूसरी पसीना रोकती है, तीसरी जरासीम से आपकी रक्षा करती है। यह लीजिए सिने स्टार्स के सौंदर्य का रहस्य, उनका मनपसंद साबुन। सच्चाई का अर्थ समझना चाहते हैं, यह

लीजिए। शरीर को पवित्र रखना चाहते हैं। यह लीजिए शुद्ध गंगाजल में बनी साबुन। चमड़ी को नर्म रखने के लिए यह लीजिए—महँगी है, पर आपके सौंदर्य में निखार ला देगी। संभ्रांत महिलाओं की ड्रेसिंग टेबल पर बीस-तीस हजार की सौंदर्य सामग्री होना तो मामूली बात है। पेरिस से फरफ्यूम मँगाइये, इतना ही और खर्च हो जायेगा। ये प्रतिष्ठा चिह्न हैं, समाज में आपकी हैसियत जताते हैं। पुरुष भी इस दौड़ में पीछे नहीं हैं। पहले उनका काम साबुन और तेल से चल जाता था। आफ्टर शेव और कोलोन बाद में आये। अब तो इस सूची में दर्जन-दो दर्जन चीजें और जुड़ गयी हैं। छोड़िए इस सामग्री को। वस्तु और परिधान की दुनिया में आइए। जगह-जगह बुटीक खुल गये हैं, नये-नये डिजाइन परिधान बाजार में आ गये हैं। ये ट्रेन्डी हैं और महँगे भी। पिछले वर्ष के फैशन इस वर्ष ? शर्म की बात है। घड़ी पहले समय दिखाती थी। उससे यदि यही काम लेना हो तो चार-पाँच सौ में मिल जायेगी। हैसियत जताने के लिए आप पचास-साठ हजार से लाख-डेढ़ लाख की घड़ी भी ले सकते हैं। संगीत की समझ हो या नहीं, कीमती म्यूजिक सिस्टम जरूरी है। कोई बात नहीं यदि आप उसे ठीक तरह चला भी न सकें। कंप्यूटर काम के लिए तो खरीदे ही जाते हैं, महज दिखावे के लिए उन्हें खरीदनेवालों की संख्या भी कम नहीं है। खाने के लिए पाँच सितारा होटल हैं। वहाँ तो अब विवाह भी होने लगे हैं। बीमार पड़ने पर पाँच सितारा अस्पतालों में जाइए। सुख-सुविधाओं और अच्छे इलाज के अतिरिक्त यह अनुभव काफी समय तक चर्चा का विषय भी रहेगा। पढ़ाई के लिए पाँच सितारा पब्लिक स्कूल हैं, शीघ्र ही शायद कालेज और युनिवर्सिटी भी बन जायें। भारत में तो यह स्थिति अभी नहीं आयी पर अमरीका और यूरोप के कुछ देशों में आप मरने के पहले ही अपने अंतिम संस्कार और अनंत विश्राम का प्रबंध भी कर सकते हैं—एक कीमत पर। आपकी कब्र के आसपास सदा हरी घास होगी, मनचाहे फूल होंगे। चाहें तो वहाँ फव्वारे होंगे और मंद ध्वनि में निरंतर संगीत भी। कल भारत में भी यह संभव हो। अमरीका में आज जो हो रहा है, कल वह भारत में भी आ सकता है। प्रतिष्ठा के अनेक रूप होते हैं। चाहे वे हास्यास्पद ही क्यों न हों। यह है एक छोटी-सी झलक उपभोक्तावादी समाज की। यह विशिष्ट जन का समाज है पर सामान्य जन भी इसे ललचाई निगाहों से देखते हैं। उनकी दृष्टि में, एक विज्ञापन की भाषा में, यही है राइट च्वायस बेबी।

अब विषय के गंभीर पक्ष की ओर आयें। इस उपभोक्ता संस्कृति का विकास भारत में क्यों हो रहा है ?

सामंती संस्कृति के तत्त्व भारत में पहले भी रहे हैं। उपभोक्तावाद इस संस्कृति से जुड़ा रहा है। आज सामंत बदल गये हैं, सामंती संस्कृति का मुहावरा बदल गया है।

हम सांस्कृतिक अस्मिता की बात कितनी ही करें; परंपराओं का अवमूल्यन हुआ है, आस्थाओं का क्षरण हुआ है। कड़वा सच तो यह है हम बौद्धिक दासता स्वीकार कर रहे हैं, पश्चिम के सांस्कृतिक उपनिवेश बन रहे हैं। हमारी नयी संस्कृति अनुकरण की संस्कृति है। हम आधुनिकता के झूठे प्रतिमान अपनाते जा रहे हैं, प्रतिष्ठा की अंधी प्रतिस्पर्धा में जो अपना है उसे खोकर छद्म आधुनिकता की गिरफ्त में आते जा रहे हैं। संस्कृति की नियंत्रण शक्तियों के क्षीण हो जाने के कारण हम दिग्भ्रमित हो रहे हैं। हमारा समाज ही अन्य निर्देशित होता जा रहा है। विज्ञापन और प्रसार के सूक्ष्म तंत्र हमारी मानसिकता बदल रहे हैं। उनमें सम्मोहन की शक्ति है, वशीकरण की भी।

अंततः इस संस्कृति के फैलाव का परिणाम क्या होगा ? यह गंभीर चिंता का विषय है। हमारे सीमित संसाधनों का घोर अपव्यय हो रहा है। जीवन की गुणवत्ता आलू के चिप्स से नहीं सुधरती। न बहुविज्ञापित शीतल पेयों से। भले ही वे अंतर्राष्ट्रीय हों। पीन्सा और बर्गर कितने ही आधुनिक हों, हैं वे कूड़ा खाद्य। समाज में वर्गों की दूरी बढ़ रही है, सामाजिक सरोकारों में कमी आ रही है। जीवन स्तर का यह बढ़ता अंतर आक्रोश और अशांति को जन्म दे रहा है। जैसे-जैसे दिखाने की यह संस्कृति फैलेगी, सामाजिक अशांति भी बढ़ेगी। हमारी सांस्कृतिक अस्मिता का ह्रास तो हो ही रहा है, हम लक्ष्य भ्रम से भी पीड़ित हैं। विकास के विराट् उद्देश्य पीछे हट रहे हैं, हम झूठी तुष्टि के तात्कालिक लक्ष्यों का पीछा कर रहे हैं। मर्यादाएँ टूट रही हैं, नैतिक मानदंड ढीले पड़ रहे हैं। व्यक्ति-केंद्रिकता बढ़ रही है, स्वार्थ परमार्थ पर हावी हो रहा है। भोग की आकांक्षाएँ आसमान को छू रही हैं। किस बिंदु पर रुकेगी यह दौड़ ?

गांधीजी ने कहा था कि हम स्वस्थ सांस्कृतिक प्रभावों के लिए अपने दरवाजे-खिड़की खुले रखें पर अपनी बुनियाद पर कायम रहें। उपभोक्ता संस्कृति हमारी सामाजिक नींव को ही हिला रही है। यह एक बड़ा खतरा है। भविष्य के लिए यह एक बड़ी चुनौती है।

# आज की समाज दृष्टि

दूसरे विश्वयुद्ध के बाद मानवीय परिदृश्य में अनेक नाटकीय मोड़ आये। बीते हुए कल का साम्राज्यवादी ढाँचा चरमराकर बिखरने लगा और एक के बाद एक पुराने उपनिवेशों के स्थान पर नये स्वाधीन राज्यों का उदय हुआ। इन नव-स्वाधीन राज्यों में नयी सांस्कृतिक चेतना जागी, वे अपनी राष्ट्रीय अस्मिता के प्रति सजग और सचेत हुए। उन्होंने सांस्कृतिक पहचान के कुछ प्रतिष्ठा-चिह्न अपनाये—राष्ट्रीय ध्वज, राष्ट्रीय भाषा और राष्ट्रीय वेश-भूषा। राष्ट्रीय एकीकरण के लिए ये जरूरी थे, पर काफी नहीं। अभाव की संस्कृति दीर्घकालीन परिप्रेक्ष्य में विघटनकारी सिद्ध हो सकती है, दमित और अवरुद्ध सांस्कृतिक आकांक्षाएँ क्षेत्रीय लघु और सूक्ष्म सांस्कृतिक आंदोलनों का रूप ले सकती हैं, जिनका सम्मिलित प्रभाव देश के समूचे ढाँचे को डगमगा सकता है। वैसे भी स्वाधीनता को अर्थ देने के लिए यह आवश्यक भी था कि भूखों को भोजन मिले, जनता निरक्षरता के अंधकार से बाहर निकले, बेघरों के लिए आवास की व्यवस्था हो, रोगियों की चिकित्सा का प्रबंध हो। यह किसी भी स्वाधीन देश के लिए न्यूनतम कार्य-सूची थी, पर इसके लिए भी संसाधनों का सुनियोजन और निवेश आवश्यक था। नव-स्वाधीन देशों ने नियोजित आर्थिक विकास का रास्ता अपनाया। संपन्न देशों ने उनका उत्साह बढ़ाया और उन्हें आर्थिक और तकनीकी सहायता देने का आश्वासन भी दिया। बाद में यह सहायता आयी भी, पर वह न पर्याप्त थी और न समय पर ही आयी। उसके साथ कुछ शर्तें भी थीं, जिनके परिणाम बाद में स्पष्ट हुए।

आर्थिक विकास के कार्यक्रम के आरंभिक काल में उसकी परंपराओं और संस्कृति से सीधी टकराहट नहीं हुई। इस बीच विकास-विशेषज्ञों की अच्छी-खासी फौज मैदान में उतर आयी और माँगे बिन माँगे अपनी सलाह विकासशील देशों को देने लगी। विदेशी ऋण और सहायता पाने के लिए उनकी सलाह माँगना और उस पर चलना जरूरी था। इन तथाकथित विशेषज्ञों ने भी पहले यही सुझाव दिया कि

विकास-कार्यकर्ता सांस्कृतिक मान्यताओं के प्रति संवेदनशील रहें और स्थापित परंपराओं से न टकरायें। योजनाओं में जब अपेक्षित परिणाम प्राप्त नहीं हुए तब असफलता के कारणों का विश्लेषण किया गया। दोषी पाया गया परंपराओं को। नयी माँग थी सांस्कृतिक ढाँचे, अभिवृत्तियों और मूल्यों को बदलने की। अल्पज्ञ विशेषज्ञ, जो विकास के क्षेत्र में सर्वज्ञ बने घूम रहे थे, ऐसा कोई मंत्र नहीं दे सके जिससे यह तत्काल संभव हो सके। परंपरा की सृजनात्मक ऊर्जा से भी वे अपरिचित थे। उन्हें यह भी अहसास नहीं था कि परंपरा की अवरोधात्मक प्रतिक्रिया विकास के समूचे एजेंडों को अस्त-व्यस्त कर सकती है। नियोजन, प्रबंधन, संचार-नीति के दोष आदि भी विकास की असफलता के लिए उत्तरदायी हो सकते हैं, परंतु इनकी ओर अधिक ध्यान नहीं दिया गया। संस्कृति और परंपराएँ कठघरे में रहीं, चारों ओर से उन पर हमले हुए और होते रहे। सब सामाजिक संरचना और सांस्कृतिक मूल्यों तथा अभिवृत्तियों को बदल देना चाहते थे, पर ऐसा कर सकने की कोई कारगर सामाजिक प्रविधि उपलब्ध नहीं थी।

आधुनिकीकरण का आकर्षण, आर्थिक विकास के अतिरिक्त जीवन के अन्य क्षेत्रों में भी अभिव्यक्ति पा रहा था। एक छोटा-सा वर्ग, जो संपन्न था और विकास क्रम के लाभों से जिसकी स्थिति और भी सुदृढ़ हो गयी थी, आधुनिकता का प्रतिरूप बना। उसकी जीवन-शैली बदली, विचार-शैली नहीं। यह छद्म आधुनिकता थी, जो अहं के साथ अनेक वहम भी पाल रही थी। यह अभिजात्य और संपन्नता की झीनी परत पश्चिमीकरण को ही आधुनिकीकरण मान बैठी थी। उसने विवेक के तर्क, परानुभूति, भूमिकाओं की सचलता और सक्रियता आदि गुण, जो आधुनिकता के आधार लक्षण हैं, नहीं अपनाये, भोगवादी और प्रदर्शनवादी जीवन-शैली जरूर अपना ली। बौद्धिक क्षेत्र में आये परिवर्तन और भी आश्चर्यजनक तथा साथ ही चिंताजनक भी थे। अकादमिक क्षेत्र में देशज चिंतन पीछे छूटता गया और पश्चिमी विचार-प्रणालियाँ विचार-जगत् पर छा गयीं। यह थी बौद्धिक उपनिवेशवाद की स्वीकृति, जिसके लिए कुछ प्रलोभन तो थे, पर विशेष दबाव या आग्रह नहीं। साहित्य और कला पर भी पश्चिमी प्रभाव स्पष्ट थे। अपनी जड़ों से कटा यह बौद्धिक वर्ग अनुकरण का उत्सवीकरण कर रहा था। आत्म-रति में लीन यह वर्ग अपने व्यापक सामाजिक उत्तरदायित्वों के प्रति उदासीन था। कभी-कभी उसकी चेतना जागती थी किंतु उसकी प्रतीकात्मक सक्रियता झूठा आत्म-संतोष भले ही दे, समाज को दिशा दे सकने में समर्थ नहीं थी।

इस पृष्ठभूमि में प्रताड़ित परंपरा ने अपना आक्रोश अभिव्यक्त किया—धार्मिक कट्टरवाद और जातीय भावना (एथनिसिटी) के विस्फोट के रूप में। साथ ही प्रजातीय, भाषायी, धार्मिक और सांस्कृतिक अस्मिताएँ आक्रामक रूप में उभरीं। विकासवादी

हतप्रभ थे—आर्थिक विकास का तिलस्म टूट रहा था, आधुनिकीकरण का सम्मोहन निष्प्रभाव हो रहा था। सांस्कृतिक स्वायत्तता की माँग सशक्त हो गयी थी। सोवियत संघ का विघटन हुआ, यूरोप में नये राज्य बने, आत्म-निर्णय की छटपटाहट अन्यत्र भी है। विश्व परिदृश्य में अनिश्चय और अस्थिरता है। पहचान का संकट राजनीति को नये मोड़ दे रहा है। अंतर्राष्ट्रीय धरातल पर विकास और परंपरा के अन्तःसंबंधों पर नयी बहस शुरू हुई है। मार्क्सवादी भी नये संदर्भ में आस्था और परंपरा का पुनर्मूल्यांकन कर रहे हैं।

आस्था और विश्वास, लक्ष्य और मूल्य, साधन और क्रिया में अतीत से वर्तमान तक चली आयी निरंतरता की धाराओं को हम परंपरा कहते हैं। ये धाराएँ समय द्वारा परीक्षित होती हैं, उपयोगी और उपादेय भी। इनमें समय के साथ एक रहस्यमयता आ जाती है जो उनकी सर्व-स्वीकृति को सशक्त करती है और उन्हें एक प्रकार की संप्रभुता और अनिवार्यता प्रदान करती है। परंपरा से समाज की पहचान बनती है, उसके माध्यम से समुदाय विचार और व्यवहार का एक स्थिर आधार पाते हैं। समाज का एक बड़ा भाग परंपराओं को सहज भाव से स्वीकार करता है क्योंकि उनके कोई विकल्प उसके सामने नहीं हैं। लीक से हटने का मतलब सामाजिक आलोचना से लेकर सामाजिक बहिष्कार तक हो सकता है। प्रबुद्ध विचारक और वैज्ञानिक अपने विरोधी तर्कों के बावजूद, विशेष स्थितियों में परंपराओं की स्वीकृति के लिए बाध्य होते हैं। व्यापक परिवर्तन सामान्य जन से सामाजिक आस्था का आधार छीन लेते हैं और विचार और व्यवहार के क्षेत्र में एक अराजक शून्य उत्पन्न कर देते हैं। यह स्थिति अनपेक्षित प्रतिक्रियाओं को जन्म देती है जिनका पूर्वानुमान कठिन होता है। क्रांतिकारी अंततः अप्रभावी और विघातक सिद्ध होते हैं। विकास की असफलताएँ और आधुनिकीकरण की विकृतियाँ परंपरा की ओर वापसी की प्रबल प्रेरणाएँ बनती हैं।

परंपराओं की प्रासंगिकता और उनका महत्त्व असंदिग्ध है। पर उन्हें एक सीमा से अधिक महिमा-मंडित करना भी उचित नहीं है। उनकी भी अपनी सीमाएँ होती हैं। अस्पृश्यता, एक बड़े वर्ग की संरचनात्मक दास-स्थिति, स्त्री का उत्पीड़न (विशेषकर सती और देवदासी प्रथाएँ या स्त्री-भ्रूण हत्या) आदि प्रथाओं को परंपरा के नाम पर भी उचित नहीं ठहराया जा सकता। उन पर धार्मिक और दार्शनिक मुलम्मा भी उनके अंतर्निहित अन्याय को झुठला नहीं सकता। न्यस्त स्वार्थ परंपरा के समर्थक बन जाते हैं। तीसरा खतरा परंपराओं के राजनीतिकरण का है, जो सच्चे इतिहास-बोध और दूरदर्शी भविष्यबोध के बिना समाज को लक्ष्य-भ्रष्ट करता है। परंपरा के व्याख्याकार कौन हैं ? उसका निर्वाचन कौन करते हैं ? कैसे और क्यों ? क्या इनके द्वारा संस्कृति की किसी एक धारा का वर्चस्व स्थापित किया जाता है ? परंपराओं के

सह-अस्तित्व के लिए क्या कोई कल्पनाशील प्रयत्न किये जाते हैं ? असहमति, विरोध और सुधार की परंपराओं का मूल्यांकन किस तरह किया जाता है ? इन प्रश्नों के समाधान-कारक उत्तरों पर मानव की नियति आकार लेती है।

विकास और आधुनिकता आवश्यक है, पर वे विसंगतियाँ और विकृतियाँ भी उत्पन्न करते हैं। इन प्रक्रियाओं से तीन प्रवृत्तियाँ बल पाती हैं—व्यक्ति-केंद्रिकता, लोकतंत्रीकरण और धर्मनिरपेक्षीकरण। व्यक्ति-केंद्रिकता से भोगवाद बढ़ता है, सामाजिक सरोकार घटता है। लोकतंत्रीकरण अनुशासन के ढाँचे को ढीला कर अराजकता की स्थिति उत्पन्न करता है। धर्मनिरपेक्षता प्रायः धर्म-विमुखता बन जाती है। तीनों प्रवृत्तियों के लक्ष्य सही हैं, पर अनियंत्रित रूप से उनका आना अनेक जटिल समस्याओं को जन्म देता है। पश्चिमी समाज भी इन प्रवृत्तियों से त्रस्त है और बुनियादी ढाँचे की ओर लौटने पर गंभीर रूप से विचार कर रहा है।

कालिदास ने कहा था कि पुराना सब अच्छा नहीं होता, नया सब बुरा नहीं होता। दोनों का समन्वय जरूरी है। मनुष्य का विवेक सर्वोपरि है और उसी के आधार पर वह समन्वय संभव होगा। परंपरा साधन है, साध्य नहीं। बुद्ध का उपदेश इस संदर्भ में बहुत सार्थक है। नाव नदी पार करने के लिए होती है। उसका उपयोग करो, पर कृतज्ञ भाव से उसका बोझ जीवन भर ढोते मत फिरो। अचेतन नाव तुम्हारी भावना को नहीं समझेगी, पर उसके भार से तुम्हारी कमर अवश्य चुक जायेगी।

# परंपराओं व संस्कृतियों का सहअस्तित्व : नये आधार की तलाश

आज के संवाद में 'परंपरा' और 'विकास' प्रायः विपर्यायवाची शब्द बन गये हैं, उनका उपयोग दो विपरीत ध्रुवीय संप्रत्ययों के रूप में किया जाने लगा है। परंपरा को जड़ और विकास को गतिमान मानना हमारी विचार प्रक्रिया में रूढ़ हो गया है। यह स्थिति अत्यंत भ्रामक है। परंपराएँ अतीत के गत प्रयोग जीवाश्म प्रकट नहीं होतीं; उनमें प्रकट और प्रच्छन्न ऊर्जा होती है। उनके बिम्ब और प्रतीक, मूल्य और अर्थ वर्तमान के लिए प्रासंगिक होते हैं, भविष्य के लिए भी। वर्तमान की जड़ें अतीत में होती हैं और भविष्य वर्तमान का विस्तरण होता है। बदलते संदर्भों में भी परंपराएँ समाज को जीवन-क्षमता और दिशा-संकेत दे सकती हैं। क्या विकास की प्रक्रिया परंपरा से असंपृक्त रह सकती है ?

एक और बिंदु विचारणीय है। पिछले दशकों में विकास की एक अत्यंत संकुचित व्याख्या प्रक्षेपित की गयी है और उसे व्यापक स्वीकृति भी मिली है। विकास की परिभाषा सकल राष्ट्रीय उत्पाद और आय के मानकों को आधार मानकर की जाने लगी है। इस संकुचित और एकांगी व्याख्या की स्वीकृति के कारण कुछ विकृतियाँ और विसंगतियाँ उभरी हैं। इस विचार प्रक्रिया ने मानव की एक-आयामी संकल्पना को पुष्ट किया है—वह है उत्पादक और उपभोक्ता मानव की संकल्पना। नयी व्याख्या के चलते धन ही सुख का पर्यायवाची बन गया है। इस तरह विकास तंत्र में विराट् सामाजिक और सांस्कृतिक लक्ष्य पार्श्व भूमि में जाकर धूमिल हो गये हैं। अंततः इस अर्थमूलक और भोगवादी सोच के परिणाम क्या होंगे ? मानव की नियति इस प्रश्न से जुड़ी है और इस पर गंभीर विचार अपेक्षित हैं।

पंद्रहवीं सदी के अंत और सोलहवीं सदी के आरंभ में एक नयी विश्व व्यवस्था ने जन्म लिया। यह कोलम्बस और वास्कोडिगामा का युग था। यूरोप की नवसत्ताओं ने अमरीका, अफ्रीका और एशिया के देशों में अपने साम्राज्यों का विस्तार कर उनके

अर्थ और राज्य तंत्रों को क्षत-विक्षत कर दिया। आक्रान्त देशों के विकास की स्वाभाविक धारा अवरुद्ध हो गयी। सांस्कृतिक दृष्टि से भी यह संघात बहुत विकट था। अमरीका के इंडियन, कोलम्बस ने जिनकी 'खोज' अमरीका के साथ की थी, बाहरी लोगों द्वारा दिये गये नाम से पहचाने जाने लगे, जिनके पूर्वजों ने पेरू की इंका सभ्यता और मैक्सिको की मया और एजटेक सभ्यताएँ विकसित की थीं। गणित और खगोल विज्ञान में आश्चर्यजनक प्रगति की थी और सोने का व्यापक उपयोग किया था, एकाएक आदिवासी कबीले बना दिये गये। अफ्रीका में साम्राज्यों के विस्तार ने प्रजातीय सीमाओं का अतिक्रमण कर अस्वाभाविक देश और राज्य बनाये। अरबों की ज्ञान-विज्ञान के क्षेत्रों की देन भुला दी गयी और उनकी छवि विकृत की गयी। भारत की हस्तकलाओं को विनष्ट कर उसकी वह संपन्नता समाप्त कर दी गयी, जिसके कारण यूरोप उसकी ओर आकृष्ट हुआ था। विश्व सभ्यता को प्रभावित करनेवाली खोजें जिस चीन ने की थीं वह अफीमचियों के देश के रूप में प्रस्तुत किया गया। अनेक समृद्ध संस्कृतियों के ह्रास और विनाश से विकास की विजय यात्रा आरंभ हुई।

दूसरे महायुद्ध की समाप्ति के बाद विकास के उपक्रम ने एक नया मोड़ लिया। पुराने उपनिवेश समाप्त हुए उनके स्थान पर नये राज्यों का उदय हुआ। इन नव-स्वाधीन राज्यों ने नियोजन द्वारा विकास का मार्ग अपनाया। यह कार्यक्रम अत्यंत महत्त्वाकांक्षी था। जिस प्रक्रिया में पश्चिमी यूरोप और उत्तर अमरीका को प्रायः दो सौ वर्ष लगे थे, उन्हें ये नव-स्वाधीन देश, जिन्हें 'विकासशील देश' की संज्ञा दी गयी थी—दो या तीन दशकों में ही पूरा कर लेना चाहते थे। संपन्न और शक्तिशाली देशों से उन्हें सहयोग और सहायता के आश्वासन मिले। सच तो यह है कि नियोजन और विकास के प्रश्नों से जुड़ा एक बौद्धिक कुटीर उद्योग विकसित हो गया, जिसने अनेक सच्चे-झूठे और संभव-असंभव आश्वासन विकासशील देशों को दिये।

इस काल में किये गये अध्ययनों ने विकास का रूढ़ प्रतिमान ही स्वीकार किया और अपनी संकुचित दृष्टि से विकास अवरोधक तत्त्वों की पहचान के प्रयत्न किये। कई अध्ययनों में परंपरा को प्रमुख विकास अवरोधक के रूप में निरूपित किया गया, विशेषकर पारंपरिक सामाजिक संरचना और उससे जुड़ी मूल्य व्यवस्था को। विकसित देशों से विकासशील देशों को आधुनिक प्रौद्योगिकी के हस्तांतरण की आवश्यकता के साथ सामाजिक ढाँचे और सांस्कृतिक मूल्यों को बदलने पर भी जोर दिया गया। डैनियल लर्नर जैसे विज्ञ समाजशास्त्री ने तो अपने एक आलेख में प्रौद्योगिकी के साथ पश्चिम की सांस्थानिक संरचना के स्थानांतरण का अविवेकी और असंभव प्रस्ताव भी कर डाला।

गुनार मिर्डाल का विशाल ग्रंथ 'एशियन ड्रामा' निःसंदेह एक प्रभावशाली प्रकाशन था जो बड़े सम्मान के साथ पढ़ा गया। उसका एक निष्कर्ष, जिसका उल्लेख बार-बार हुआ है, भ्रामक और अव्यावहारिक था। उनका मत था कि परंपराओं से जुड़े समाजों

का आधुनिकीकरण तब तक संभव नहीं है, जब तक वे आर्थिक विकास की आवश्यकताओं के अनुरूप अपनी सामाजिक संस्थाओं, विश्वासों और मूल्यों को नहीं बदलते। पर यह चमत्कार कैसे संभव किया जाये इस मुद्दे पर वे मौन रहे। इस तरह परंपरा और आधुनिकीकरण/प्रगति/विकास प्रतिस्पर्धी भूमिकाओं में एक-दूसरे के सामने आये। इस विचार प्रक्रिया में विकास नायक था और परंपरा की भूमिका खलनायक की थी।

अर्थशास्त्रियों ने विकास की प्रक्रिया को अति-सरलीकृत रूप में प्रस्तुत किया था। इसके मुख्य तत्त्व थे बचत, अनुकलित निवेश, लाभ का पुनर्निवेश और पूँजी निर्माण। विकास के आरंभिक चरणों में आर्थिक अनुशासन और उपभोग पर अंकुश आवश्यक थे, जिससे निरंतर पूँजी में वृद्धि होती रहे। इस राह पर चलते हुए विकासशील देशों के उस स्थिति पर पहुँचने की आशा थी, जिसे वाल्ट रॉस्टोव ने 'टेक ऑफ स्टेज' या 'उड़ान भरने की स्थिति' कहा है। इस मोड़ से विकास की अंतहीन संभावनाएँ आरंभ हो जाती हैं। शर्त यह है कि विकास की रणनीति का कुशल संचालन हो।

यह विकास का पश्चिमी पूँजीवादी मार्ग था। सम-वितरण और सामाजिक न्याय इस विकास शैली के घोषित लक्ष्य नहीं थे। अपेक्षा यह थी कि विकास प्रक्रिया के गतिमान और सशक्त होने पर एक 'अदृश्य हाथ' वितरण को व्यवस्थित करेगा और विकास के लाभों का रिसाव अपेक्षाकृत साधनहीन वर्गों का हित साधन करेगा। सांस्कृतिक उद्देश्यों के संबंध में कुछ कहा नहीं गया। कहा भी नहीं जा सकता था क्योंकि यह पूरी विचारधारा ही संपत्ति को सुख का पर्यायवाची मानती थी।

सोवियत साम्यवादी व्यवस्था भी उत्पादन के लक्ष्यों से प्रेरित थी। दो महत्त्वपूर्ण दृष्टियों से यह पूँजीवादी धारा से भिन्न थी। एक, सोवियत संघ में राज्य सत्ता क्रांति द्वारा प्राप्त की गयी थी, सभी संसाधन राज्य के पूर्ण नियंत्रण में थे। दो, इस व्यवस्था ने उत्पादन के न्यायपूर्ण वितरण को अपने वैकासिक लक्ष्यों का सैद्धांतिक आधार माना था, यद्यपि अपनी विकास यात्रा के आरंभिक दशकों में कठोर परिश्रम, अनुशासन और मार्गों के सीमांकन की अनिवार्यता को यहाँ भी निरंतर रेखांकित किया गया। सिद्धांततः यह विचारधारा परंपरा के प्रति अधिक संवेदनशील थी। लेनिन ने सांस्कृतिक विविधता को बनाये रखनेवाला संविधान सोवियत संघ को दिया।

उनके उत्तराधिकारी की कठोर नीतियों ने परिदृश्य बदल डाला, विविधता केवल बाह्य चिह्नों में ही शेष रही। राज्यशक्ति के दबाव से उनके आधार विश्वास और मूल्य स्वतंत्र अभिव्यक्ति नहीं पा सके। उनकी पैठ कितनी गहरी थी यह तो सोवियत संघ के विघटन के बाद मालूम हुआ, जब जातीयता के आधार पर संघ में सम्मिलित राज्य अलग हुए और उन्होंने अपनी परंपराओं को आंशिक रूप से पुनर्जीवित किया।

सोवियत संघ के विघटन के दो मुख्य कारण थे। मानवीय संवेदनाहीन कठोर अनुशासन और जातीय अस्मिताओं की उपेक्षा। धर्म की अवहेलना भी व्यवस्था को महँगी पड़ी। उसका विलोपीकरण नहीं हो सका। हर जगह उसकी वापसी के चिह्न स्पष्ट हैं।

तीसरी दुनिया के विकासशील देश काफी समय तक असमंजस और दुविधा की स्थिति में रहे। पश्चिम के संपन्न देशों ने उन्हें समृद्धि के इंद्रधनुषी सपनों से लुभाया। वित्तीय और तकनीकी सहायता, आसान शर्तों पर ऋण और सुविधापूर्ण व्यापार की संभावनाओं ने भी विकासशील देशों को उनकी ओर आकर्षित किया। दूसरी ओर सोवियत संघ के पास मुख्यतः क्रांतिकारी मुहावरा और आमूल सुधारवादी नारे थे। तीसरे विश्व के बौद्धिकों का एक वर्ग मार्क्सवाद-लेनिनवाद के दर्शन और विश्व को बदल देने के कार्यक्रम से प्रभावित था। सर्वहारा को क्रांतिकारी परिवर्तन में आशा की किरण दिखाई दी। सोवियत संघ बड़े पैमाने पर वित्तीय सहायता अथवा ऋण देने में तो समर्थ नहीं था, किंतु उसने मित्र विकासशील देशों को आवश्यकता पड़ने पर अंतर्राष्ट्रीय निर्णायक मंडलों में अपना समर्थन दिया, सैन्य सहायता दी, आयुध उपलब्ध कराये और उनमें कुछ अत्यंत दृश्यमान उपक्रम स्थापित किये। उसने दुर्लभ मुद्रा व्यापार के स्थान पर वस्तु विनिमय आरंभ किया और मित्र देशों की अपरिवर्तनीय मुद्राओं में व्यापार के समझौते भी किये।

विकासशील देशों का झुकाव कभी एक ओर होता तो कभी दूसरी ओर। कुछ देश एक या दूसरी शक्ति से जुड़ गये जैसे दक्षिण कोरिया और ताइवान अमरीका से, क्यूबा और विएतनाम सोवियत संघ से। अधिकांश विकासशील देशों ने गुट निरपेक्षता की मुद्रा अपनायी, दोनों वैकासिक प्रतिरूपों से उन्होंने थोड़े-थोड़े अनुकूल तत्त्व अपनाये अथवा अपना स्वतंत्र मार्ग विकसित करने का फैसला किया। प्रायः सबने अपनी राष्ट्रीय अस्मिता के कुछ प्रतिष्ठा चिह्न, वेशभूषा, ध्वज और प्रतीक अपनी परंपरा के अनुकूल ही रखे, जिनसे उनकी अलग और स्वतंत्र पहचान बने। उनके ये प्रयत्न प्रसाधनात्मक सतह से ऊपर नहीं उठे। नियोजन के लक्ष्य और उनको प्राप्त करने की कार्यशैली हमेशा संशयों के घेरे में रही। एक ओर परंपरा का मोह था, दूसरी ओर प्रगति की अनिवार्यता। विकासशील देशों के अभिजात वर्ग और बुद्धिजीवियों का रुझान तीव्र गति के आधुनिकीकरण की ओर था। उनकी जीवन शैली का भी आंशिक पश्चिमीकरण हो गया था, यद्यपि वे भी पूरी तरह अपनी परंपरा से कटे नहीं थे। जनसाधारण पर परंपरा की सशक्त पकड़ थी और उसका अहसास प्रबुद्ध वर्ग को भी था। परंपरा और विकास में समन्वय किस तरह किया जाये इस प्रश्न पर अंतहीन बहसें हुईं। बहस की एक धुरी अर्थ-केंद्रित थी और दूसरी परंपरा-केंद्रित।

विकास की अर्थ-केंद्रित अवधारणा, जैसा कहा जा चुका है, सकल राष्ट्रीय

उत्पाद और राष्ट्रीय आय को बढ़ाने पर जोर देती है। इसका आधार उपयोगितावादी दर्शन है, समृद्धि सुख को बढ़ाती है, पीड़ा को कम करती है। यहाँ एक असुविधाजनक प्रश्न उठता है किसकी समृद्धि ? व्यक्ति की ? परिवार की ? एक छोटे वर्ग की ? यहाँ यह भी विचारणीय है कि समाज की एक छोटी और सुविधा-संपन्न श्रेणी की समृद्धि—अतिसमृद्धि—बहुजन की विपन्नता का कारण हो सकती है। यह भी कि यह दृष्टिकोण कटु प्रतिस्पर्धा को जन्म दे सकता है।

समृद्धि के सामाजिक-सांस्कृतिक प्रयोजन पर भी बहुत कम विचार हुआ है। उपभोक्तावाद अंततः लिप्सावाद और भोगवाद का पर्याय बन सकता है। इस प्रवृत्ति से समाज की श्रेणियों और वर्गों की दूरी बढ़ सकती है, नये तनाव उत्पन्न हो सकते हैं और कटु संघर्ष की स्थिति निर्मित हो सकती है। संपन्न समाज की अलग-अलग पीढ़ियों में समृद्धि के अर्थ और मूल्य भी भिन्न हो सकते हैं। समृद्धि अर्जित करने वाली एक-दो पीढ़ियाँ उसके मोहपाश में बँधी रह सकती हैं, परंतु समृद्धि को उत्तराधिकार में पानेवाली पीढ़ियों को उससे विमोह भी हो सकता है। पश्चिम यूरोप और अमरीका के संपन्न वर्ग की नयी पीढ़ी में प्रतिसंस्कृति का उदय क्यों हुआ ? समृद्धि से जुड़ी जीवन-शैली से भिन्न वैकल्पिक जीवन-शैली के प्रयोग क्यों हुए ? नये रहस्यवादी दर्शनों की ओर रुझान क्यों बढ़ा ?

ये नैतिक-दार्शनिक प्रश्न महत्त्वपूर्ण हैं, परंतु समस्या के व्यावहारिक पक्षों की ओर भी ध्यान देना जरूरी है। विकास की गति अवरुद्ध क्यों हुई ? विकास की एकांगी अवधारणा ने उलझाव भरी विसंगतियों को जन्म क्यों दिया ? विकास की महत्त्वाकांक्षी योजनाओं के चलते तनाव, संघर्ष और हिंसा में चिंताजनक वृद्धि क्यों हुई ? विकास की प्रक्रिया की वैधता और विश्वसनीयता पर प्रश्नचिह्न क्यों लगे ?

इन प्रश्नों के आंशिक उत्तर विकास की परंपरा केंद्रित अवधारणा में मिलते हैं। सांस्कृतिक शून्य में विकास संभव नहीं है। अर्थ-केंद्रित अवधारणा समाज की उपव्यवस्थाओं और उनके अंगों और प्रत्यंगों के सावयवी संबंधों और अंतरावलंबनों की अनदेखी करती है। एक पक्ष पर विशेष ध्यान और अन्य पक्षों की उपेक्षा विकास की प्रक्रिया को अनअपेक्षित मोड़ दे सकती है। इससे उत्पन्न संघर्ष एकपक्षीय विकास के प्रयत्नों को निष्क्रिय कर देता है। इसलिए उत्पादन लक्ष्यों के साथ सांस्कृतिक और व्यवस्था संबंधी लक्ष्यों का सुसंगत निर्धारण आवश्यक है।

परंपराओं को व्यर्थ और जड़ मान लेना भी बहुत गलत है। उनमें अनेक परीक्षित और उपादेय तत्त्व हो सकते हैं। उनमें गत्यात्मकता और अनुकूलन-क्षमता भी होती है। वे समय की चुनौतियों से साक्षात्कार करती हैं। अनुपयोगी मानकर उनका परित्याग करना एक सशक्त और ऊर्जावान संसाधन से अपने आपको विलग करना होगा। परंपराएँ बदलती हैं, पर यह प्रक्रिया समय साध्य है। प्रौद्योगिक परिवर्तन और आर्थिक विकास के साथ परंपराओं का रूपांतरण होता है पर यह संभव नहीं है कि

हम सामाजिक संरचना, आस्थाओं और मूल्यों को पहले बदलें और तब विकास कार्यक्रम हाथ में लें। आयातित संस्थाएँ और मूल्य किसी समाज पर थोपे नहीं जा सकते, उनके लिए समाज की अंतःप्रेरणा और स्वीकृति आवश्यक हैं। इसमें अनिवार्यतः समय लगता है। स्थापित परंपराओं से सीधा टकराव विघातक हो सकता है। परंपरा की तीव्र प्रतिक्रिया विकास कार्यक्रमों को विशृंखलित कर सकती हैं। आस्थाएँ और परंपराएँ असाधारण रूप से जीवनक्षम होती हैं। स्वैच्छिक आधार पर या दबाव के कारण परित्यक्त अनेक परंपराएँ पुनः वापस लौट आती हैं। कानून से परंपराओं का अंत करना भी कठिन होता है।

अस्मिता और पहचान की रक्षा परंपरा से लगाव का मुख्य प्रेरक है। विकासशील देशों की प्राथमिकताओं के चार चरण उल्लेखनीय हैं। पहले राजनीतिक स्वाधीनता का उद्देश्य सर्वोपरि था। उसके बाद इन देशों ने आर्थिक विकास को अपना चरम लक्ष्य बनाया। बाद में फिर सामाजिक समता को केंद्रीय स्थान मिला। चौथा चरण सांस्कृतिक स्वायत्तता का है। राजनीतिक स्वाधीनता, आर्थिक विकास और सामाजिक समता आज भी आवश्यक हैं, पर उन्हें सांस्कृतिक स्वायत्तता से संदर्भित करना अब आवश्यक हो गया है। जड़ों की तलाश और बुनियाद की खोज आज के महत्त्वपूर्ण प्रश्न बन गये हैं। अपने आपको समझने के लिए अपने अतीत और अपनी परंपराओं को समझना जरूरी माना जाने लगा है।

सांस्कृतिक अस्मिता और उसकी रक्षा की भावना हमेशा बलवती रही है। बीसवीं सदी के अंतिम दशकों में जातीय भावना का जबरदस्त विस्फोट इसी भावना की अभिव्यक्ति है। जातीय भावना आर्थिक तर्कों को अमान्य करती है, अनेक स्थितियों में वह विवेकसम्मत और अच्छी राजनीतिक दृष्टि से भी प्रेरित नहीं होती। जातीय भावना से परंपराएँ जुड़ी होती हैं जो समुदाय को विशिष्टता प्रदान करती हैं, सामाजिक समाकलन का आधार बनती हैं और अनिश्चय/अनिर्णय की घड़ियों में सही कदमों का दिशा संकेत देती हैं। जातीय अस्मिता के ह्रास का भय प्रबल प्रतिक्रियात्मक शक्तियों को जन्म देता है जो हिंसात्मक आंदोलनों और अघोषित युद्ध का रूप भी ले लेती हैं।

कई विकास विशेषज्ञों ने कहा है कि अल्पविकसित और विकासशील देशों के लिए एक ही दिशा है—उन्हें अंततः वे ही चारित्रिक और संरचनात्मक गुण और स्वरूप ग्रहण करने हैं जो समकालीन विकसित समाजों में मिलते हैं। विकास के एक से अधिक मार्ग और प्रतिमान हो सकना असंभव तो नहीं माना गया, परंतु विकास की उच्च स्थिति में सामाजिक और सांस्कृतिक एकरूपता आने के संकेत बार-बार दिये गये हैं। अपना सांस्कृतिक वैशिष्ट्य खोकर एक आकृतिहीन भीड़ का अंग बन जाने का भय जातीय भावना को पुष्ट करता है। लड़ाई सांस्कृतिक अस्मिता की रक्षा की है और अपने निर्णय स्वयं कर सकने की स्वतंत्रता की भी। छोटी अस्मिताएँ उद्दंड

और अहम्मन्य बहुसंख्यकों की अधीनता स्वीकार नहीं करना चाहतीं। इससे तनाव उत्पन्न होते हैं, संघर्ष भी।

विकास से जुड़े चिंतन में बाद में अनेक धाराएँ आयीं। आर्थिक विकास के स्थान पर 'सामाजिक विकास' और 'पूर्ण विकास' की अवधारणाएँ प्रस्तुत की गयीं। जीवन की गुणवत्ता पर केंद्रित बहस से भी कुछ उपयोगी मार्ग निर्देश मिले। 'दूसरा विकास' और 'वैकल्पिक विकास' की संकल्पनाएँ एकांगी नहीं थीं। उनमें अर्थ-केंद्रित विकास की सीमाओं और विफलताओं का बोध था और उनकी दृष्टि समन्वित थी। उन्होंने बहुमार्गी और बहुपक्षीय विकास की ऐसी संभावनाओं को प्रक्षेपित किया, जो देशज चिंतन से अनुप्राणित थीं और परंपरा-सम्मत भी। उनमें परंपराओं के परित्याग का दुराग्रह भी नहीं था। वे देशज सृजनात्मक ऊर्जा का उपयोग वैकासिक कार्यक्रमों में कर सकने में विश्वास रखती थीं। इसके पहले कि इन स्थापनाओं का कार्यान्वयन हो, सोवियत संघ का विघटन हो गया, दो ध्रुवीय विश्व एक ध्रुवीय हो गया। मुक्त अर्थव्यवस्था और बाजार के विश्वव्यापीकरण की नीति शिखर पर आ गयी। इस नीति के स्वागत गान के कोलाहल में नये विचार खो गये।

इस नयी स्थिति में मानव समाज का सांस्कृतिक मानचित्र कैसा होगा ? क्या हम समूचे विश्व के समस्थितिकरण की ओर बढ़ रहे हैं ? या सांस्कृतिक बहुवाद के बने रहने और विकसित होने की भी कोई संभावना है ? उदारीकरण और मुक्त बाजार की नीतियों के आरंभिक परिणाम चिंताजनक हैं। अरब देश तथा दक्षिण और दक्षिण पूर्व एशिया के देश आनेवाले सांस्कृतिक संकट से आतंकित हैं। शायद दूसरी और तीसरी दुनिया के अन्य देश भी। क्या मैडोना और माइकल जैक्सन अपनी तमाम मानसिक विसंगतियों और विकृतियों के साथ नयी आराध्य प्रतिमाओं के रूप में प्रतिष्ठित होंगे ? क्या भारत जैसा देश एपाचे इंडियन और बाबा सहगल को जन्म देकर अपने आपको धन्य मानेगा ? क्या विम्पी, मेकडॉनल्ड और केन्टुकी फ्राइड चिकन की संस्कृति अपने कूड़ा खाद्य से हमारी अभिरुचियों को विकृत और स्वास्थ्य को नष्ट करने के लिए स्वतंत्र होगी।

खुले बाजार की नीति ने अभी आलू के महँगे चिप्स दिये हैं और पेप्सी के बाद कोक का वरदान उपलब्ध कराने का आश्वासन दिया है। आकाश से डिश एंटेना द्वारा होनेवाले संदेशों की बौछार एक नयी अपसंस्कृति को जन्म दे रही है। वयस्कों की टी-शर्ट पर माइकल जैक्सन के अमर शब्द 'मैं बुरा हूँ—आइ एम बैड' कौन-सा आदर्श प्रसारित कर रहे हैं ? धक्का उस समय और भी जोर से लगता है जब आठ-दस साल की लड़कियों के कपड़ों पर हम 'कौमार्य कैंसर है—वर्जिनिटी इज कैंसर' लिखा हुआ पाते हैं। एम. टी. वी. और स्टार-प्लस और उनके अधनंगे नाचों और 'द बोल्ड एंड द ब्यूटीफुल' तथा सेंटा बारबरा से और क्या सीखा जा सकता है ? उपभोक्ता समाज नित नयी उपभोग की वस्तुओं को प्राप्त करना चाहता है?

जिनका महत्त्व प्रतिष्ठा चिह्न के रूप में अधिक और उनकी वास्तविक उपयोगिता के कारण कम होता है। मर्यादाएँ टूट रही हैं और समाज में यौन अराजकता फैल रही है।

यह भोगवादी मानसिकता समाज की उन श्रेणियों में बहुसंख्यजनों में भी जाग्रत हो रही है जिनके पास विलास की वस्तुओं के लिए साधन नहीं हैं। संचार साधन इस उपभोक्तावाद का प्रचार कर नयी मानसिकता फैला रहे हैं। समाज इस तरह 'स्वविवेक निर्देशित' या 'परंपरा निर्देशित' न रह कर 'अन्य निर्देशित' होता जा रहा है। उसकी सामूहिकता नष्ट हो रही है। ऐसा समाज न दूसरों की चिंता करता न उनके दुःख-दर्द में शामिल होता है। यह प्रवृत्ति निश्चय ही नयी सामाजिक व्याधियों को जन्म देगी। अभी तो हम पश्चिम की विकृतियों को अधिक अपना रहे हैं, उसके गुणों को नहीं।

यह कह देना कि परंपरा मूल्यवान है काफी नहीं है। परंपरा में अपनी विडंबनाएँ और विरोधाभास भी होते हैं। नर बलि, सती प्रथा, स्त्री शिशु की भ्रूण हत्या, दहेज और उसके अभाव में स्त्री के साथ नृशंस व्यवहार, अस्पृश्यता आदि ऐसी परंपराएँ हैं जिनका समर्थन नहीं किया जा सकता। परंतु ऐसी भी स्वतः स्फूर्त और समाज-जन्य परंपराएँ हैं, जो आज के माहौल की अमान्य परंपराओं का पहले से विरोध करती आयी हैं। असहमति, विरोध और सुधार की इन परंपराओं को पुष्ट करना आवश्यक है। कानून की अपनी सीमाएँ होती हैं, पर शिक्षा, संचार और सामाजिक आंदोलनों से ये बुराइयाँ भी दूर की जा सकती हैं।

पहली उलझन उस समय उत्पन्न होती है, जब हम परंपरा का प्रतिरूप निर्धारित करने का प्रयत्न करते हैं। आरंभ किस काल और स्थिति से करें ? आद्य संस्कृति के संकलक आखेटक स्तर से ? या, किसी स्वर्ण युग के कल्पित चित्र से ? एक गत्यात्मक प्रक्रिया के किस स्तर पर इस प्रतिरूप को घनीभूत और स्थिरीकृत करें ? जहाँ परंपरा की एक से अधिक धाराएँ हों। उनका तुलनात्मक मूल्यांकन किस आधार पर किया जाये ? उनमें प्रमुख कौन है, गौण कौन—इसका निर्धारण कैसे हो ? परंपरा की हर छवि एक पुनर्निर्माण होती है। काल, संदर्भ और तात्कालिक आवश्यकताएँ उसके निर्धारण को प्रभावित करती हैं। अहं की टकराहट छवि को विकृत कर सकती है। दूरदर्शिता, विवेक और संयम का अभाव अनेक समस्याओं को जन्म दे सकता है।

दूसरा खतरा है परंपरा के अति रहस्यीकरण का, जो उन्हें ऐसे ढंग से प्रस्तुत करता है, जिसका कोई तथ्यात्मक तथा ऐतिहासिक आधार नहीं होता। यह प्रवृत्ति अनावश्यक क्षेत्रीय सामुदायिक और सांप्रदायिक तनाव पैदा कर सकती है। शुद्ध परंपरा की खोज हमें अंधी गली में ले जा सकती है, क्योंकि संस्कृतियों के बीच व्यापक आदान-प्रदान एक स्वीकृत ऐतिहासिक प्रक्रिया है। क्या संपर्क सूत्रों की अवहेलना की जा सकती है ? फिर कोई भी परंपरा संसार की सभी समस्याओं का हल प्रस्तुत नहीं कर सकती। कुछ नयी समस्याएँ नये हलों की माँग करती हैं।

विश्वव्यापी समस्याओं के विश्वव्यापी हल जरूरी होते हैं जो किसी एक परंपरा में उपलब्ध नहीं होते। परंपरा का राजनीतिकरण जो सत्य, अर्धसत्य और असत्य का सहारा लेता है, तात्कालिक राजनीतिक लाभ तो दे सकता है पर वह वैमनस्य, टकराव और हिंसा को भी प्रेरित कर सकता है। संस्कृतियों की स्वायत्तता स्वीकार करने का पूरा लाभ तभी होगा जब हम अंतर-सांस्कृतिक सौहार्द और सहयोग के सेतुओं का निर्माण भी करेंगे।

सच्चे विकास के लिए चार तत्त्व आवश्यक हैं—प्रभावशाली आर्थिक व्यूह रचना, सांस्कृतिक संवेदना, सामाजिक न्याय और पर्यावरण बोध। इनमें दो तत्त्व और जोड़े जा सकते हैं—सामाजिक समाकलन और निर्णय तथा कार्यान्वयन की प्रक्रियाओं में सहभागिता। इनमें प्रत्येक को परंपरा की अंतर्निहित ऊर्जा और क्षमता की आवश्यकता है। परंपरा हमें साधन भी देती है, लक्ष्य भी।

निःसंदेह परंपरा और विकास के अन्तःसंबंध समस्याग्रस्त हैं। उनमें से न एक को छोड़ा जा सकता है, न दूसरे को। विकास आज की अनिवार्यता है, पर परंपरा में भी अदम्य जीवन-शक्ति है जो अपने आप को विकास यात्रा के हर मोड़ पर प्रमाणित कर लेती है। ईरान के शहंशाह का दावा था कि उनके शासनकाल में देश की विकास दर जापान की विकास दर से भी अधिक थी। उस समृद्धि का क्या हुआ? अयातुल्ला खुमैनी के आंदोलन के कुछ कदमों ने उसे रेत के घरौंदों की तरह ढहा दिया। यह परंपरा की विजय थी। सोवियत संघ का क्रांतिकारी प्रयोग भी जातीय और क्षेत्रीय परंपराओं का क्षरण नहीं कर सका। चीन की सांस्कृतिक क्रांति भी कनफ्यूशियस, लाओत्शू और बुद्ध को अपदस्थ्य नहीं कर सकी। उसके मध्य एशियाई भाग में पुनः इस्लाम की लहर सशक्त है। जातीय भावना, जिसकी जड़ें परंपरा में हैं, आज सारे विश्व में उत्कर्ष पर है। एक गणना के अनुसार दुनिया में चार सौ से अधिक जातीय-भावना से प्रेरित आंदोलन चल रहे हैं। इन उदाहरणों से स्पष्ट है कि परंपरा और विकास को सुसंगत बनाये बिना न शांति संभव होगी, न प्रगति।

'एक ग्रह, एक मानवता' का नारा आज एक चालू मुहावरा बन गया है। अस्तित्व के संकट का सामना करने के लिए समस्त मानव जाति का एकजुट होना जरूरी भी है, परंतु इस समरसता का अर्थ परंपराओं और संस्कृतियों की विविधता का ह्रास नहीं है। आवश्यक है परंपराओं और संस्कृतियों के सहअस्तित्व का एक नया आधार। समान लक्ष्यों की प्राप्ति के लिए मानव जाति अवश्य एक हो, परंतु विश्वव्यापी सांस्कृतिक एकरूपता न जरूरी है और न संभव।

❑❑